SOMMAIRE

En couverture : © Catherine Chevallier

Éditorial

Fin du consensus et nouveaux clivages

Sᵢ CRITIQUE OU MÉPRISANT soit-on envers les acteurs politiques, rien n'autorise à évoquer rétrospectivement la campagne de la présidentielle comme une parenthèse inutile, voire comme la succession d'embellies médiatiques dont ont bénéficié successivement les Balladur, Delors, Chirac, Jospin et encore Chirac. Après quatorze années de mitterrandisme, la campagne de 1995 aura permis de sortir de l'immobilisme mental et de l'effondrement moral engendrés par une atmosphère où prédominaient la corruption et les contraintes, à commencer par celle d'une politique économique inébranlable. En ce sens, le fameux *consensus* – dont on nous a vanté les vertus jusqu'à l'écœurement –, de même que la capacité de la démocratie d'opinion à éclairer une société « volatile », se sont rapidement évaporés.

Mais comment s'exprime cette fin du consensus ? Par l'éclatement de l'électorat, par l'importance prise par le mouvement protestataire, ou bien par le simple retour, confirmé par une lecture rapide de la carte électorale lors du deuxième tour, du clivage droite-gauche que le « pacte républicain » prétendait dépasser allègrement ? Encore faut-il s'interroger sur les évolutions sensibles de la gauche et de la droite : en quoi l'une et l'autre de ces forces ont-elles changé ?

Si l'on doit reconnaître à Lionel Jospin qu'il a donné un ton à la campagne finale par sa rigueur et son refus de traiter l'adversaire par le mépris ou en manifestant un sentiment de supériorité « naturel » aux esprits progressistes, la gauche démocratique a bénéficié d'un sursaut de fidélité sans pour autant s'imposer auprès des plus jeunes générations. Soucieuse de rompre avec ses mauvaises mœurs, la gauche ne s'est-elle pas paradoxalement montrée trop rassurante ? Le projet social-démocrate, qui en était le ressort au dire des commentateurs pressés, a été porté au pinacle alors qu'on ne cesse

3

de marteler les arguments qui en soulignent la faiblesse : la crise de l'intégration par le travail, les menaces qui pèsent sur l'avenir de l'État-providence, l'absence d'un compromis dynamisé par les syndicats, l'éclatement de la classe ouvrière, le poids de la démocratie d'opinion, le dépassement du cadre national de l'action politique. Trop rassurant également le discours sur l'Europe, qui méritait qu'on l'inscrive plus fortement dans une dynamique politique. Ceux qui s'inquiètent de l'invention d'une « troisième gauche » ont du pain sur la planche.

Une fois élu président de la République sans avoir dû séduire les électeurs d'extrême droite, Jacques Chirac a pour sa part affirmé que la bataille principale était la lutte contre le chômage, avec une nouvelle approche et de nouvelles méthodes : « Il faut, avant de prendre quelque décision que ce soit, se poser la question : est-ce que c'est bon pour l'emploi ? » Le président de la République prend ici le risque d'être jugé rapidement alors que sa politique économique oscille pour l'instant entre des mesures libérales, une fiscalité de classe et des stratégies volontaristes dont le point d'orgue est d'attaquer la politique monétariste mise en place depuis des années. Mais la dénonciation de la pensée unique suffit-elle à mettre en œuvre une politique cohérente sur le terrain de l'emploi ? D'autant que persiste parmi ses plus proches la ligne de fracture européenne.

Dans un cas comme dans l'autre, on voit qu'un débat plus exigeant sur l'avenir de la société de marché et du capitalisme a été évacué, de même qu'un autre débat fondamental : celui qui porte sur « l'intégration par le travail » dans les sociétés post-industrielles, et que les propositions sur la réduction du temps de travail ont évoqué beaucoup trop discrètement. Quand la croissance n'est plus synonyme de création d'emplois, il faut imaginer autrement le sort des individus pour lesquels le salariat et le travail ne sont plus le moteur de l'identité. Une chose est sûre désormais, qui invite à l'utopie : il est urgent de réinventer une civilisation du travail débordant considérablement les analyses classiques proposées par les libéraux ou les socialistes qui ne voient, les uns et les autres, la société qu'à travers le seul « miroir de la production ». Dénoncer l'économie capitaliste de marché « revient à mettre en place, affirme par exemple Jacques Robin, une économie plurielle avec marché dans la perspective d'une politique de civilisation ». Voilà une réflexion qui n'est malheureusement apparue qu'en bas de page, et surtout dans les programmes des petites listes.

Esprit

Le surhomme dans le souterrain

Les stratégies de la folie :
Nietzsche, Wagner et Dostoïevski

René Girard

POUR EXPLIQUER la folie de Nietzsche il est indispensable de privilégier les relations triangulaires qui sont au principe de la théorie de Freud, mais sans pour autant sacrifier à la psychanalyse. On peut en effet tenter de lire Nietzsche à la lumière de la conception mimétique du désir que j'ai exposée dans *Deceit, Desire and the Novel* comme dans *la Violence et le sacré*.

On sait que Wagner hantait Nietzsche. Cette obsession était à l'évidence bien plus qu'un simple engouement de jeunesse, plus qu'une de ces erreurs de jugement propres à l'adolescence et qu'on rectifie à l'âge mûr. On ne peut se débarrasser du problème Wagner en avançant les arguments traditionnels sur la distance incommensurable qui sépare « la vie » et « l'œuvre ». Wagner joue un très grand rôle dans « l'œuvre ». Tout au long de sa vie, Nietzsche ne cesse, dans ses écrits, de le louer ou de l'attraper, de façon explicite ou parfois détournée. A mesure qu'approche l'ultime folie, Wagner, bien que mort, le hante toujours – et peut-être plus que jamais.

La traditionnelle théorie œdipienne et la théorie lacanienne de la « forclusion » du symbolique et de la schizophrénie – illustrée par le livre de J. Laplanche, *Hölderlin et la question du père* – passent peut-être pour les seules approches du problème Wagner, il n'en reste pas moins qu'elle éludent, une fois de plus, la véritable question.

---

1. Respectivement John Hopkins University Press (1976) et Grasset (1972).

5

L'histoire de la relation de Nietzsche avec Wagner correspond parfaitement aux différentes étapes du processus mimétique. Wagner commence par être le modèle explicitement avoué, la divinité ouvertement adorée pour devenir très vite obstacle et rival, sans jamais cesser d'être un modèle. Un psychanalyste dirait que la relation est devenue « ambivalente ». Motiver cette « ambivalence » par la mort de quelque père, c'est s'aveugler sur la réalité du conflit. Car Wagner, étoile montante du peuple allemand, interdit précisément à son propre disciple d'atteindre le but qu'il s'est lui-même fixé. On retrouve le même "double bind" dans le cas de Schiller et Hölderlin, ou Rimbaud et Verlaine. Freud et les autres théoriciens de la psychanalyse se refusent à comprendre sa terrible simplicité ; ils ne cessent d'éloigner notre attention de la vérité en nous abusant de quelque plaisante fable. Toujours est-il que leurs relations – des plus désastreuses – avec leurs disciples témoignent sans contexte de l'existence de "double bind".

A l'époque des triomphes de Bayreuth, Nietzsche, horrifié, se voit contraint de regarder en face, multipliée à l'infini comme une image dans un miroir, sa propre idolâtrie pour Richard Wagner. Nietzsche réduit Bayreuth à un effort colossal de la part de Wagner pour organiser son propre culte. Il n'a probablement pas tout à fait tort mais il oublie qu'*Ecce Homo* est le pendant exact de Bayreuth, que c'est sa propre réplique à Bayreuth, bien plus : un véritable acte de représailles et donc, en tant que tel, un acte identique à celui contre lequel il s'exerce. la seule différence entre Wagner et Nietzsche est que le premier est entouré d'une véritable cour d'adorateurs, tandis que le second n'a d'autre adorateur que lui-même. Il doit être à la fois l'idole et l'idolâtre, ce qui ne peut se soutenir longtemps. Le silence absolu qui se fait peu à peu autour de lui le pousse à multiplier les bouffonneries et donc à adopter un type de comportement qu'il faut bien qualifier de typiquement schizophrénique, même si, en définitive, il n'y a pas de solution de continuité entre cette mégalomanie croissante et son attitude antérieure, beaucoup moins orgueilleuse. La différence entre l'homme sain et le malade n'est peut-être que l'état plus ou moins heureux de sa relation avec le public.

Tout cela est l'évidence même, mais l'évidence n'a jamais bonne presse. Et s'il est difficile de faire entendre la vérité ou même simplement de la formuler, c'est précisément à cause du respect aveugle et sacro-saint dont notre monde nietzschéen prend soin d'entourer ses modèles – une fois morts bien entendu – à commencer par Nietzsche.

Pour miner le culte de Wagner, Nietzsche a recouru à toutes sortes de stratagèmes, proposant, par exemple, de substituer Bizet au dieu musical de l'époque. A ces puérils stratagèmes les intellectuels occidentaux se laissent tous prendre – ou du moins le prétendent. Car lorsqu'il s'agit de Nietzsche, ils sont capables de déployer des trésors d'ingéniosité pour interpréter à leur guise les passages les plus schizophréniques.

La victoire et la défaite sont deux positions interchangeables à l'intérieur d'une même structure maniaco-dépressive : celle de la rivalité. Wagner et Nietzsche occupent tour à tour ces deux positions. Bien entendu, les deux adversaires ne se partagent pas également la victoire et la défaite et il se peut, en outre, que d'autres personnes, dont nous ignorons le nom, entrent aussi en ligne de compte. Reste que cette structure est avant tout une relation concrète de *doubles*, une réciprocité mimétique qui se constitue et s'affirme grâce aux efforts mêmes de Nietzsche pour la défaire et la nier. C'est pourquoi on ne saurait étudier *Ecce Homo* indépendamment du culte wagnérien sans en fausser l'interprétation. Or il s'agit là d'une étape importante de la culture allemande (et donc européenne) qui est alors la proie d'une schizophrénie galopante.

Dans *Ecce Homo* Nietzsche proclame que toutes les louanges qu'il a pu déverser par le passé sur Wagner, cette fausse idole, doivent désormais retourner à leur propriétaire légitime, c'est-à-dire Nietzsche lui-même. Autrement dit, chaque fois qu'apparaît dans ses écrits le nom de Wagner, il faut lui substituer celui de Nietzsche.

Le plus troublant bien entendu dans cette affaire, c'est que Nietzsche, dans *la Naissance de la tragédie* par exemple, exalte Wagner aux dépens de lui-même. Si les dictateurs peuvent refaire l'histoire en la réécrivant, les écrivains, eux, ne peuvent pas réécrire leurs livres. Or il suffit de lire ceux de Nietzsche dans l'ordre chronologique pour repérer le moment où la réaction « ambivalente » mais toujours « rationnelle » envers le modèle en tant qu'obstacles et envers le rival en tant que modèle fait place à la cauchemardesque « crise d'identité » et à la « mégalomanie » caractéristiques des dernières étapes de la maladie. Le malade régresse non au stade infantile mais au premier stade de sa relation avec le médiateur, quand le modèle n'est pas encore devenu modèle-obstacle ni n'a cessé d'être ouvertement adoré, et c'est pour percevoir désormais dans cette relation le piège diabolique dont il est prisonnier. Nietzsche réalise alors qu'il a consenti à l'injuste triomphe du médiateur et qu'il l'a même favorisé. Il se sent dépossédé de son propre moi et, dans son désir éperdu de combler le vide créé, il cherche à s'approprier non seulement l'être du fuyant Wagner mais encore celui de tous les modèles, historiques ou mythologiques, qui ont pu frapper son imagination.

Ne nous hâtons pas, à la suite des psychanalystes, de voir en Wagner un substitut du père. Car ce serait vider la rivalité de sa dimension intellectuelle et artistique et rendre insoluble le problème Wagner. Non qu'il n'entre aucune composante sexuelle dans cette rivalité, mais il se trouve que le complexe d'Œdipe s'avère finalement incapable d'en rendre compte.

Dans les dernières notes de Nietzsche, le nom de Wagner apparaît une fois de plus dans une configuration que l'observateur le plus agacé par la « critique triangulaire » doit pourtant se résigner à appeler un triangle. Richard Wagner joue le rôle de Thésée, Cosima, celui d'Ariane et Nietzsche celui de Dionysos. Notons cependant qu'à cette époque-là, c'est-à-dire à la fin de ce qu'on nomme sa raison, Nietzsche signe tantôt « Dionysos », tantôt « le Crucifié », exprimant ainsi sa véhémente opposition au christianisme. On ne peut qu'être frappé par le contraste saisissant qu'offrent les deux signatures.

La situation des personnages dans le triangle mythologique rappelle l'épisode où Thésée cède Ariane à Dionysos. Selon la sœur de Nietzsche, Hans von Bülow aurait été le premier à évoquer, à propos de sa propre situation, cette histoire mythique. En effet, quand sa femme le quitta pour Richard Wagner, il donna une explication de l'événement qui témoignait autant de sa courtoisie que de son sens de l'humour : on ne peut, disait-il, reprocher à une femme déchirée entre un homme et un dieu de se prononcer en définitive en faveur du dieu.

On a donc un premier triangle avec des personnages réels mais dans des rôles mythiques très différents de ceux qu'ils joueront par la suite, exception faite pour Cosima. Ici, Richard Wagner est Dionysos et Hans von Bülow Thésée. Il n'est pas question de Nietzsche pour l'instant. En quoi le « bon mot » de Hans von Bülow peut-il donc nous intéresser ? Eh bien, en ce sens qu'il correspond parfaitement à la représentation que Nietzsche se fait de la situation à l'époque. Dans sa propre mythologie, c'est aussi à Wagner que revient le rôle de Dionysos. La distribution des rôles dans ce premier triangle où lui-même ne figure pas n'a sans doute jamais cessé de le tourmenter, au point qu'au seuil de la folie, il en écrit une tout autre version où il occupe la place jusque-là réservée à Richard Wagner – devenu Thésée – et s'apprête à recevoir Cosima des mains de Thésée-Wagner tout comme Richard Wagner l'avait reçue des mains de Thésée-Hans von Bülow. C'est donc et l'identification à Dionysos et la possession de Cosima qui font passer du premier au second triangle, posséder la divinité et posséder la femme allant de pair.

Il est tentant – mais bien inutile – de faire de Cosima, selon le réflexe freudien, quelque substitut parental : on n'en comprendrait pas mieux le mécanisme triangulaire, tout au contraire. Chaque fois que Nietzsche s'est lié avec une femme, il semble qu'un ami commun, plus ou moins amoureux lui aussi de cette femme – en tout cas dans l'esprit de Nietzsche – ait joué entre eux le rôle de médiateur. En 1876, par exemple, Nietzsche pria un ami, Hugo von Senger, de demander en mariage de sa part une jeune fille qu'Hugo épousa par la suite. L'épisode avec Lou Andréas-Salomé obéit à la même logique. Quand Nietzsche la rencontra, elle était la compagne spirituelle de Paul Rée. Précipitamment, comme toujours, Nietzsche pria Paul Rée de transmettre à Lou sa demande en mariage qui fut refusée.

Freud est loin d'être indifférent à ces situations triangulaires. Mais sa perception du rôle du rival se limite à ce qu'il nomme « ambivalence », c'est-à-dire à la relation d'amour-haine. Ne voyant pas que seule la métamorphose du modèle en obstacle permet de rendre pleinement compte de cette mystérieuse « ambivalence », il a recours, pour l'expliquer, au complexe d'Œdipe : désir de la mère, haine du père-rival mais « tendresse normale » pour le père envisagé comme père. Reste que dans une relation triangulaire comme celle de Nietzsche avec Wagner, la fascination pour le rival est si grande que l'Œdipe « normal » n'est plus en mesure d'en rendre compte. C'est pourquoi Freud s'est trouvé dans l'obligation d'inventer sa genèse œdipienne « anormale ». N'ayant pas connaissance du principe mimétique, il ne pouvait soupçonner qu'on puisse, avec celui-ci, tout expliquer comme un seul et unique processus dynamique : l'autre exerce une fascination croissante à mesure que de modèle il devient obstacle. Ce processus peut rendre également compte de la composante homosexuelle de la relation, étant donné que l'obstacle en question est un rival du même sexe.

Cette apparence d'homosexualité que revêt la fascination pour le rival est vraiment le seul élément de la configuration clairement perçu par Freud. Il est vrai qu'il ne peut que sauter aux yeux de qui ne soupçonne pas la primauté de la mimesis sur la rivalité. Il s'agit là d'une homosexualité « latente » pour la bonne raison qu'une femme entre aussi en ligne de compte dans cette affaire et que cette femme est le seul objet immédiat, si j'ose dire, du désir médiatisé.

L'Œdipe « anormal »

Le second Œdipe n'est rien de plus en réalité que le premier, mais augmenté d'une composante sexuelle. Outre le désir « normal » du petit enfant pour sa mère qu'il lui faut bien garder puisque l'un des pôles du triangle est une femme, substitut de la mère, Freud est obligé de postuler dans cet enfant le désir « d'être désiré par son père en qualité d'objet homosexuel ».

9

On a donc deux types de genèse œdipienne, une « normale » et une « anormale ». C'est certainement à l'Œdipe « anormal » qu'aurait recouru Freud dans le cas d'un malade tel que Nietzsche. Dans son essai sur Dostoïevski – lequel, toute sa vie, a eu avec les hommes comme avec les femmes des relations de type triangulaire qu'il a transposées dans son œuvre et qui évoquent de manière frappante celles de Nietzsche – Freud fait précisément appel à l'Œdipe « anormal » pour rendre compte de phénomènes proprement « nietzschéens ».

Le rival joue exactement le même rôle chez Dostoïevski que chez Nietzsche. Chez l'un comme chez l'autre on retrouve toujours le même type de situation : jeunes femmes hâtivement demandées en mariage par l'intermédiaire d'amis censés en être amoureux et dont le héros (ou son créateur qui lui ressemble comme un frère) a copié le désir ; médiateurs devant lesquels ce même héros est toujours prêt à s'effacer, le cas échéant, avec « magnanimité ». N'a-t-il pas espoir de se voir céder la jeune personne par le rival ou même de se voir accorder une modeste place, en tiers, dans l'intimité du couple, en récompense de cette « magnanimité » ? C'est du moins ainsi que le Dostoïevski des premières œuvres et des lettres de jeunesse présente les choses.

L'Œdipe « anormal » peut-il expliquer ce genre de situation ? Les freudiens répondent par l'affirmative, et en un sens, ils n'ont pas tort, étant donné que cette variante de l'Œdipe a précisément été inventée dans ce but. A l'exception de quelques écrivains, Freud a été le premier à observer ce type de configuration et à tenter de lui donner une interprétation scientifique. Aussi ne pouvait-il manquer de faire mieux que tous ses prédécesseurs. Néanmoins, quel que soit son mérite, il reste bien en deçà de la véritable interprétation et n'observe même pas correctement le mécanisme triangulaire. Ces deux échecs n'en font qu'un car la réalité du processus mimétique est tellement inextricable qu'elle ne permet pas de distinguer entre la théorie et la description des faits.

Dans tous ces triangles il s'agit moins d'arracher la bien-aimée au rival que de la recevoir de ses amis ou de la partager avec lui. En réalité, le sujet ne peut se passer de sa présence, au point de tout faire pour le ramener dans le triangle, s'il essaie de s'éloigner. Pourquoi ? Peut-on parler ici, à la suite de Freud, d'un comportement franchement homosexuel ? Pas le moins du monde. Car le sujet est tout simplement incapable de désirer par lui-même et, n'ayant aucune confiance dans la valeur de son propre choix, ne peut que se tourner vers le rival tout-puissant dont le désir est seul susceptible de valoriser la bien-aimée. Que le rival se retire du jeu, la bien-aimée perd toute sa valeur.

Même si c'est l'inverse qui se produit et que le rival soit d'abord obstacle avant d'être modèle, il n'en faut pas moins penser toute la séquence à partir du modèle. Car dès qu'on accorde cette primauté à la mimesis, les choses retrouvent un ordre pleinement signifiant. Le médiateur a donc désigné un objet au sujet. Mais cela ne suffit pas. Il faut encore, pour que l'objet en question garde sa valeur, que le médiateur continue à désirer cet objet. C'est pourquoi le sujet veut toujours faire jouer à l'autre un rôle actif d'intermédiaire, littéralement, de *médiateur,* entre lui et l'objet. Il ne veut pas réellement obtenir la jeune femme, car c'en serait fini du rival et donc de son intérêt pour elle. Il ne faut pas non plus que l'autre l'emporte de façon trop décisive, sinon le sujet, dont le désir n'aurait rien perdu en intensité, courrait alors un trop grand risque : celui d'être exclu à jamais du cercle du médiateur. En fait, il n'est pas de solution vraiment satisfaisante à cette inextricable situation. La seule « issue » envisageable, c'est, paradoxalement, d'entretenir la rivalité sans sortir du triangle.

Ce qui seul importe aux yeux du sujet, c'est l'intimité dont jouissent le rival et la jeune femme, car il y voit la matérialisation parfaite de l'autonomie quasi divine dont il rêve. Il n'est qu'un narcissisme : celui de l'autre ou, dans le cas présent, des deux autres qui forment un couple heureux. Et c'est leur bienheureux narcissisme à deux qui devient objet de désir, plus que l'une ou l'autre personne du couple.

Pour expliquer le triangle, Freud, lui, imagine deux désirs bien distincts : un désir pour la jeune femme, sans doute inspiré par la mère, et un désir pour le rival, probablement inspiré par le père. D'où l'étrange fable du petit garçon qui éprouve, ne serait-ce que passagèrement, un désir homosexuel passif à l'égard de son père. En réalité, seul le désir du médiateur peut conférer à la jeune femme le sceau de l'infiniment désirable, et donc tout à la fois alimenter et légitimer le propre désir du sujet. En termes œdipiens son propre désir pour sa mère. Au regard de l'Œdipe, pareille explication est totalement irrecevable. Car elle suppose que la mère n'a aucune valeur intrinsèque et n'est pas désirée, et en outre que le père n'est pas l'incarnation de la loi contre l'inceste. Autant de piliers de l'édifice œdipien qui s'effondrent !

De fait, à la différence de la théorie mimétique, Freud postule une essence intrinsèque du désir pour la mère, seule capable, selon lui, d'expliquer le tabou de l'inceste. Toutes les relations, chez lui, restent fondamentalement indépendantes les unes des autres, notamment le désir pour la mère et l'identification au père. Seule l'explication mimétique permet d'établir des rapports étroits entre les différents pôles du triangle et de montrer comment le même méca-

11

nisme peut faire du médiateur un être à la fois adorable en tant que modèle et haïssable en tant qu'obstacle.

En vérité, le triangle œdipien n'est pas rationnel. Le pourquoi de sa répétition fait particulièrement problème, alors qu'on comprend très bien, par contre, pourquoi le triangle mimétique ne peut que se reproduire à l'infini, pourquoi la quête de rivaux toujours plus heureux ne peut avoir de terme. Si le modèle continue de médiatiser métaphysiquement le désir du sujet, lui désignant ainsi l'objet désirable entre tous, le sujet s'attachera moins à l'objet en question qu'à sa relation avec le modèle, et l'on obtiendra alors un triangle. Il est donc logique que les victimes de la maladie mimétique les plus gravement atteintes modèlent leurs désirs sur celui d'un nombre de plus en plus grand de rivaux heureux. Le mimétisme ne faisant qu'exaspérer l'antagonisme et réciproquement, la relation au médiateur apparaît comme un cercle vicieux impitoyable qui ne peut que se resserrer toujours davantage autour du sujet. Voilà qui rend parfaitement compte de l'aggravation de la fascination exercée par le rival et du glissement progressif de l'objet hétérosexuel au rival et modèle du même sexe par quoi la relation tend à se teinter d'homosexualité. Dans ces conditions, une seule genèse suffit.

Mais l'explication mimétique a un autre mérite : elle permet de comprendre exactement en quoi Freud s'est trompé et ce qui l'a conduit à élaborer les hypothèses que l'on sait — hypothèses probablement fausses mais qui n'ont rien de gratuit. Le triangle familial primitif peut fort bien devenir, à un moment donné, mimétique, c'est-à-dire pathologique. On ne saurait parler pour autant d'une pathologie inhérente à la vie familiale de l'enfant, bien au contraire. Car plus le père est un père au sens juridique du terme, moins il a de chances de devenir un rival mimétique. Modèle idéal ou tyran haï, s'il lui arrive de jouer ce rôle de rival, ce n'est jamais en qualité de père. Les rôles de père incarnant la loi et de modèle-rival sont pratiquement incompatibles.

Si, pour sa part, Freud a tenté de concilier l'inconciliable, c'est en partie pour des raisons historiques. Écrivant à une époque ambiguë où le père n'avait encore presque rien perdu de son pouvoir traditionnel, tandis que commençait à s'exaspérer la rivalité mimétique, il a tout naturellement recouru — et d'autres avec lui — à une seule et même explication pour rendre compte de deux phénomènes qu'il croyait étroitement liés.

C'est pourtant un de ses contemporains, Dostoïevski, qui, au moins dans ses dernières œuvres, a distingué ces deux phénomènes mieux que quiconque. D'où son interprétation beaucoup plus lucide et de la loi et de la rivalité mimétique. Mais dans *les Frères Karamazov*, Freud a surtout perçu la confirmation de l'existence des conflits « œdipiens ». Rien de plus commode que l'interprétation œdipienne : qu'il y ait ou non parricide, elle trouve toujours à se justifier.

Autre œuvre importante que Freud, semble-t-il, n'a pas lue, *l'Éternel Mari*, interprétation fulgurante et sans égale des rapports triangulaires qui nous a constamment servi de guide dans les pages précédentes : ce bref roman ne nous montre-t-il pas clairement le rival obsédant comme le médiateur du désir ?

Mais qu'en est-il des *Idées* de Nietzsche ? Que ses écrits sur Wagner aient été imprégnés par le désir médiatisé ne signifie certes pas qu'il en est de même pour sa philosophie. Je crois pourtant qu'on peut prouver le contraire. De l'avis de nombreux spécialistes, la « volonté de puissance » est l'idée essentielle de Nietzsche. Or il suffit d'examiner objectivement la situation pour s'apercevoir que la « volonté de puissance » sert de justification intellectuelle à un comportement autodestructeur – comportement qui caractérise justement les phases critiques du processus mimétique.

Nietzsche a commencé par employer l'expression « volonté de puissance » dans le seul but de démystifier certains types de comportement secrètement déterminés par un souci extrême de l'opinion d'autrui. Des actes qui passent pour être inspirés par de bons sentiments comme l'« altruisme » il affirme qu'ils reposent au contraire sur une « volonté de puissance ». A ce propos, Walter Kaufman fait observer que la « volonté de puissance », à ce stade, avait une connotation péjorative. Nietzsche en effet « n'exhortait pas les gens à développer une volonté de puissance qui, à ses yeux, n'avait rien de glorieux ».

Par contre, dans ses dernières œuvres, il présente souvent la volonté de puissance comme la force qui meut l'univers entier. D'après Heidegger, Nietzsche a fait de celle-ci le fondement d'un système métaphysique. Il n'est plus qu'une vertu : ne faire qu'un avec sa propre volonté de puissance et la développer aussi pleinement que possible.

Nietzsche n'en est pas moins conscient des déplorables conséquences que peut entraîner la volonté de puissance. Si, à ses yeux, c'est l'unique force à l'œuvre dans l'univers, elle se subdivise cependant en deux espèces tout à fait différentes : l'« authentique » volonté de puissance, si j'ose dire, et ce qu'on appelle souvent le *ressentiment*. Notons que ce mot, assez rarement utilisé par Nietzsche, doit sa vogue au titre d'un livre de Max Scheler qui traite librement du thème nietzschéen.

En quoi le *ressentiment* diffère-t-il radicalement de l'authentique volonté de puissance ? Sur ce point, les opinions divergent. Pour bien des commentateurs, il s'agirait d'une différence d'essence. Mais c'est alors risquer de ramener la vision de Nietzsche à l'un de ces manichéismes inversés comme il en fleurit tant dans notre monde et de réduire à néant sa farouche originalité. En fait, Nietzsche lui-même n'eût pas voulu de cette explication – tout à fait incompatible du reste avec le caractère moniste de sa métaphysique. Le propre de la volonté de puissance, c'est d'être une forme d'énergie qui ne peut se mesurer qu'en termes quantitatifs ; peut-elle devenir qualitative ? Seule la conception d'une volonté de puissance comme rivalité conflictuelle peut expliquer cette énigme. Il est logique en effet que les individus doués d'une volonté de puissance supérieure l'emportent sur les autres. Les forts ne peuvent que dominer les faibles et les faibles souffrir amèrement de leur infériorité. Ils ont beau faire et dire, y compris nier la réalité de cette infériorité, ils savent bien qu'en un loyal combat, ils n'ont aucune chance de vaincre. Aussi sont-ils condamnés à remplacer la force par la ruse.

Ces faibles, ces vaincus sont les victimes du *ressentiment*. Très nombreux, ils peuvent se rassembler pour fonder des religions et des philosophes apparemment très « altruistes » mais dont l'unique but, en réalité, est de renverser la hiérarchie naturelle de la volonté de puissance. Douées d'un sens exacerbé de la justice qui ne fait que masquer leur *ressentiment*, ces religions et ces philosophies osent affirmer que viendra le tour des douces et humbles créatures. Au premier rang, la tradition judéo-chrétienne dont la « morale d'esclaves » a été institutionnalisée par les sociétés égalitaires des démocraties modernes. Mais que signifie l'énigmatique allusion de Nietzsche au poids écrasant de la volonté de puissance ? On vient de voir que le seul moyen d'éviter le *ressentiment* est de surpasser les autres volontés. Nietzsche ne cesse de le répéter. Il prescrit toujours la *victoire* comme le seul remède efficace pour l'esprit humain : « *Remèdes pour les maux de l'âme*. Quel est le baume cicatrisant le plus efficace ? La victoire ».

Un problème se pose dès que l'on se met à juger Nietzsche selon ses propres critères. Car où sont ses *victoires* ? Sa vie ne fut-elle pas une perpétuelle défaite ? Et la défaite n'est-elle pas pour l'âme *le plus pernicieux des microbes* ?

Compte tenu de la définition purement quantitative de la volonté de puissance et des critères de sélection pour accéder au panthéon nietzschéen, c'est se charger assurément d'un terrible fardeau que d'embrasser en toute lucidité pareille mystique. Car si l'on rencontre plus fort que soi, on risque de perdre à tout jamais ses propres illusions sans pour autant pouvoir se consoler avec quelque « morale d'esclaves ».

Sous le rapport de la volonté de puissance, quelle idée Nietzsche pouvait-il bien avoir de lui-même ? Voilà un véritable problème qui n'est jamais envisagé, sans doute parce que la réponse semble aller de soi. A nos yeux, Nietzsche est un génie. Lui-même le dit, le répète, et plus il approche de la folie, plus ses inhibitions diminuent et plus il peut l'affirmer sans honte. Comment le soupçonner, dans ces conditions, de n'être pas convaincu d'une opinion qu'il défend avec autant de vigueur et qui se trouve, en outre, coïncider avec la nôtre ?

Son œuvre tout entière étant un hymne à la volonté de puissance, elle présuppose qu'il existe des champions invincibles de cette volonté souveraine mais aussi que Nietzsche est de leur nombre. Aurait-il pu découvrir la force primordiale de l'univers et stigmatiser la morale d'esclaves avec la véhémence que l'on sait s'il n'avait lui-même participé intimement à cette force ?

Ces apparences, bien entendu, sont trompeuses. Par moments, Nietzsche s'est senti dans l'incapacité de satisfaire aux exigences de sa propre mystique. On en est convaincu lorsqu'on cesse de se dissimuler que le rapport de Nietzsche à la volonté de puissance et sa relation avec Wagner (et sans doute avec d'autres médiateurs mais de moindre importance) ne font qu'un. Dionysos et la volonté souveraine ne sont qu'une seule et même chose. S'il arrivait à Nietzsche de douter qu'il fût réellement Dionysos, il doutait aussi, à coup sûr, de l'emporter sur un Wagner dont il craignait qu'il fût toujours le « vrai » Dionysos. Éprouver cette sorte de crainte ou se sentir submergé, devant le triomphe du médiateur, par un irrépressible *ressentiment*, c'est exactement la même expérience.

On objectera peut-être que ma définition brutalement quantitative de la volonté de puissance n'est pas communément admise aujourd'hui. Rien n'est plus vrai. Les nietzschéens, et en particulier les nietzschéens français, ont fait de la volonté de puissance un gentil petit gadget idéaliste qui n'a strictement rien à voir avec ce dont je suis en train de parler. D'où la question : pourquoi jugent-ils nécessaire de nier la brutalité du concept nietzschéen en la sublimant ? C'est qu'ils ne semblent jamais pressentir les effets autodestructeurs de la volonté de puissance. Et pourtant, ils doivent en être vaguement conscients, puisqu'ils réussissent parfaitement à neutraliser ces effets. Ce qu'ils voudraient, bien entendu, c'est préserver la puissance corrosive de la « démystification » nietzschéenne sans courir le risque de la voir se retourner contre eux comme ce fut le cas pour Nietzsche, bref, en faire une arme tactique, de celles qui n'explosent pas entre vos mains.

Pourquoi avons-nous pour Nietzsche, qui avait en horreur ce genre d'attitude, une véritable dévotion ? Pourquoi ce mythe d'une volonté de puissance de nature tout autre et qui seule échapperait aux pièges de la rivalité ? Il procède de l'existence, chez Nietzsche, de deux types de rivalité. La première relève du *ressentiment*, la seconde de l'authentique volonté de puissance. C'est évidemment à la première, toujours fiévreuse, toujours à l'affût de victoires minables sur de médiocres adversaires, que vont d'office toutes les critiques ordinairement réservées à la rivalité en général, quand la seconde est toute noblesse et toute générosité. Et pourtant, elle n'en est pas moins virulente. La franche rivalité conflictuelle propre à la culture grecque ne témoigne-t-elle pas d'une volonté de puissance supérieure ? Walter Kaufman a raison une fois de plus quand il définit celle-ci comme une volonté « de se surpasser, d'exceller et de l'emporter sur tous les autres ».

Quant aux propos de Nietzsche lui-même sur son besoin compulsif de rivalité agressive, il faut les examiner avec le plus grand soin, leurs implications étant considérables. « Je ne m'attaque qu'aux causes victorieuses..., écrit-il. Je ne m'attaque qu'aux causes contre lesquelles je suis sûr de ne pas trouver d'alliés... Je ne m'attaque qu'aux causes dont je suis le seul champion... » Cette conduite chevaleresque correspond sans nul doute aux exigences d'une mystique. mais on peut y voir aussi une fébrile entreprise d'autodestruction. En particulier lorsqu'il s'agit d'un être qui accorde autant d'importance que Nietzsche à la victoire. En réalité, la mystique nietzschéenne n'est rien d'autre en fin de compte que le résultat d'un effort aussi colossal que systématique pour précipiter sa propre chute et opérer sa propre métamorphose en *ressentiment*.

Ne peut-on imaginer pourtant une volonté de fer qui, en quête de l'adversaire le plus imbattable et déterminée à le trouver coûte que coûte, ne le trouve pourtant pas et demeure glorieusement invaincue ? Oui, sans doute, si l'on envisage avec Nietzsche la rivalité comme une suite de nobles tournois avec d'autres chevaliers de la volonté de puissance et la victoire comme le légitime triomphe du meilleur d'entre eux. Voilà qui ressemble fort aux rêves de Don Quichotte. Nos deux chevaliers errants n'ont pas l'air de réaliser que le « monde » n'a que faire, en général, de ce genre de défi.

Quand le gardien ouvre la porte de la cage aux lions et que Don Quichotte s'apprête à braver les monstres, ceux-ci refusent tout simplement le combat : ils bâillent et s'en retournent dormir. Don Quichotte a suffisamment de bon sens pour ne pas forcer le gardien à exciter les bêtes. Devant les supplications terrifiées de ce dernier, il finit par s'incliner et par battre dignement en retraite, non sans avoir proclamé sa glorieuse victoire. Je ne puis m'empêcher de penser que Nietzsche, lui, se serait senti gravement offensé par la nonchalance des lions.

Nietzsche n'aimait pas Cervantès, qu'il accusait de cruelle *Ironiesirung* à l'égard de ce qu'il appelait les « idéaux élevés ». Il eût pourtant mieux fait de l'écouter, Don Quichotte constituant un bien meilleur antidote contre la folie que toute la science psychiatrique et psychanalytique. Le pire danger, pour Nietzsche comme pour Don Quichotte est l'indifférence du monde que la classique imbrication, en lui, d'égocentrisme et de souci morbide de l'autre ne peut qu'appréhender fantastiquement. Aussi bien ne cesse-t-il de surestimer sa propre puissance de scandale, et d'exagérer la recevabilité comme l'irrecevabilité de ses livres.

Il est bien entendu *de rigueur* de déplorer la grande indifférence du monde à l'égard de ses génies. Mais peut-être cette vaste indifférence est-elle à notre existence sociale ce qu'est l'azote à notre atmosphère : l'instrument de la santé mentale de tout le genre humain. Reste que pour Nietzsche cet élément bénéfique se transforme en poison : le chevalier de la volonté de puissance voit d'amères défaites dans nombre de batailles imaginaires.

Quand Nietzsche accuse l'Allemagne de Bismarck de complaisance, de mauvais goût et de médiocrité, c'est avec un accent de violence qui trahit une blessure plus profonde qu'il ne le voudrait et que ne le voudraient les nietzschéens. Sa relation à l'université n'est pas aussi simple qu'on l'a dit et répété. On ne peut certes nier qu'il ait souvent fait preuve à cet égard d'un détachement supérieur et d'une superbe indifférence. Ce n'est pas toujours le cas. Il en est de cette relation comme de toutes les relations univoques dans la vie du philosophe qui semblent soumises à un seul et même processus : au moment le plus imprévisible, elle tourne au tragique. Changement de signe radical qui affecte Nietzsche, mais non la relation comme telle. Le problème avec lui, c'est qu'il s'est toujours efforcé de dissimuler ses échecs, asservi qu'il était à sa mystique de la volonté de puissance. Et ce silence héroïque est peut-être pour quelque chose dans son effondrement final.

Inutile de détailler les multiples errements de la mystique de la volonté de puissance : il suffit de la comparer au processus mimétique pour en faire une critique radicale. Bien des aspects du *ressentiment*, tels que les décrit Nietzsche, rappellent étrangement ce processus dans ses dernières phases. Car le *ressentiment* n'est pas autre chose que le violent contrecoup d'un désir contrecarré. Le mot lui-même évoque l'image d'un obstacle définitif contre quoi le « sentiment » initial, qui s'y est heurté une première fois, ne cesse de revenir à la charge, en une incessante frustration. Il y a pourtant un sérieux écart entre la conception nietzschéenne et le processus mimétique. Pour Nietzsche certains désirs échappent totalement aux conséquences désastreuses de la rivalité. A première vue, il a raison. Car si le conflit est un fait d'essence, il est logique que les volontés les plus fortes l'emportent sur les plus faibles et que quelques-unes d'entre elles, vouées à la victoire, sortent toujours indemnes de l'épreuve. *A priori*, le point de vue de Nietzsche relève d'un réalisme solide et sans faille.

Mais si les désirs sont vraiment mimétiques, ils ne peuvent manquer d'entrer en conflit avec d'autres désirs ; non que tel soit leur bon plaisir, comme le prétend Nietzsche, mais c'est qu'ils s'imitent les uns les autres. L'issue toujours catastrophique de ces affrontements doit beaucoup moins à la relative puissance des désirs en lice qu'à l'irrésistible tendance du mimétisme à se chercher — et, si nécessaire, à se créer — l'obstacle le plus insurmontable. A cet égard, on peut difficilement trouver mieux que l'indifférence, et il y aura toujours assez d'indifférence dans le monde pour briser la plus puissante des volontés de puissance.

Comme dans le cas de la libido freudienne, le solide réalisme dont semble témoigner la perspective énergétique nietzschéenne n'est qu'apparent. Elle est moins destruction « scientifique » de tous les mythes spirituels que l'occasion de passer sous silence ce qu'on appelle parfois la nature « contagieuse » du désir. Presque en même temps, tous les désirs se disent les uns aux autres : « imite-moi » et « ne m'imite pas » — ce qui revient à dire que les désirs frustrés s'engendrent et se renforcent mutuellement.

Lorsqu'on examine la volonté de puissance sous le jour de la mimesis désirante, elle apparaît comme une vision fausse très révélatrice que seul le désir peut avoir produite : il n'est rien en effet dans cette vision qui ne soit complice des illusions et des « intérêts » du désir, au risque bien entendu de victimiser, par un retournement catastrophique, le héros de cette mystique.

La description du *ressentiment* constitue une analyse très perspicace des effets de la *Weltanschauung* nietzschéenne. Mais ces effets, loin d'être dits universels, ne sont rapportés qu'à la volonté de puissance des faibles. Et Nietzsche nous enseigne le moyen d'y échapper : seule la mise en pratique des règles du combat chevaleresque, telles qu'il les a énoncées, pourra nous doter d'un désir hors du commun. Comprenons que le chevalier de la volonté de puissance doit remuer ciel et terre pour trouver l'homme susceptible de lui donner la leçon qu'il mérite. La mystique nietzschéenne cautionne la recherche de l'obstacle infranchissable qui caractérise les stades les plus avancés de la médiation. Elle présente sous un jour glorieux un comportement qu'on peut déjà qualifier de « pathologique ». Il ne s'agit pas ici du courage authentique réclamé par une réelle adversité mais de la recherche volontaire d'une adversité dont on est soi-même l'artisan. Cervantès ne veut pas dire autre chose quand il affirme que Don Quichotte est fou.

Cette mystique est le masque de la maladie mimétique tout autant que la justification fallacieuse du type de comportement qu'elle implique. On a déjà noté que si la lucidité du désir est proportionnelle à ses échecs, c'est pour se mettre au service d'un désir toujours plus grand, et donc se heurter à d'inévitables défaites de plus en plus catastrophiques.

Dans la mesure où une idéologie vise un objectif précis et l'atteint d'autant mieux qu'elle parvient à en dissimuler la véritable nature, on pourrait appeler la mystique de la volonté de puissance l'*idéologie* du désir mimétique. En effet, par rapport aux mystiques romantiques antérieures d'inspiration égotiste et solipsiste, elle reflète certainement une aggravation de la maladie. Elle est l'idéologie du monde moderne où la même féroce concurrence sévit partout, dans l'univers intellectuel comme ailleurs.

La mystique de la volonté de puissance est indiscutablement une religion du succès, proprement stupéfiante et même « héroïque », si l'on songe que son propre fondateur a connu revers sur revers. C'est pourquoi elle est si meurtrière. Elle convertit les échecs matériels de Nietzsche en une inexorable malédiction métaphysique, en une sorte de jugement dernier sans appel, Nietzsche étant son propre juge – et un juge implacable.

On a vu qu'en général, Nietzsche tait les brusques changements de signe qui affectent pourtant, dans son existence, toutes ses relations univoques. Ce qu'il dévoile, c'est surtout le côté *maniaque* de son état manifestement maniaco-dépressif. Néanmoins, il est des exceptions frappantes comme le texte suivant dont le narrateur n'est pas Nietzsche mais un « fou » anonyme. En réalité, ce texte ne nous apprend rien que nous ne sachions déjà, car c'est encore le même processus terrifiant, mais plus explicite cette fois puisqu'il est question de la route qui mène à la folie :

> Rendez-moi fou, je vous prie, puissances divines. Assez fou pour que je puisse finir par croire en moi-même. Donnez-moi le délire, donnez-moi des convulsions, des moments de lucidité et les ténèbres qui surgissent brusquement. Faites-moi frissonner de terreur et flamber d'ardeur comme jamais nul être humain n'en a fait l'expérience ; environnez-moi de spectres ! Faites-moi hurler, gémir et ramper comme une bête, en échange de la foi en moi-même : Le doute de moi-même me dévore. J'ai tué la loi et je ressens pour la loi l'horreur du vivant pour le cadavre. A moins que je ne me situe en deçà de la loi, je suis le plus réprouvé des réprouvés. Un nouvel esprit me possède ; d'où vient-il s'il ne vient pas de vous ? Prouvez-moi que je vous appartiens, (O puissances divines) ; seule la folie peut fournir la preuve.

La véritable raison de l'oscillation maniaco-dépressive se désigne ici comme le manque de confiance en soi. La vérité, toutefois, est incomplète, puisque à la cause effective de ce manque de confiance s'en est substituée une autre. Pourquoi le fou a-t-il l'impression d'être le plus réprouvé parmi les réprouvés ? Parce qu'il a tué la loi, nous dit-on. Déclaration d'importance sur laquelle il faudra revenir. Notons pour l'instant que l'explication est insuffisante. Comment une loi morte pourrait-elle engendrer une crise de confiance chez son héroïque meurtrier ? Aucune loi morte ne le pourrait, ni d'ailleurs aucune autre chose. Le doute de soi ne peut naître que d'une *comparaison* – comparaison avec *quelqu'un* et non avec quelque chose. Or ce quelqu'un n'est pas nommé.

Tout porte à croire que la différence oscillante se joue entre le sujet et le médiateur. En dire autant que Nietzsche le fait ici tout en continuant à dissimuler cette vérité relève d'un étonnant *tour de force*. Bien que presque complète, la révélation est totalement faussée par l'absence du personnage central de l'affaire : le médiateur, autour de quoi le monde gravite comme dans le rêve du fou. Une conclusion s'impose : ce texte est assurément le produit du désir lui-même. L'absence de médiateur fournit la preuve la plus convaincante de sa toute-puissance ; elle est le signe infaillible que les feux de la médiation continuent de brûler, de plus de plus haut.

Si l'on comprend cela, on comprend aussi ce que le fou veut dire par *certitude* et pourquoi il compte sur la folie pour lui donner cette certitude. Jusqu'ici, c'était absolument inintelligible. Tout d'abord, on est en présence d'un cercle vicieux. La folie a beau être ce que possède précisément le fou, elle n'en est pas moins l'objet de sa revendication croissante. S'agissant ici de l'oscillation maniaco-dépressive, cette folie est le doute dont seule une folie encore plus furieuse saurait délivrer.

La folie divine

Ainsi donc, ce texte soutient encore, selon toute apparence, la vieille notion romantique de la folie comme signe d'élection et parenté manifeste avec « les puissances divines ». En l'absence du médiateur, tout devient immanquablement « littéraire », au sens le plus étroit du terme. Le fou, environné de fracas et de spectres, se livre à de vertigineuses acrobaties pour des raisons qui restent vagues et mystérieuses. On n'a pas quitté *le paysage intérieur* des romantiques.

Cependant, une autre explication, masquée par ces préciosités lyriques, ne peut manquer de surgir pour peu qu'on prenne conscience du lien étroit unissant les souhaits du fou à l'évolution de la maladie de Nietzsche. Davantage de folie peut signifier – et signifie effectivement – toujours davantage d'oscillations maniaco-dépressives, une alternance d'extases ne peut en définitive que se briser complètement et, interrompant à jamais l'incessant va-et-vient de Dionysos entre le sujet et son médiateur, réduire à néant l'irréductible *doute de soi*.

C'est en ce sens seulement, je crois, que la folie à son comble peut signifier la fin d'un doute qui n'est jamais que le premier degré de la folie. Trait frappant, la seule source de certitude et d'équilibre envisageable par le fou, c'est la destruction de son propre esprit, le triomphe d'une folie qu'il présente, à tort, comme son propre triomphe.

Embrasser la folie comme « divine » et refuser de nommer le médiateur – ou en être incapable – c'est la même chose. On peut donc être sûr que le fou n'implore pas en vain les puissances de la folie et qu'il verra ses prières exaucées. N'œuvre-t-il pas lui-même en ce sens ? On a vu que, par l'effet d'une cruelle ironie, le désir mimétique obtient toujours exactement ce qu'il demande. Ici encore, on peut le vérifier.

Cet appel à la folie remonte peut-être à *la Naissance de la tragédie*. Étreindre violemment Dionysos, comme Nietzsche le fait, c'est aller au-devant de la divine *mania*, c'est risquer immanquablement de devenir victime de l'alternance maniaco-dépressive. Non ritualisé, le Dionysos de Nietzsche est en effet le dieu de la vengeance furieuse dont tout homme quelque peu sain d'esprit veut éviter les foudres. Quant à l'oscillation maniaco-dépressive, c'est une forme de vengeance sournoise typiquement moderne : Nietzsche le comprend parfaitement et le démontre même, du moins quand il parle des *autres*.

Eût-il lu *la Naissance de la tragédie*, un Grec religieux aurait vraisemblablement pronostiqué la fin tragique de l'auteur. Comment se fait-il que nos plus brillants esprits modernes en sachent moins qu'un Grec d'antan ? Eh bien, n'étant pas nietzschéen, celui-ci pouvait entrevoir, au moins confusément, une vérité dont, sauf exception, notre univers nietzschéen tout entier se détourne, avec tant d'habileté et de prudence qu'il devient difficile d'en percevoir les implications. Rien de tel avec Nietzsche. Chez lui seul, cette vérité refoulée tente malgré tout de se faire jour pour enfin se manifester de la manière la plus terrible et la plus grandiose. La grandeur de Nietzsche, ce n'est pas d'avoir raison, c'est d'avoir payé si cher pour avoir tort. Pour ne s'être jamais débarrassé d'aucune vérité gênante, il s'est approché au plus près de la vérité.

On objectera peut-être que mon commentaire est infidèle à l'esprit du texte de Nietzsche où la folie apparaît sous un jour positif, comme une conquête du destin en quelque sorte. Mais on peut citer d'autres textes où les mêmes phénomènes, présentés sous un angle diamétralement opposé, sont assimilés aux manifestations d'une maladie. A une différence près : c'est que le *ressentiment* est attribué au christianisme. Voici un exemple, tiré de *la Volonté de puissance* :

Que combattons-nous dans le christianisme ? Sa volonté de briser les forts, de les déposséder de leur courage, d'exploiter leurs moments difficiles et leurs instants de faiblesse, de convertir leur fière assurance en honte et en remords ; mais aussi la science diabolique avec laquelle elle empoisonne et affaiblit les nobles instincts, *jusqu'à ce que la volonté de puissance des forts se retourne contre elle-même – jusqu'à ce que les forts périssent dans une orgie de mépris de soi et d'autodénigrement* : horrible mort dont Pascal fournit le plus fameux exemple.

Peut-on se permettre, sans cruauté excessive, de faire observer que ce n'est pas Pascal, mais Nietzsche, qui est devenu fou ?

Pour faciliter l'intelligence de mon point de vue, je reviendrai brièvement à Dostoïevski qui peut nous éclairer sur bien des points. Il le peut car dans l'œuvre de la maturité il a réussi à révéler mieux que quiconque, y compris Freud, la nature d'un psychisme dont ses premiers livres – tels les écrits de Nietzsche – n'étaient que le reflet très imparfait. On aurait tort de voir en Dostoïevski un simple écrivain de « fiction » ou la simple victime du désir médiatisé – ce qu'il fut sans nul doute, et pendant fort longtemps. Il faut reconnaître en lui le plus grand révélateur moderne de ce désir, du moins dans ses œuvres vraiment supérieures, même si l'on ignore généralement en quoi consiste cette supériorité.

Sous le rapport du désir médiatisé, de brèves œuvres comme *Mémoires écrits dans un souterrain*, tenues pour un chef-d'œuvre par Nietzsche lui-même, sont les plus immédiatement significatives, en dépit de cet élément de grotesque qui, tout en soulignant merveilleusement bien le processus mimétique, accroît peut-être d'autant la répugnance de quelques esprits à admettre la validité d'un tel *rapprochement*. Le « héros » du *Souterrain* est un modeste bureaucrate de Saint-Pétersbourg. Les ambitions de son Moi sont un compromis entre le romantisme de 1830 et une version grossière mais parfaitement reconnaissable de la « volonté de puissance » nietzschéenne. Il rêve, dans ses heures de solitude, que ses plus folles aspirations se réalisent. Porté par sa vive imagination, il atteint un état d'exaltation presque effrayant. mais il arrive toujours un moment où les rêves ne suffisent plus : il se précipite alors « à la conquête du monde », mais pour n'y trouver que le plus cruel démenti à ses espérances. Les petites vexations que lui valent son aspect chétif et l'insignifiance de sa personnalité prennent des proportions monstrueuses dans son esprit ; quant à la simple indifférence, il la ressent comme une insulte. C'est ainsi que les plus anonymes de ses détracteurs deviennent des êtres fascinants autour desquels va graviter sans fin le « souriceau susceptible » du *Souterrain*.

Ce qu'il importe de noter ici, ce n'est pas la supériorité de la solitude sur « l'esprit grégaire », comme ne cessent de le répéter *ad nauseam* les spécialistes du romantisme et de l'existentialisme, c'est l'incessante oscillation entre la toute-puissance imaginaire du *moi* dans la solitude et la toute-puissance réelle de *l'autre* dans la société. *L'autre*, c'est, littéralement, le premier venu, quiconque se trouve croiser le chemin du héros, lui barrer le passage ou tout simplement, le regarder avec ironie, que cette ironie soit réelle ou imaginaire. Qu'il batte seulement des cils, et voilà déclenché un minable cycle de vengeances. *L'autre*, c'est la quintessence de l'obstacle mimétique.

Les Mémoires écrits dans un souterrain opèrent au même niveau de conscience que *l'Éternel Mari*. L'une comme l'autre histoire constituent des témoignages exemplaires de la même métamorphose prodigieuse : d'un Dostoïevski romantique, simple instrument d'un processus dominant ses premières œuvres – qui se caractérisent par des outrances, un succès de sensiblerie et surtout un refus de reconnaître le véritable rôle du médiateur – on passe à un Dostoïevski génial désormais en mesure de comprendre et de révéler (et non seulement de refléter) le désir mimétique et la conduite compulsive qu'il dicte à ses victimes. Les grandes œuvres de la maturité doivent beaucoup à cette lucidité nouvelle que Dostoïevski semble mettre également en œuvre, non sans difficulté, dans sa propre vie.

Les intuitions d'un Dostoïevski ne sont pas plus capricieuses ni plus informulables que celles d'un Cervantès ou d'un Shakespeare. Et je pense qu'on peut les systématiser sur le modèle du processus mimétique. C'est même, je crois, indispensable si l'on veut enrayer le mal causé par l'absurde *a priori* d'une radicale séparation entre connaissance psychologique et littérature. Freud est pour beaucoup dans ce mythe qui a rendu stérile une grande part de la critique contemporaine. Or la psychologie des relations interindividuelles, comme on la rencontre chez les grands écrivains, pourrait aisément être érigée en système et concurrencer, en tant que telles, les concepts de Freud, entre autres. Une telle tentative aurait le mérite d'empêcher qu'un pseudo-diagnostic psychanalytique ne soit plaqué, d'office, sur le processus mimétique et ne dissimule complètement celui-ci. En outre, tout en rendant enfin justice à la rigueur et à la lucidité exemplaires d'un Dostoïevski, elle revitaliserait aussi bien la psychiatrie que la critique littéraire et réconcilierait ces deux disciplines faites pour être alliées. On peut difficilement admettre en effet qu'une véritable science prenne le contre-pied des plus grandes œuvres de notre temps au lieu de justifier la vision de ces œuvres et d'en confirmer la supériorité.

On inférera peut-être de cette dernière remarque que le type d'analyse ici recommandé est traditionnel et « conservateur ». C'est que l'explication mimétique, parce que plus radicale, est moins recevable que la psychanalyse ou l'analyse marxiste. Elle se porte jusqu'au cœur de la motivation individuelle dans le champ culturel, quand les autres types d'analyse se gardent bien au contraire de s'aventurer dans ce domaine. Le cas de Nietzsche est très révélateur à cet égard. Réduire des notions comme « Dionysos » ou la « volonté de puissance » à une quintessence métaphysique, à une épure squelettique, c'est, à coup sûr, se tromper, car on ne considère alors que la phase terminale d'un processus qu'il est nécessaire d'envisager dans sa totalité, d'autant que sa première phase est d'une tonalité toute différente. Il y est déjà question d'imitation et de rivalité bien sûr, mais l'enjeu de la rivalité est encore quelque chose de relativement défini et même de concret – du moins aux yeux d'un intellectuel moyen – dans la mesure où cela vaut la peine qu'on se batte pour lui : il s'agit de la suprématie dans le monde culturel. Nietzsche et Wagner ne se disputent pas autre chose.

La plupart des intellectuels prétendent bien entendu ne rivaliser avec personne ; tout au plus se soucient-ils d'exceller dans leurs domaines respectifs. L'esprit de concurrence ne concerne que les autres. Tous pourtant ont conscience que l'obstacle le plus insignifiant en apparence peut engendrer une terrible amertume. Le monde intellectuel étant dépourvu de hiérarchie et donc privé de critères objectifs, chacun y est fatalement soumis au jugement indirect de ses pairs, le nombre de personnes sujettes aux affections paranoïaques y est considérable.

Ce monde est né au milieu du XVIIIe siècle – un peu avant la Révolution française. Les intellectuels commencent alors à jouir d'un certain prestige et, en conséquence, leur opinion a compté davantage pour les autres intellectuels que celle des mécènes aristocratiques. D'où l'apparition, sur la scène de l'esprit, de troubles mentaux d'une espèce nouvelle que l'on ne saurait minimiser. Car les œuvres les plus importantes en portent la trace, celles de Rousseau en France, de Hölderlin en Allemagne ou encore de Nietzsche.

Ni les sociologues, ni les psychanalystes de la littérature ne vont au cœur du problème. Les premiers ne s'intéressent, comme à l'accoutumée, qu'au rapport de forces entre bourgeois et aristocrates – question qui concerne bien entendu la transformation des relations dans le milieu intellectuel, mais d'assez loin. Car les pressions exercées par la société, pour être réelles, sont filtrées et le plus souvent déformées par le micro-environnement du monde intellectuel. C'est ce monde qui devrait être l'objet d'étude le plus immédiat : non comme ensemble de données statistiques mais comme réseau de relations mouvantes et complexes gouvernées, au moins en partie, par le désir médiatisé. Dans le micro-univers, les relations les plus importantes ne s'établissent pas entre supérieurs et inférieurs mais entre égaux — quand bien même elles sont rarement vécues comme relations « d'égal à égal ». D'où la violence, plus ou moins secrète, de ces relations qui ne peut pas ne pas avoir de retentissement dans la création intellectuelle. Il reste que ce problème n'est jamais envisagé, encore moins traité. L'idée de *sublimation* sur quoi la plupart des psychanalystes fondent encore leur théorie de la création littéraire est un exemple, et non des moindres, de la représentation trompeuse que les intellectuels peuvent se faire de leur propre univers.

Aujourd'hui, l'effondrement des dernières hiérarchies rend la présence du rival métaphysique de plus en plus obsédante. C'est pourquoi une science comme la psychanalyse peut apparaître indispensable, en tant qu'ultime manœuvre de repli contre la révélation du processus mimétique. La psychanalyse nous confronte à l'évidence, certes, mais tout en s'arrangeant pour en détourner notre attention et la fixer sur les scandales spécieux d'un désir « parricide » et d'un désir « incestueux ». Son interprétation de Nietzsche est précisément ce que le désir est le plus avide d'entendre. Quand elle dit que Wagner, le vrai Wagner, ne compte guère en définitive aux yeux de Nietzsche, n'est-ce pas la voix même du désir qui se fait entendre ? Le médiateur, nous répète la psychanalyse, n'est pas l'objet réel de notre obsession. Quant au triangle, il n'est qu'une reproduction du triangle originaire. Le seul drame qui compte est un très vieux drame, étroitement circonscrit par un double cercle : celui de la famille proche (dont les membres sont pour la plupart morts ou atteints de sénilité) et celui d'un ego soi-disant « narcissique ». Au centre de ce double cercle, le sujet, seul. Psychanalyse et sociologie de la littérature sont en fait des écrans qui nous séparent de cette vérité qu'en notre qualité d'intellectuels, nous ne sommes guère enclins à envisager : *la folie d'un Nietzsche, entre autres, s'enracine dans une expérience à laquelle aucun d'entre nous ne peut être vraiment étranger.*

Le vacarme des tabous brisés, tout autour de nous, est censé être assourdissant, mais ne nous laissons pas abuser. La mise en scène est truquée : à l'exception de quelques minimes retouches dans l'intrigue et la distribution des rôles, elle demeure inchangée. Les vrais tabous se trouvent ailleurs — et ils sont strictement observés.

Quand il s'agit d'aborder les problèmes véritablement épineux, nos plus farouches démystificateurs n'hésitent pas à s'en remettre aux plus archaïques préjugés. C'est religieusement qu'ils adhèrent, par exemple, au mythe du « bon » Nietzsche et du « méchant » Wagner !

Freud est bien la dernière ligne de retranchement contre la médiation. C'est pourtant lui qui s'est avancé au plus près de la vérité, tout en accomplissant le tour de force de la maintenir à distance. On peut expliquer ce statut intermédiaire de la doctrine freudienne, son double rôle de précurseur immédiat du processus mimétique et d'ultime résistance à sa totale compréhension, en replaçant la conception freudienne de la « loi » dans le contexte du passage d'*Aurore* cité plus haut. On se souvient que dans ce texte, la loi est « mise à mort » par le fou lui-même et son « cadavre » tenu pour responsable de tous les maux. Accusation fausse, bien entendu, mais qui peut se justifier. Car la loi est réellement responsable dans la mesure où elle n'est plus là pour empêcher que l'inévitable, à savoir le processus mimétique, se produise.

La loi différencie et sépare les *doubles* potentiels : elle oriente le désir mimétique vers des buts transcendantaux, en ce sens que, communs à tous et non partageables, ils restent extérieurs à la communauté. Tant que la loi est vivante, elle empêche les « différences » et les « identités » distinctes de se dissoudre et de retourner à la confusion violente des *doubles*. Pour les Grecs, les meurtriers de la loi sont responsables de cette confusion. Car voyant ou croyant voir à leur portée ce qu'ils prenaient pour un « dieu », ils n'ont pas hésité à transgresser l'ultime obstacle d'une loi qui les frustrait encore de cette divinité. C'est elle qui maintenant paraît osciller entre les *doubles* mais qui échappe toujours à leur atteinte, tandis qu'ils cherchent à s'égorger l'un l'autre.

Nietzsche se garde bien de parler ainsi. Il préfère suggérer que la loi, même morte, est peut-être la cause du désastre. mais il n'est pas le seul à crier haro sur la loi morte ; c'est bien cette solution que, d'une manière ou d'une autre, toute une époque sur le point de s'achever a adoptée avec lui. Freud n'en propose pas d'autre. C'est par le biais du complexe d'Œdipe que la loi est censée être transmise à l'enfant. Or il s'agit d'une loi morte qui a déjà été transgressée, tout au moins en esprit, avant même sa naissance, puisque le désir de parricide est premier. A cause d'elle, Freud n'a jamais pu se débarrasser de son fameux père ni, par conséquent, découvrir l'existence du rival mimétique qui eût été pour lui un outil formidable, un principe de systématisation psychiatrique vraiment efficace et qui lui eût fait faire l'économie de sa double genèse œdipienne, de son inconscient, et de son narcissisme, entre autres, tout en lui permettant d'être beaucoup plus clair, rigoureux dans l'organisation de données *plus complètes*. Sans cette vaine obstination à accuser la loi, il eût certainement repéré le mécanisme de la rivalité mimétique. Pourquoi cette obstination ? Comme pour Nietzsche, elle est l'œuvre du désir lui-même, de son refus d'affronter sa propre vérité. On peut y voir aussi l'ultime refuge contre une révélation intégrale de la vérité – révélation qui précipite dans le gouffre de la folie si elle ne sonne le glas du désir lui-même.

Pour conforter le système intellectuel fondé sur la loi morte, on tente aujourd'hui de rapprocher ceux qu'on opposait jusqu'ici : Nietzsche, Marx et Freud, les grands meurtriers de la loi. C'est toujours dans les affres de l'agonie qu'apparaît l'unité d'une époque. Le cadavre de la loi est le dernier objet sacrificiel, la dernière *différence* qui permette de *différer* encore un peu l'affrontement des *doubles*. Plus violemment on s'en prendra à cette loi morte, plus vite on percevra qu'une telle attitude est parfaitement insensée. Car le seul désir des *doubles* est de s'entre-égorger : que leur importe la loi morte ?

L'histoire elle-même est en train de disjoindre des éléments qui, chez Nietzsche, Freud et d'autres, formaient une unité mythique. Dans ces conditions, tôt ou tard, Dostoïevski sera mieux compris parce qu'il est le seul à comprendre déjà. Il comprend que la loi n'est pas responsable de la crise mimétique. Il comprend aussi que le monde moderne est une crise mimétique sans exemple. Dans ses œuvres mineures, il ne parvient qu'à regretter nostalgiquement le confort de la loi, du temps où elle vivait encore. Mais le meilleur Dostoïevski, le Dostoïevski de génie sait bien qu'il n'y a pas de retour possible. Il n'y en a pas, pour la bonne raison que ceux qui se vantent naïvement d'avoir tué la loi ne sont pas responsables de sa mort. Le problème est plus complexe et mystérieux. Le véritable meurtrier de la loi est la loi elle-même, ou plutôt tout ce qui passe pour tel aujourd'hui ; l'assassin est ce même christianisme qu'on est en train d'assassiner. Telle est l'obscure conviction de Dostoïevski. Il serait intéressant de la mettre en parallèle avec le point de vue exprimé par Nietzsche dans deux de ses textes. En effet, ces textes – cités plus haut et tirés, l'un de *l'Aurore*, l'autre de *la Volonté de puissance* – décrivent les mêmes phénomènes, mais sous un jour très différent, et en les attribuant à des causes différentes. Le fou du premier texte est auréolé de gloire pour avoir tué la loi ; celui du second texte, Pascal en l'occurrence, est au contraire en proie à la plus grande détresse pour ne pas l'avoir tuée.

Fait étrange, la loi, morte ou vivante, semble engendrer les mêmes effets chez le surhomme ou chez l'esclave. A laquelle de ces deux versions faut-il ajouter foi ? Chez Nietzsche elles ne concordent jamais. Par contre, chez Dostoïevski pour qui le véritable meurtrier de la loi n'est autre que notre étrange loi elles peuvent trouver un point de convergence.

Rien de plus révélateur, bien sûr, que ce titre : *Ecce Homo* pour un livre où éclate toute la mégalomanie de Nietzsche. la double signature (Dionysos ou le Crucifié) est tout aussi révélatrice. Chaque fois que Nietzsche a le sentiment d'être un dieu, il lui faut le payer très cher en devenant le Crucifié. Le prétendu dieu est en réalité une victime. Ici, en définitive, et seulement ici, le processus d'auto-destruction que l'on voit partout à l'œuvre chez Nietzsche devient manifeste. La confusion entre le dieu et la victime constitue l'apogée de l'oscillation maniaco-dépressive. Dans le glissement de Dionysos *contre* le Crucifié à Dionysos *ou* le Crucifié, dans l'écroulement de cette suprême différence se situe l'effondrement de la pensée nietzschéenne.

Bien entendu, aux yeux de l'historien ou du philosophe, cette confusion est le produit de la seule folie et donc absurdité pure, qu'elle soit motif de gloire ou de détresse.

En réalité, dans la théologie païenne comme dans le christianisme, le dieu est toujours une victime. S'il n'en était pas ainsi pour Nietzsche, découvrirait-il l'identité entre dieu et victime au moment précis où le cercle de la folie se referme sur lui ? Une identité qui pulvérise autant de fausses différences ne saurait être réduite à une pure et simple absurdité. Et de fait, elle désigne à notre attention des possibilités encore hors d'atteinte, des possibilités vraiment vertigineuses et sans précédent. L'ère de la volonté de puissance nietzschéenne touche à sa fin.

René Girard

Baudelaire ou le silence des images

Yves Charnet*

Mais peu à peu le vertige de l'image l'entraîna au silence.

Rien à dire

UNE HYPOTHÈSE NOVATRICE commande la relecture que, dans un stimulant essai, *Baudelaire, les années profondes*[1], propose Michel Schneider : l'œuvre du poète « ne parle que d'une chose : la hantise des images et l'impossibilité de dire dans la langue ce que voit la mémoire » (p. 12). Tout le drame de cet « écrivain habité par un peintre » aurait ainsi consisté dans la tentative (démesurée ?) de faire « voir, avec des mots » (p. 56). L'épreuve qui conduisit Baudelaire de la fascination à l'aphasie serait, dans cette perspective, exemplaire d'un irrémédiable divorce entre le visible et le scriptible : « Sous la langue qui s'efforce de la dire, l'image se tait » (p. 73). Comme il tentait de capter par sa propre écriture l'énergie dépensée par les peintres dans leur activité plastique[2], le poète aurait fini par prendre sur lui, dans sa maladie, ce silence qui, en définitive, gît au fond de toute image. « Parmi les romantiques épris de peinture – constate Michel Schneider – Baudelaire fut le seul à avoir laissé le culte des images empoisonner puis tarir la source de son écriture » (p. 77). Écrire

---

A récemment publié *Rien la vie*, Paris, La Table ronde, 1994.

1. Michel Schneider, *Baudelaire, les années profondes*, Paris, Seuil, 1994, 183 p., coll. « La librairie du XXᵉ siècle »

2. On ne peut que souscrire à l'analyse selon laquelle, « dans sa critique, Baudelaire ne décrit pas les tableaux, il les écrit, s'affranchissant de leur "livret", commettant volontairement ou non des erreurs dans la transcription verbale de l'œuvre picturale, condensant des éléments de plusieurs tableaux pour composer une image, déformant certains détails pour les mieux inscrire dans sa vision » (p. 62).

la peinture, ç'aurait été, pour cet admirateur du romantisme selon Delacroix comme de la modernité selon Constantin Guys, faire face au défaut même de la parole. Obsédé « par les images que sa main ne peut tracer et que les mots échouent à rendre » (*ibid.*), le poète laissera une mutité vide envahir son verbe en décomposition[3]. « Peintre de mots » (p. 118), le poète « se condamne à l'impossible : afin d'enlever, de creuser le trop de mots qui toujours séparent de l'image, il doit ajouter : des mots sur une page, c'est toujours quelque chose plutôt que rien » (p. 125). Ce « trop de mots » est dans l'expérience poétique la phase maniaque qui fait oublier la menace de leur imminent retrait.

Concluant une démonstration menée avec un brio qui n'exclut pas l'émotion, les pages concernant l'aphasie, interprétée comme métaphore d'un échec propre à la poétique baudelairienne, sollicitent particulièrement l'attention. Le silence final dans l'abîme duquel il s'enfonce révèle à ce sujet (qui, si longtemps, aura demandé un visage au miroir de la peinture...) la vraie nature de sa souffrance : « être sans mots, comme il l'avait toujours rêvé » (p. 155). Tout se passe comme si Baudelaire n'était parti en Belgique que pour, perdant à l'étranger sa langue maternelle, « s'abandonner aux images qui l'avaient assailli déjà de leur vide, et leur laisser le mot de la fin » (*ibid.*). Avec une jubilation désespérée, le poète peut (enfin ?) « célébrer la défaite du langage, la fête des images » (*ibid.*)[4]. « Divaguant dans le « terrain vague de la psychose », Baudelaire, à Bruxelles, « perd ses mots comme on perd son sang, doucement, en se regardant, en n'y pouvant rien » (p. 157). Le fameux « Crénom ! » que peut encore, après sa chute à Saint-Loup de Namur, articuler le poète prend paradoxalement acte de ce « qu'il n'y a rien à dire » (p. 162)[5]. Expérience quasi mystique, l'aphasie correspond à ce moment où « façon de parler et vision des choses ne s'opposent plus » (*ibid.*). Un écrivain est ce sujet qui pour parvenir au silence a compulsivement besoin des mots. Jusqu'à ce que, comme l'écrit Michel Schneider, toutes phrases rendues à la stérilité de leur bruissement, ne subsiste, dans une dépossession misérablement glorieuse, « qu'un langage réduit à sa face intérieure, neuf, innocent, vierge » (*ibid.*). Un langage sans articulation.

---

3. Michel Schneider rappelle avec raison que, selon un suggestif aveu des *Fleurs du mal*, Baudelaire « cherche le vide, et le noir, et le nu ».
4. Michel Schneider montre que Baudelaire a figuré dans *les Fleurs du mal* cette perte de la parole qui devait finalement l'atteindre personnellement. « Le châtiment de l'orgueil » met notamment en scène la manière dont le « chaos » peut rouler dans une « intelligence ». « Le silence et la nuit s'installèrent en lui, / Comme dans un caveau dont la clef s'est perdue. »
5. Une mise en regard de deux poèmes des *Fleurs du mal*, « Le rêve d'un curieux » et « L'irréparable », fait bien apparaître que, dans son rapport aux images, Baudelaire recherche paradoxalement « la présence de ce qui n'est pas là, ne sera jamais là » : « Car la réalité n'est pas ce qu'on voit mais ce qu'on regarde, et plus encore, ce qu'on attend. Attente de qui ? « Un Être aux ailes de gaze" qui ne vient jamais. De quoi ? De rien : à notre heure dernière le spectacle n'aura toujours pas commencé. [...] Le poète ne verra pas se lever le rideau d'images qui le sépare du réel » (p. 89).

La part du revenant

Incarnant ce silence qui fait la profondeur secrète des images, l'aphasie semble, chez Baudelaire, formuler la vérité d'une douleur intime dont Michel Schneider recherche l'origine dans la dépossession qui, pour le poète, correspondit au moment endeuillé de son enfance. Un impossible dialogue avec son père aura, selon cette hypothèse, hanté Baudelaire – jusqu'à ce consentement pathétique au silence où il s'identifie avec l'image de ce fantôme qui, sans mot dire, veillait sur un fils en perdition. Pour comprendre le rapport du poète aux images, l'essayiste développe minutieusement toutes les implications de cet aveu où, dans une lettre à sa mère, le poète confesse, en mai 1861 : « Je suis seul, sans amis, sans maîtresse, sans chien et sans chat, à qui me plaindre. Je n'ai que le portrait de mon père qui est toujours muet. » Plusieurs séquences de cet essai – et parmi les plus réussies – sont étrangement attirées par les promenades qui, dans les allées du Luxembourg, inventèrent entre François Baudelaire et le petit Charles, une connivence : « A les voir cheminer se tenant par la main, on eût dit deux enfants, malgré les soixante-deux ans d'écart. [...] Le fils regardait la blancheur saline des marbres sculptés et croyait qu'un père, ça durait toujours » (p. 86). Toute sa vie, et sans doute à son insu, Baudelaire s'efforcera de rester fidèle à ce regard amoureux que son père portait sur les statues et sur les peintures – ce regard qui fut le seul héritage de ce père qui ne lui aura légué « aucune raison de vivre, juste l'amour des nuages » (*ibid.*). Son « rôdeur parisien » de père, Baudelaire le retrouva, selon Michel Schneider, dans Constantin Guys. Regardant les « fleurs des villes » croquées par ce « peintre de la vie moderne », il arrivait au poète de « se sentir escorté encore, entouré par le bras du vieil homme qui lui avait enseigné à ne pas tout prendre en dégoût, à découvrir en chaque chose sa part de beauté, et à ne pas désespérer non plus : dans le temps, même la beauté s'effrite, même la pierre la plus dure » (p. 87)[6]. Un peintre, aux yeux de Baudelaire, donnait étrangement corps à ce fantasme d'un père que, comme

---

6. Il faut citer ici cette autre fiction critique où l'essayiste imagine comment Charles pouvait être visité par le fantôme de François : « Un jour qu'il avait coché deux projets dans une liste de cent, comme une ménagère s'acquitte de sa liste de commissions, il eut un coup d'œil pour le portrait du père. Il crut voir son propre visage revenant du fond d'un miroir terni, lointain, comme en route vers lui-même. Ensemble, son père et lui marchaient toujours dans une allée du Luxembourg. Le buis sentait amer. Le noir venait, lent et doux. Ainsi le passé vient à nous, il se prend aux visages, aux mots, s'emploie à survivre, ne veut pas de l'oubli, ne demande qu'à se raconter, profite des hasards. Les morts ont des droits sur les vivants. Visiteurs indélicats, ils s'imposent après l'heure, et continuent à désirer à l'autre côté de la vie. Cet homme aux contours indécis, l'ombre d'un père, cet homme revenait chaque fois que Baudelaire voyait dans une allée à l'automne quelques statues de plâtre friable comme lui, et cette image agitait son cœur, élargissait ses yeux, faisait trembler sa main » (p. 130-131).

l'anonyme « M. G. » dans *le Peintre de la vie moderne*, l'on pût traiter en vieux complice...

Comme souvent, dans nos gloses modernes, Baudelaire tend, selon un tel commentaire, à devenir la figure même de l'*écrivain*. C'est en effet un véritable scénario de la vocation poétique que tente de reconstituer Michel Schneider, posant qu'il n'y a « pas de littérature qui ne fasse la part de la mort, du revenant » : « La littérature selon Baudelaire ? Une conversation ininterrompue avec les morts. L'auteur ? Une ombre parlant à d'autres ombres » (p. 128). Si, contrairement à la mère (figure médusante qui fascine, et jusqu'à l'effroi, les poèmes des *Fleurs du mal*), le père paraît absent de la poésie baudelairienne, il n'en constitue pas moins « une figure essentielle du devenir écrivain, mais entre les lignes, à la manière d'un fantôme » (p. 129). Michel Schneider convoque opportunément les notes intimes où, s'efforçant de trouver malgré tout une « hygiène » pour sa vie, Baudelaire prend la résolution de « faire tous les matins *[s]a prière à Dieu, réservoir de toute force et de toute justice, à [s]on père, à Mariette et à Poe* comme intercesseurs ». De ce père *intercesseur*, l'essayiste montre « la présence invisible » dans un texte de la critique d'art baudelairienne, véritable « figuration de l'origine de l'écrivain déguisée en origine du peintre » : « Un des mes amis me disait un jour qu'étant fort petit, il assistait à la toilette de son père, et qu'alors il contemplait, avec une stupeur mêlée de délices, les muscles des bras, les dégradations de couleurs de la peau nuancée de rose et de jaune, et le réseau bleuâtre des veines » (p. 129-130). Cette confusion entre les couleurs et la peau, nul doute qu'elle anime toute la *curiosité* qu'éprouva pour l'esthétique un rêveur poursuivant dans la peinture un entretien sans entretien avec ce père dont le corps nu, dans la tendresse des matins partagés, fut, fabuleuse, la première *image*.

Au froid de la mémoire

Comme le montre cet exemple aux résonances si puissamment autobiographiques, loin de se pratiquer sur le vif, l'écriture des images est, chez un poète du visuel comme Baudelaire, affaire de mémoire. Rappelant que, pour le prosateur des *Salons*, « un tableau n'a de sens que s'il a déjà pris place dans le répertoire des souvenirs », Michel Schneider oppose la peinture « sur le motif » et l'écriture qui ne peut avoir lieu que dans « l'après-regard » (p. 147)[7].

---

7. Dans l'accompagnement critique qu'il donne du *Peintre de la vie moderne*, Michel Schneider pose en effet que si « voir appartient à la veille, à la vie, à l'ouvert, regarder relève de l'insomnie, de la contre-vie, de la fermeture qu'est l'écriture » (p. 152).

Écrire fait son deuil des êtres et des choses pour mettre en scène sur la page, ce théâtre mélancolique, des figures d'encre. Cette théorie de *la beauté indirecte* repose sur le fait, développé par Baudelaire dans *le Peintre de la vie moderne*, que « l'écrivain, comme le peintre, [...] ont besoin du motif, mais pour l'oublier ensuite dans la recréation du thème » (p. 149). L'expression créatrice invente une dialectique entre le contact immédiat avec la chose vue et sa réminiscence artificielle dans l'acte de tracer avec une plume ou un pinceau : « Marquer, tout de suite, au feu du regard, et écrire plus tard, quand il est trop tard, au froid de la mémoire. C'était la méthode plastique que Baudelaire prêtait à Constantin Guys et qui est sans doute la projection de sa propre méthode littéraire » (p. 150). Ce *froid* de l'enthousiasme retombé qui fait le deuil de l'expérience vive semble bien, en dernière analyse, la spécificité même de Baudelaire tel que Michel Schneider en esquisse ici le portrait. D'entrée de jeu, l'essayiste affirme : « Baudelaire s'est mépris sur son propre visage. Se voulant poète, et romantique, il fut un prosateur froid de la modernité. Se croyant homme d'images, il fut, à en mourir, homme de mots » (p. 12). Et d'insister sur le fait que « le froid est un trait commun aux portraits » du poète qui disait, précisément, des *Liaisons dangereuses*, son livre de chevet, « S'il brûle, [c'est] à la manière de la glace » (p. 60). La dissimulation[8] – que, et jusqu'à se perdre de vue dans ses multiples et contradictoires déguisements, Baudelaire pratiqua passionnément – participe de cet art de la froideur généralisée[9]. Refusant de toute sa pudeur blessée que « le poète, sous son masque, se laisse encore voir », il affirme fièrement que « le suprême de l'art » consiste « à rester glacial et fermé ». Écrivant, par exemple, un poème tel que « Le jeu », Baudelaire ne se voit-il pas lui-même « accoudé, froid, muet, enviant » dans « le noir tableau » exposé par ses cauchemars ?

Devenir artiste, c'est ainsi quitter la rassurante chaleur du jour pour voir le monde à « la clarté froide et magique » que les œuvres projettent sur ce crépuscule où tremblent, entre présence et absence, les choses. Tout se passe comme si le froid était la matière même de l'écriture, art de réchauffer des *paroles gelées*, des choses mortes, quelque part, dans l'indifférence et l'oubli. Écrire ranime des souvenirs

---

8. Rappelant que Baudelaire « se représenta masqué sous de multiples personnages allégoriques du poète », Michel Schneider souligne que « l'image de l'écrivain se fragmente entre les figures refusées et inavouables de la société, la putain, pour l'argent, le chiffonnier, pour le rebut, la femme noire, pour l'exil » : « Portraits de l'artiste en saltimbanque, mineur de fond, fossoyeur, reine déchue, peintre, oiseau sans vol, jardinier de sa propre friche, escrimeur, aquarelliste, boucher. Parfois, portrait en lieux ou choses, en buffet, en soleil, en vase, en théâtre. Le poète ne peut se peindre qu'en autre » (p. 60).

9. De fait, trop peu de commentateurs ont à ce jour noté que, chez Baudelaire, « avec l'allégorie, l'ironie est le moyen de ce qu'on pourrait appeler romantisme froid, qui met à distance ce qu'on aime » (p. 74).

qui, au fur et à mesure que le rythme ressuscite ces squelettes de mémoire, fabriquent cette identité seconde que la poésie donne à qui (re)fait de la vie avec des mots. Écrire, comme le suggère Michel Schneider, « est une survie, au double sens, vie d'après, vie plus haute » (p. 150). Cette survie, fable pour rien et pour personne, Baudelaire la nomme « traduction » ou « légende ». A celui qui sait la préférer à la réalité toujours en défaut, pareille fable permet d'illuminer son existence d'une intensité mystérieusement redoublée. Le poème en prose intitulé « Les fenêtres » – dans lequel le narrateur a « refait » (« avec son visage, avec son vêtement, avec son geste, avec presque rien ») l'« histoire » d'une femme à sa fenêtre – s'achève significativement par cette défense et illustration du droit du sujet à la fiction poétique : « Peut-être me direz-vous : "Es-tu sûr que cette légende soit la vraie ?" Qu'importe ce que peut être la réalité placée en face de moi, si elle m'a aidé à vivre, à sentir que je suis et ce que je suis ? » Dans *le Peintre de la vie moderne*, Constantin Guys, ce double poétique de Baudelaire, est décrit, de même, comme « un *moi* insatiable du *non-moi*, qui, à chaque instant, le rend et l'exprime en images plus vivantes que la vie elle-même, toujours instable et fugitive ». Et quand, dans le froid et le noir de la chambre, ce *dandy* « est penché sur sa table, [...] s'escrimant avec son crayon, sa plume, son pinceau », alors, « les choses renaissent sur le papier, naturelles et plus que naturelles, belles et plus que belles, singulières et douées d'une vie enthousiaste comme l'âme de l'auteur ».

Le dernier mot

Michel Schneider a raison de faire remarquer que cette version euphorique de l'expression, comprise ici comme une rage conquérante, a, chez Baudelaire, son envers dans la douloureuse épreuve de ce que Claude Pichois a si bien nommé *la difficulté créatrice*[10]. Comme Constantin Guys, le poète, entre crépuscule du soir et crépuscule du matin, « attend que l'image se forme vraiment dans la chambre noire intérieure. Mais souvent la porte reste condamnée, le second temps ne vient pas, ou mal » (p. 151). Le silence des images contamine, et chaque année plus irréversiblement, l'imagination d'un

---

10. Pour prendre la mesure de cette « espèce de maladie à la Gérard, à savoir la peur de ne plus pouvoir penser, ni écrire une ligne » qui hante ce poète de « La muse malade », il convient de relire l'étude fondatrice où Claude Pichois fait précisément apparaître, chez Baudelaire, « l'angoisse du créateur que son élan ne parvient pas à porter jusqu'au but que lui fixait son dessein primitif, la crainte d'avoir à choisir entre se répéter et de taire ». *Cf.* Claude Pichois, *Baudelaire, études et témoignages*, Genève, La Baconnière, 1967, coll. « Langages », p. 242-261.

poète incapable de se déprendre d'une fascination mortifère pour cette blancheur qui fissure les choses, pour ces lézardes de « l'âme fêlée » qui désintègrent la pensée. Comme le suggère Michel Schneider, « Baudelaire ne refond pas les éléments désassemblés, disloqués. D'où ces vers sublimes dans une gangue de bouts-rimés, ces éclats de lumière dans des phrases grises, un mot et un adjectif soudain, restes de la vision sur le motif, et tout le reste absent à la forme comme à l'idée. Son encre gèle. Il songe de n'être plus. Il sort » (*ibid.*). Le silence des images met le poète en contact avec ce froid qui, donnant corps à la dépression, rend physiquement sensible, dans une vie, la pression du manque et de la mort. Ce froid que l'énergie solaire de la création poétique ne vient plus réchauffer, Baudelaire comprend, horrifié, qu'il constitue la substance même de son intimité. Il apprendra à ne plus le recouvrir de mensonges, lui fera face comme au portrait, transporté dans tous ses déménagements, de ce père jamais si présent que dans cette façon d'être « toujours muet » qui fut la figure même de son absence. Comme l'écrit encore Michel Schneider, « la fin de Baudelaire commença très tôt. Sa peine à écrire, à terminer, à publier tient à ce dérèglement de la lumière en soi. Le miroir intérieur, qui lui servait à voir et à penser, fit place aux glaces, éclats disséminés parmi lesquels il se perdit » (p. 154).

De cette image éclatée de soi-même, rien ne donne peut-être mieux l'idée que, dans ces années où « le vent de l'aile de l'imbécillité » frôle sinistrement son esprit, ces listes de titres qui sont tout ce qui reste à Baudelaire de son éprouvante chimère, la poésie. Le silence des images, c'est la blancheur du papier entourant, et pour rien, le titre de ces poèmes différés sans fin. Si, comme Michel Schneider en formule l'hypothèse, « il y a toujours un moment où l'on devine dans un livre, passant et repassant entre les pages, le fantôme d'un livre que l'auteur n'a pu écrire » (p. 85), Baudelaire, dans une désespérance énergiquement assumée, incarne cet écrivain désœuvré qui, de son vivant, ne parvint, et après plus de dix ans de maniaque maturation, à publier qu'un seul livre de poésie, *les Fleurs du mal*. Michel Schneider insiste justement sur ces livres « de poèmes, d'histoires, de récits dont [Baudelaire] sent passer l'ombre à portée de main » : « Mais il ne tendra pas le bras pour s'en emparer, inviter le fantôme à s'asseoir, causer un peu, écrire sous sa dictée légère. Il se contente de lui demander son nom, et le range poliment dans un petit carnet » (*ibid.*). Après trop d'années consacrées à seulement étudier la production du texte — qui ne se souvient, par exemple, de la lecture jakobsonienne des « Chats » ? — il était bon qu'un essai, avec, bien sûr, la prise de risque que toute interprétation implique, rappelle qu'un écrivain travaille aussi avec sa fatigue, sa faiblesse, sa difficulté précisément à vivre au contact de l'inhumaine exigence de l'œuvre[11]. Des titres, Baudelaire finit par ne plus trouver, entre la part maudite et son être défait, d'autre parade : « Les lisant, commente Michel Schneider, on voit des images qu'il n'a pu mettre en mots, ou plutôt des mises en mots d'images si fulgurantes que le langage s'arrête. On se prend à songer à la douceur, à la douleur d'aller là-bas, au pays qui lui ressemble, dans cet autre monde où attendent les histoires qu'il n'écrivit pas. Il accusait sa paresse, mais ce n'était pas ça, un refus de se donner du mal. Plutôt la certitude qu'il n'aurait pas le dernier mot » (ibid.). Quelque chose de terrible constitue le dangereux secret de l'écriture, quelque chose, oui, qu'un poète ne peut sans doute que faire apparaître en creux, tant les mots manquent au moment de formuler cet effroi qui transforme l'expression en une dynamique de l'impossible. Le silence des images, ce fut – révélation qui date l'origine blessée de notre modernité – cette poésie empêchée dont, et jusque dans l'aphasie, aura témoigné, écrivain médusé par le rien qui mine sa parole, Baudelaire[12].

Yves Charnet

---

11. Posant que, « chez Baudelaire, le face à face impossible et triste de l'homme et de la femme n'est peut-être qu'une allégorie de plus de l'inépuisable face à face de l'écrivain et de l'image », Michel Schneider développe ainsi son hypothèse : « C'est à elle qu'il reproche d'être taciturne, elle qu'il aime d'autant qu'elle le fuit, elle qui n'est belle que de sa froideur, elle qui lui inspire un amour éternel et muet, elle qui gouverne tout et ne répond rien. [...] Si on lui avait demandé un synonyme du mot œuvre, il aurait dit : défaite » (p. 93).

12. Il convient de mettre en relief l'originalité de l'interprétation de l'aphasie baudelairienne que Michel Schneider se risque à proposer : « Échouant définitivement à écrire, Baudelaire atteint ce vers quoi tend l'écrivain. Cela peut bien paraître fou, ce désir que ça se taise, ça, les histoires anciennes qui taraudent au dedans, et que, pour parvenir à ce silence impur, il faille tant et tant de mots. Ceux qui ont besoin de mots pour se taire, on les appelle des écrivains » (p. 162).

SITUATION DE LA POÉSIE EN FRANCE

Il n'y a pas parfaite adéquation de vue entre les deux approches de la poésie française contemporaine ici proposées. Les styles, les références, les problématiques ne sont pas les mêmes pour les deux auteurs. Un intérêt commun s'est en revanche fait jour entre eux, au fil de plusieurs conversations, pour un examen de lucidité. Abandonné à lui-même, déserté par la critique professionnelle, indirectement traversé par les pratiques culturelles établies, le champ poétique est dans un état de confusion qui engendre l'indifférence. On peut joyeusement considérer que la « crise » est mode d'invention de la littérature moderne par elle-même. Mais on peut aussi se demander si ne se présentent pas des lieux et des temps où doivent être fédérées les intelligences. Il y a de l'avantage en effet à ne pas rabattre les concepts sur les goûts, et vouloir à tout prix opérer sous la forme traditionnelle des manifestes. Cependant, pour mineur qu'il paraisse aux autres catégories de la société, l'enjeu du poème tient à ce qu'il nous renseigne infailliblement sur la vigueur d'une culture et d'une langue. Or si le poème français d'aujourd'hui n'est certainement pas faible, il n'atteint pas à la pensée de lui-même dans son invention, son avenir. Par manque de familiarité avec sa propre tradition, à quoi s'ajoute très logiquement sa vénération des conventions récentes, il semble avoir du mal à se hasarder au-devant de lui-même. La tâche nécessaire consistait donc, pour les auteurs de cet examen, à tenir ensemble filiation et invention, dans un mélange de vigueur amicale et critique qui ne fût en aucun cas suspect d'impartialité.

Jacques Darras et Gérard Noiret

Petit lexique
de la poésie française contemporaine

Jacques Darras*

Espaces et institutions

L'ORGANISATION DE LA POÉSIE française est anarchique par histoire, par pratique et par choix. L'apparition plus ou moins régulière des revues aux présentoirs des librairies *Le Divan* ou *La Hune* à Saint-Germain-des-Prés, les programmes trimestriellement établis par les éditeurs, le calendrier annuel des manifestations de la Maison de la Poésie à Paris, les « brèves » quotidiennes sur France-Culture, les trois réunions annuelles des commissions « poésie » du Centre national des lettres sont les rares éléments de fréquence repérables. Ils ne suffisent pas à assurer un rayonnement continu. On pourra toujours expliquer que la propagation de l'onde poétique n'obéit pas aux lois de la physique classique, il demeure que le résultat est une lumière tangentiellement diffuse plutôt qu'une concentration. Les autres arts comme la peinture, la musique, le théâtre, la danse, bénéficient d'un enseignement, on y commence toujours par des cours, des académies, des écoles. Plus tard agissent conjointement ou concurremment la loi du marché ou le soutien des autorités administratives. Le roman lui-même a adopté une fréquence institutionnelle officieuse (la rentrée d'octobre, les prix, etc.) qui convient à son côté anarchique appliqué. Échapper aux marques de reconnaissance semble demeurer le privilège de la seule poésie. Il ne faut certes pas sous-estimer l'imprévi-

---

* Poète (*La Maye I, II* ; *William Shakespeare sur la falaise de Douvres*), essayiste (*Le Génie du Nord*), traducteur (Whitman, Pound, Lowry), directeur de la revue *In'hui* aux éditions Le Cri à Bruxelles.

sibilité, la volonté de sauvagerie ou de virginité que ce choix représente dans un monde de publicité aussi bruyante que mensongère. Mais on peut aussi faire valoir à l'inverse que l'exercice d'un art demande tension et attention, sous peine de le voir s'affadir ou cultiver une innocence feinte. Cette pression de la société ne se fait pas sentir sur l'art poétique français contemporain. Que les sociologues se penchent sur le problème ne dispensera pas les poètes de faire preuve de lucidité. Pour cela nul besoin de mettre en scène une prétendue « crise ». Tel est le narcissisme du poème, telle la complexité ombilicale de son lien au monde, que la moindre réflexion à son sujet est réfléchie par lui avec une intensité mimétique décuplée. Sortons d'une dialectique de l'hystérie, la crise n'est pas plus dans la poésie que la poésie ne serait elle-même la crise. Existent des faits quantifiables sur l'interprétation desquels on peut simplement diverger. Il est clair, par exemple, que de tous les éditeurs français Gallimard continue seul à éditer du poème tant en collection de poche (Poésie/Gallimard) qu'en collection ordinaire. Flammarion suit timidement à distance cependant que le Seuil, les Éditions de Minuit, Laffont, Belfond, Grasset (hormis deux ou trois titres des *Cahiers rouges*) ne publient pas ou ne publient plus de poèmes. D'autres financièrement moins puissants en éditent de manière intermittente (POL) ou circonscrite dans la diffusion (La Différence, Le Temps qu'il fait, Belin, le Cri, etc.). Notons en deuxième lieu qu'un intervalle considérable s'écoule entre la parution du poème et les commentaires critiques des journaux littéraires, accréditant l'idée que le poème « se déguste » lentement donc se compose et s'édite au même rythme. S'il a tout aussi patiemment conquis un petit capital de notoriété, le poète sera invité par France-Culture, jamais dans un programme télévisé ou par une autre chaîne radiophonique. L'émission *Panorama*, une fois par semaine à midi, parlera vraisemblablement du poète en son absence. Avec *Nuits magnétiques*, Alain Veinstein fait ses auscultations à une heure prématinale, imposant la respiration des blancs, des pauses, des silences aux confessions rêveuses ou douloureuses. *Poésie sur parole* d'André Velter maintient à lui seul une précaire continuité poétique diurne, par soustraction de minutes précieuses aux bavardages universitaires ambiants. Contre ces brefs instants de notoriété radiophonique, combien d'heures de lecture active en présence d'un public ? A la Revue parlée du Centre Pompidou (Marianne Alphant), comme à la Maison des écrivains (Martine Segond-Bauer puis Alain Lance), la parole du poète devra composer avec celle des essayistes ou philosophes. Michel de Maulne à la Maison de la poésie (sans conteste le meilleur lecteur à haute voix de la poésie française, aujourd'hui) équilibre quant à lui diplomatiquement son programme entre les personnalités, les tendances et les promesses d'auditoire. Marseille et

Montpellier exceptées, pour leur souci « poétique » plus manifeste que dans toutes les autres villes françaises réunies, grâce aux Julien Blaine et Gil Jouanard eux-mêmes poètes, l'on aborde très vite la clandestinité de réseaux occultes, confidentiels, ou parallèles. On doit finalement se demander ce qui resterait d'unité ou de cohérence dans le paysage si n'y veillaient de manière absolument exemplaire les commissions financières du Centre national des Lettres réunies trois fois l'an. Bien sûr nous n'oublierons pas les poètes eux-mêmes dont le nom capte et réfléchit parfois un peu de cette lumière diffuse dont nous parlions, mais lequel hormis celui d'Yves Bonnefoy atteint véritablement l'information de l'honnête homme ?

La poésie, la prose

Il ne se passe pas de semaine qu'un communiqué littéraire n'apprenne la victoire de la prose sur la poésie, la rumeur ayant pris une évidence qui ne fait aujourd'hui plus de doute. Cette campagne a pour auteurs les romanciers eux-mêmes, au premier rang desquels Philippe Sollers dont l'agressivité feuilletonnesque brillante sur le sujet mérite éclaircissement. Paradoxalement aucune référence n'est faite par son camp à Paul Claudel, le premier à avoir avancé dans *Positions et Propositions* que la prose française était infiniment plus poétique que le vers. Claudel parlait il est vrai de la prose de Bossuet ou de Chateaubriand, qui ne furent pas des romanciers. Sollers s'inquiète de légitimité « structuraliste », plus révolutionnairement respectable. La pensée structuraliste a en effet fait breveter par notre société technicienne la notion d'inconscient linguistique jadis spontanément pratiquée par les futuristes, dadaïstes et autres surréalistes. Pour les docteurs ès lapsus modernes (la lecture du *Finnegans Wake* de Joyce a particulièrement nourri Lacan), « Poésie » devint vite la forme littéraire vide par excellence mais vide à son insu, donc capable de fournir des métaphores aussi bêtes et meurtrières que « *colline inspirée* » ou « *ligne bleue des Vosges* » à la conscience patriotique. Congédiée de son inspiration, renvoyée à de simples processus de fabrication (*cf.* la « *Genèse d'un poème* » de Poe commentée par Valéry), la poésie fut en cette période irréversiblement disqualifiée. Les romanciers, s'estimant alors plus légitimement anarchistes que les « poètes », lui « firent la peau », la retournèrent pour s'en affubler, trouvant des alliés objectifs dans les continuateurs de Dada. Ces deux groupes se partagent aujourd'hui le champ littéraire légitimiste au nom de la subversion ancienne. Certains sont simplement plus cyniques que d'autres – les romanciers vivent au contact réel de l'argent cependant que les autres se paient de mots (poètes concrets, oulipistes, etc.). Ajoutons que la Seconde Guerre mondiale et ses avatars dictatoriaux renforcèrent cette révolte « linguistique » contre tous les menuisiers (ou peintres en bâtiment) artisans de la langue de bois. Milan Kundera, d'Europe centrale comme Kafka, comme Tzara, comme Janco, comme Ionesco, comme Cioran, comme les linguistes de l'école de Prague, comme l'irrépressible « absurde européen » au XXe siècle (il sévit encore en Serbie), ont apporté une contribution non négligeable à la croisade « antipoétique ». *Légèreté* est devenu le maître mot du romancier – cette même légèreté que Platon dans son dialogue *Ion* reprochait au poète. Ironique renversement de situation !

La poésie, la philosophie

Moins offensifs mais surtout moins chevau-légers, campent en face les traducteurs de la « philosophie et poésie germaniques » dont le travail a mainte fois senti le soufre à fréquenter d'aussi près la part obscure du génie allemand. Leur refus de voir l'Europe se couper des racines d'un romantisme encore profondément vivace dans la culture politique et artistique est longtemps apparu héroïque. Hölderlin demeure pour ces poètes-là une référence suprême. Sa lecture par Heidegger l'institua comme fondateur, dans le prolongement de Nietzsche mais aussi par-delà Nietzsche, du socle poétique originaire à partir de quoi poser désormais les questions de la philosophie. Ici, fin de la légèreté ! Commençaient le poids, la pesanteur des mots dans l'enracinement du sol, les ruses, les détours, les calculs de philologue-paysan pour les extraire aux territoires mythiques du sens sans totalement les en déraciner. Surréaliste, Heidegger ? On serait parfois tenté d'oser ce rapprochement par volonté provocatrice. Mais surréaliste quintessenciant un « surréalisme » moins populaire, moins facilement hétérogène dans son cristal que la version « parisienne » d'André Breton. Ce dernier prit la route de la mythologie celte, dont les enchantements sont beaucoup plus « légers » ou aériens, beaucoup plus aquatiques et amniotiques que les « rêveries de la terre » du fantastique teuton. S'ils étaient accusés de confusion, les poètes « germaniques » pouvaient d'ailleurs toujours en appeler en dernière instance à la figure emblématique d'un Paul Celan dont le suicide au pont Mirabeau achevait en impasse les errances de Nadja ou d'Apollinaire. Ce serait oublier cependant que sa complexité l'oppose au schématisme de l'automatisme surréaliste comme à la « légèreté carnavalesque » du roman. Son destin nous avertit que la

« légèreté » est fuite hors de la terre qui ne nous est pas légitimement autorisée. Question de Paradis en somme, de la conception
que l'on se fait encore du Paradis – Sollers l'a finement senti –
selon qu'on aura désir d'y monter par les marches graduelles du
catholicisme ou suivant le versant biblique abrupt, judaïque ou cal-
viniste.

La politique, la poésie

La poésie a croisé la route de la politique plusieurs fois dans le
malentendu au vingtième siècle. Il faut d'abord tenir compte de l'a-
léatoire existentiel. Quoique participant l'un et l'autre au *Cabaret
Voltaire* à Zurich en 1916, Hugo Ball et Tristan Tzara sortirent par
deux voies contraires. Le premier se convertit au catholicisme, se
réfugia dans le silence du signe quelque part en Bavière. Le second,
appelé à Paris par Breton et Aragon pour agiter l'avant-scène, se
fit brièvement déposer par ses inventeurs. Son ralliement au communisme l'éloigna de Breton, sa méfiance du surréalisme, d'Aragon. Il
faut faire la part de l'ironie sans pour autant se montrer coupables
d'angélisme. Les poètes ont appris très tôt à s'organiser politiquement au contact de la révolution. Il en reste encore quelques aspects
en 1995, dans cette étrange période où les structures bureaucratiques mises en place dans les domaines culturels ne se sont pas
toutes assouplies au même rythme. Ce qui distingue en France une
culture de droite d'une culture de gauche, c'est que l'une fait
confiance à l'individualisme dans le marché de l'argent, l'autre à
l'organisation des artistes en liaison avec les partis révolutionnaires.
Dans la mesure où la « poésie » n'est pas, si elle le fut jamais,
occasion de bénéfices financiers, la culture de « droite » délaisse
froidement et cyniquement la poésie. Au poète de s'inventer, de s'inventer au besoin dans la malédiction. Ce schéma en place depuis
Baudelaire, rien ne prouve qu'il a changé. De l'autre côté, la culture
de gauche a appris à investir depuis longtemps l'appareil culturel
d'État. Mais à moins qu'il n'ait fait signe reconnaissable dans la
bonne direction, l'individu n'aura pourtant pas davantage de chance
d'être accepté par ce camp-ci plutôt que l'autre. Son talent pour le
compromis politique comptera souvent plus pour sa reconnaissance
par le groupe que ses qualités artistiques réelles. Il va sans dire
que cette double culture vaut surtout pour la France où politique
et poésie se sont lyriquement épousées à l'occasion de l'événement
décisif (dont les conséquences sont loin d'être épuisées) que furent
Résistance et Libération. A quoi il faudrait ajouter l'impact provoqué

par les conflits idéologiques à l'intérieur même de la culture de gauche, comme ces époustouflants chassés-croisés entre formalisme élitiste (lié aux révisions « esthétiques » douloureuses d'un parti communiste dont le recrutement déclinait dans la classe ouvrière à mesure qu'il progressait chez les cadres) et culture populiste (reprise en héritage par le parti socialiste sous forme d'un « spontanéisme de rue organisé »). L'art, donc la poésie, semblent depuis toujours investis aux yeux des Français d'une mission révolutionnaire, sur le point de devenir aussi funestement et brumeusement vague que l'image de « la ligne bleue des Vosges ». Il n'est agréable pour personne de constater combien la double pression financière et idéologique conduit à l'académisme.

La lecture, la radio, la voix

La parole radiophonique à tout vent, la chanson rimée sur fond d'orchestre mais aussi l'omniprésente image télévisée désorganisent l'activité de l'écrivain d'une manière beaucoup plus profonde qu'il n'est prêt à l'admettre. Pour ce qui est de la poésie, la télévision l'ignore, mais comment s'en étonner puisque l'argent ignore depuis toujours la poésie ? Rien de définitif dans ce domaine, d'ailleurs. On sait que la marginalité peut parfois, dans nos sociétés financières, se retrouver en l'espace d'une nuit au centre de la piste et des regards. Les poètes seraient-ils prêts ? Absolument pas. Bien qu'ils croient souvent tenir là leur meilleure défense, leur état d'imprévoyance est leur pire ennemi. Souriront sans doute ceux qui, confiants en l'hermétisme de l'écriture, continuent de fumer le tabac poétique dans leur porte-cigarette à la Stéphane Mallarmé. *Nil et Nihil*, Néant et Rien sont devenus tellement reconnaissables à leur odeur dès le vestibule d'un poème, qu'on aurait cependant envie de légiférer là aussi pour une compartimentation entre fumeurs et non-fumeurs. Demeure qu'il n'y a pas de tradition moins préparée à l'irruption de la parole orale dans le champ du poème que la poésie française. C'est d'abord affaire d'éducation. La mémoire « vocale » est un organe qu'on a laissé rouiller, toujours au nom du même « spontanéisme ». Le paradoxe est que la rue ne fréquente pratiquement plus le poème depuis le rendez-vous donné par Apollinaire dans *Lundi rue Christine*, mais est passée directement au studio d'enregistrement. Les efforts d'Aragon, Prévert, relayés en leur temps par les chanteurs, acclimatèrent en réalité non pas tant le poème que cette idée dommageable que le poème correspondait à une saison de l'émotion humaine où il y aurait toujours beaucoup de feuilles d'automne, de pluie, de remorqueurs dans les bassins de Brest. C'est d'une certaine idée de la France que le poème chanté a le plus pâti, c'est de cette ambiguë nostalgie post-libérationnaire (sans doute la seule émotion permise aux Français par la débâcle de leur vertu) que nous n'avons plus su nous guérir, comme si désormais la France devait se conjuguer au passé, composé de préférence, plutôt que simple – lequel ramène nécessairement à l'épopée. Il faut lire les critiques adressées par Pierre Reverdy à l'outil radiophonique ; il faut constater l'indifférence où demeurent les travaux du médiéviste Paul Zumthor dans le paysage poétique français contemporain ; il faut mesurer l'impact proprement « sidérant » des concepts grammatologiques de Jacques Derrida, pour comprendre pourquoi la poésie française est aujourd'hui « muette » par vocation – si nous osons dire. Changer les concepts, par conséquent, changer le climat, racler les fonds de gorge enfumés par la fumée « néant » ! Il y va bien évidemment d'une volonté d'émigrer hors de nos frontières comme avec elles, de nous risquer dans un constant métissage entre mot parlé et mot écrit.

La poésie, la scène

Deux questions s'ensuivent. Pourquoi le poème accède-t-il si peu souvent – si mal quand il y réussit ! – à la lecture publique, mais aussi pourquoi lui interdit-on de répéter sa performance ? Il y a pourtant indéniablement du « drame » dans les meilleurs poèmes de la langue française, et ceux-mêmes des poètes dont l'œuvre paraît la plus ésotériquement éloignée de la performance publique se sont au contraire fort intéressés à la scène. Mallarmé a longtemps réfléchi à la cérémonie poétique, sur le canon de la messe dominicale mais aussi par admiration jalouse de la liturgie wagnérienne révélée à Bayreuth à quelques-uns de ses amis éblouis (Villiers de l'Isle Adam...). Beaucoup plus tard, Aragon, plus confiant en la musique quoique bien seul de son espèce, abandonna ses textes aux chanteurs de la « rive gauche ». Il fallut le débarquement des poètes hurlants d'Amérique à Paris (*Howl* d'Allen Ginsberg) au tout début des années soixante, pour admettre que le poème pût se produire en public *a capella*. Lettre perdue en France ! Ni Bonnefoy ni Du Bouchet non plus que leurs jeunes continuateurs Albiach et Royet-Journoud – si admiratifs fussent-ils des Objectivistes et Projectivistes américains – n'étaient préparés à les accueillir autrement que par l'hospitalité. Une rencontre alors cruellement se manqua, même si elle parut donner un semblant de seconde jeunesse aux vieux Dadas. Absence générale du souffle, absence de toute réflexion sur le souffle ou sur la voix ! De la théorie certes, mais uniquement sur le compte de l'alexandrin ou de la coupure interrompant la ligne versifiée (Roubaud, Roche), un examen encore trop phénoménologique du rythme (Meschonnic). Ce fut tout. Pendant ce temps, de jeunes metteurs en scène de théâtre jouant aux petits prodiges, mais surtout aux prodigues, avec les subventions culturelles de l'État, montaient leur énième *Hamlet* dans un français immaturément sevré du lait de la tendresse poétique. On se demandait, certaines soirées d'ennui académique collectif, si telle portion d'argent ainsi gaspillé n'aurait quand même pas plus profitablement nourri quatre ou cinq représentations-lectures successives du même poème. Il eût suffi que la presse parisienne ébranlât son énorme machine publicitaire à cet effet pour faire converger tous les comités d'entreprise dans la bonne direction ; mais non, les camarillas du théâtre officiel aimaient mieux faire feuille de vigne de leur inculture. Guère moins coupables en la circonstance, les poètes eux-mêmes, tellement convaincus – dans leur brumeux souvenir du romantisme – de l'unicité de l'acte poétique et de sa non-reproductibilité plusieurs jours de suite, sous peine d'altération, par une voix non ombilicalement liée à la leur. Car les poètes ont l'orgueil idéalement modeste de sorte que le succès fait par la société à quelques-uns d'entre eux, enfilant à leurs phrases la combinaison parfaitement lisse de l'humilité, confirme bien la place qu'on veut qu'ils tiennent. Quelques jeunes gens, qui d'instinct ont saisi la situation avec un sens juste de ses limites et de ses faiblesses mais sont bien décidés à tirer avantage en honneurs rapides de leur intelligence, se sont rétroactivement placés en deçà du « modernisme », dans la zone crépusculaire unissant parnassiens et symbolistes. Ils monnaieront sans doute aussi longtemps qu'ils le pourront les évanouissements lyriques de leurs « sujets », faute d'avoir le courage d'Artaud. Cette position d'attente est aussi risible que condamnée.

La poésie, le poème

Le numéro 133 de la revue *Action poétique* pose une question brutale : *la forme poésie va-t-elle, peut-elle, doit-elle disparaître ?* Fondée dans la mouvance culturelle du parti communiste, *Action poétique* demeure l'une des rares revues françaises à prendre encore au sérieux la poésie. Quoiqu'on puisse souvent ne pas s'accorder avec le formalisme un peu rigide (effet de la cuisine provençale ?) de son directeur Henry Deluy, on reconnaîtra qu'un débat continue réellement d'avoir lieu dans ses pages, tout comme dans l'élégante revue *Po&sie* dirigée par Michel Deguy chez Belin. La question est certes brutale mais la brutalité n'a jamais rien légitimé. Sans doute faut-il y voir une impatience à relancer la poésie par une formulation

accrocheuse. D'ailleurs la question est-elle vraiment bien formulée ?
Il ne suffit pas de succomber au syndrome de l'alerte pour croire
prévenir le danger, surtout quand le danger pourrait bien résider
dans la formulation même. Que veut dire en effet aujourd'hui le mot
« poésie » ? Rien de précis parce que tout à la fois. Vaguement quin-
tessentielle, la « poésie » est une manière de parfum volatil, en état
de dilution, de diffusion permanente, dont la vibration « dans l'air
du soir » émane du culte automatique pour « l'ostensoir ». Ajoutons
que le surréalisme en a fait une commercialisation sans pudeur, de
sorte qu'il ne reste aujourd'hui pas un coin de forêt bretonne ou
ruelle montmartroise, à Montmartre ou ailleurs, qui ne sente ce par-
fum-là. Lequel est d'autant moins près de disparaître qu'il sert à
chacun, amoureux ou journaliste, à court de définition ou d'émotion.
Première confusion fâcheuse, donc. Deuxième contresens : que peut
bien vouloir dire une « forme-poésie » ? A moins de faire référence
à un système philosophique rigoureusement précis, on ne peut pas
sérieusement parler de « forme-essence ». Il y a des oxymores qui
ne participent ni de la rhétorique, ni de la philosophie, encore moins
de la poésie. Connaissant en revanche la « forme-poème », nous
soupçonnons mieux la raison pour laquelle les poètes évitent désormais d'en parler. Perturbés par l'arrogance sociale des prosateurs
(*cf.* plus haut), incertains de leur identité prosodique, menacés quant
à la pérennité de la langue française dont les retards s'accroissent
sur les vitesses acquises par l'anglais dans sa diffusion mondiale,
les poètes français se délectent mélancoliquement de leur suicide
collectif anticipé, telle une inoffensive secte. On constate là encore
un effet de cette bonne vieille nostalgie française héritée du traumatisme de la guerre, dont répétons bien que nous ne sommes pas
guéris. Pourquoi donc faudrait-il que la forme soit la clé du futur
poétique, chers « modernistes nostalgiques » ? Comment ne compre-
nez-vous donc pas que votre « formalisme » fut obtenu par décan-
tation et purification du symbolisme – et non par rupture, comme
les manuels de littérature vous l'ont affirmé ! Et que, à l'inverse de
ce que vous pensez, vous êtes vous-mêmes filialement liés à cette
dissolution du « poème » dans la « poésie » ainsi qu'à son « évapo-
ration », faute d'avoir fermement tenu le « contenu dans le conte-
nant ». Rebouchez les tabatières Mallarmé ! Nous n'avons que faire
de l'évanescence de l'Idée. L'essentialisme de l'Idée nous vient en
droite ligne du romantisme allemand que nous nous sommes majoritairement fait gloire de ne pas fréquenter, laissant le soin à nos
philosophes de se débattre dans une interminable guerre de transposition des concepts. Donnons-leur un coup de main, que diable !
Réfléchissons nous aussi depuis notre versant à cette façon dont
Novalis, Hölderlin, Schelling, nous léguèrent un catholicisme pro-

testantisé (nocturne et chrétien, pessimiste et doux) fortement contradictoire avec nos principes républicains et comment nous nous ingéniâmes à oublier cela. Y pensant, nous penserons d'autant plus lucidement aux origines de l'Europe contemporaine !

Le poème, l'édition, la critique

La littérature est entrée partout dans l'ère de l'auto-édition. Ne faisons plus comme si nous ne le savions pas mais hâtons plutôt le mouvement jusqu'à son évidence. L'amélioration de la technique offre désormais à chacun de nous la possibilité d'installer un petit atelier d'imprimerie à domicile. On conçoit que l'opération éditrice pourrait être démultipliée par autant de fois qu'il y a d'individus lettrés. Par crainte que l'ancien tissu industriel ne soit cependant dans ce domaine trop vite déchiré, les forces du pouvoir, des syndicats et de l'argent s'allient pour faire que ce mouvement centrifuge soit ralenti. Il n'en sera sans doute pas toujours ainsi, sous peine de voir notre société se défaire sous ses propres contradictions. D'autant que cette expansion projette inéluctablement à un pôle les masses financières se concentrant en de grands trous noirs éditoriaux d'entropie romanesque à charge de plus en plus négative (que restera-t-il lorsqu'on aura broyé tous les noyaux « biographiques » ?) cependant qu'à l'autre pôle se fragmente, se dissémine, s'émiette la nébuleuse « poésie » en une fine poussière de revues, plaquettes, feuilles en mal d'agglomération. D'un côté une accélération masse/vitesse que les spécialistes de l'édition – libraires, distributeurs, diffuseurs – nomment « vitesse de rotation » (devra-t-on lire un jour à la vitesse de la lumière ?) En face une absence quasi totale de pénétration, faute de disposer de la logistique appropriée. La question de la lecture du poème tient là. Que le poème ne soit pas lu, comme s'en plaignent si pleureusement les poètes, tient beaucoup au fait que la structure de sa « publication », voire peut-être plus encore sa « manifestation », est devenue « infra-molaire », l'effort d'auto-édition comportant en soi sa propre justification. A quoi nous envisageons remède sous forme de mannes ministérielles accrues que par réveil vigoureux de la « critique » du poème. Les poètes devraient enfin comprendre que leur marginalité les a placés dans une position pionnière. On peut admettre qu'ils soient chacun tellement requis par l'intensité de leur engagement poétique qu'ils conservent peu de temps pour la lucidité analytique. Mais une grande exigence artistique, alliée à une réflexion technologique toujours en alerte qui ne négligerait jamais les conditions de « réception » du poème, ensemble tenues par une non moins active générosité, provoquerait une avancée remarquable dans le champ de la littérature tout entière. Peut-on consacrer moins de place au poème que n'en consacrent aujourd'hui les pages critiques des quotidiens ou hebdomadaires de la presse française ? Certainement pas ! Une demi-feuille mensuelle, les bons mois, dans *le Monde*, un ridicule tronc (pour la quête) de colonne hebdomadairement dans *le Figaro*, rien dans *Libération*, journal « antipoétique » par imprégnation surréaliste diffuse, et pour ce qui concerne les journaux spécialisés, *le Magazine littéraire* ne s'intéressant qu'à l'industrie de l'embaumement, demeure seule vivante *la Quinzaine* de Maurice Nadeau. S'en plaindre ? Profitons-en plutôt pour rebâtir une « critique » allègre, audacieuse, impertinente qui balaiera toutes les rancidités incestueuses de la critique romanesque ou théâtrale contemporaine, frappée de nullité paralysante pour cause de cumul et confusion des rôles et des fonctions, donc de collusion destructrice avec le magnétisme conjugué de la fausse gloire et de l'argent.

Où en sommes-nous ?

Le XIXe siècle n'en finit pas de mourir et de nous tuer en mourant, nationalismes et utopismes se répartissant entre eux la tâche des civières. Nous pensons qu'une poésie qui n'aurait pas l'ambition de construire contre ces ruines-là n'aurait aucun intérêt. Encore devrat-elle commencer par repérer les prémisses de nouvelles fondations parmi les larmes, les deuils, les cendres. On imagine mal le radical « *pas d'angle* » (j'emprunte son titre à Dominique Fourcade) que devront opérer les nouveaux constructeurs. Ce sont à mon sens d'hommes de frontière que le poème a le plus besoin. De traducteurs (au sens que Victor Hugo donne au mot dans son *William Shakespeare*), qui sachent ne pas considérer leur art comme un nouveau byzantinisme. Ezra Pound échoua dans ses mosaïques. Yeats se figea en rossignol dans la fresque impériale. Disons adieu à Rilke, le siècle de l'Europe autrichienne eût assurément pu être très beau ! Sur la frontière de l'Allemagne avec la France où il faudra bien un jour inventer de l'inédit, je ne vois pour l'instant, ombre corrigée de « guetteur mélancolique », que le défunt Jean-Paul de Dadelsen. Je suis ému quand je le lis, parce que cet Alsacien a compris tout au fond de ses os combien la langue française se languissait d'entrer en dialogue polyphonique, musique et mots, avec le souffle joyeux de Jean-Sébastien Bach. Sur la frontière avec l'anglais, si fluctuante, si insaisissablement envahissante, plus que jamais insiste le new-yorkais Whitman, différé de débarquement sur nos plages d'un bon siècle, à cause de tous nos sceptiques, Valery *and co*. Pour l'espagnol, c'est encore un Américain, Octavio Paz, qui me semble posséder des choses européennes une vision dont aucun métropolitain n'a l'ampleur. Mais pour ce qui est de la frontière sans doute la plus rigide de toutes, qui sépare le français du français, j'en finirai véhémentement avec l'exception Rimbaud et ses *diktats* colonialistes balancés à la canonnière depuis Aden. Visions, voyances, visionnaires viseront désormais plus loin, montés sur la lunette astrophysicienne du vers. Ne bannissons plus comme lui La Fontaine, ce résistant de la province picarde contre toutes les bastilles ou vaubanneries forcées du classicisme. Ensuite nous oserons réintroduire dans le jeu l'épique et le courtois, pour le contrat que ces deux modes passèrent au commencement avec le temps, avec l'ennui, avec la pluie. En cela pensons à nous-mêmes, hommes du futur, comme à l'interminable perspective de nos journées humaines qui déjà n'en finissent plus de ne plus vieillir de désœuvrement. Quand nous serons fatigués de nos gargarismes à commenter le quotidien, nous reprendra certainement un jour l'envie d'embarquer sur les formes souplement suspendues (scansions multiples) du poème. A quelques-uns, en solitaires, nous ferons alors à nouveau le constat qu'il demeure la seule technique fiable de voyage au long cours, en haute mer.

Jacques Darras

Chroniques du merle moqueur

Gérard Noiret*

A Christian Audejean

I

Sɪ LA LECTURE de poésie est un rendez-vous matinal qui marie le café, les recueils et l'éveil des merles, c'est que les poèmes, dans leur énorme diversité, réclament une disponibilité inconciliable avec l'agitation diurne[1]. Avant que mon métier ne me plonge dans la petite douleur (celle qui s'accumule dans les cités, qui cautionne les *reality shows*, qui fait voter Front national, qui tue à petit feu...), les quelques heures gagnées sur le sommeil m'apportent de quoi résister. En elles se joue plus que l'acquisition d'un savoir. Elles sont un remède contre la détérioration d'une parole contaminée par l'immersion dans un sabir corrosif. Comment dans ces conditions partager, même en les comprenant, la haine de la poésie, l'affirmation solipsiste de son exclusive *gratuité* ?

Contrairement aux belles évidences, les auteurs les plus substantiels pour un autodidacte ne sont pas « les plus faciles ». Ceux qui veulent éduquer, exalter le quotidien, apporter une consolation me tombent des mains. Je comprends sans rien avoir à lire. Les insuffisances profondes ont besoin d'une écriture riche d'obscurité, suf-

---

* Poète (*Le Commun des mortels*, *Tags*), romancier (*Chroniques d'inquiétude*), critique de poésie à la *Quinzaine littéraire*.

1. Ainsi les vers de Mathieu Bénézet dans *le Travail d'amour* qui se révèlent à condition que nous adoptions leur rythme profond, que nous abandonnions notre souffle pour épouser – travail d'amour s'il en est – le leur.

fisamment refermée sur elle-même pour abriter un labyrinthe. Il y a longtemps que Bonnefoy (*Du mouvement et de l'immobilité de Douve*), Deguy (*Gisants*), Jude Stéfan (*Aux chiens du soir*), Jacques Dupin (*Échancré*), Paul-Louis Rossi (*les États provisoires*), Bernard Vargaftig (*Un récit*) m'exhortent à refuser le contentement de soi ; longtemps que les recherches élitistes d'un Pierre Lartigue (*l'Hélice d'écrire – la Sextine*) stoppent la progression du désert ; longtemps que le « ce qui se conçoit bien s'énonce clairement » s'est révélé une imposture empêchant d'approcher ce qui ne se conçoit pas, ce qui ne se conçoit pas encore, ce qui m'énonce.

Mais éclectisme (aimer *le Nageur d'un seul amour* de Schéhadé aussi bien qu'*Arbitraires espaces* de Tortel, le vers court de Guillevic dans *Terraqué*, aussi bien que le long questionnement de Jabès dans *le Livre de Yukel*, et la prose de Caillois dans *Pierres*, et les rimes de Fombeure...) ne signifie pas naïveté idéologique ou esthétique.

II

Mars 1994

Quiconque a dépassé l'expression de ses émois, a pu ressentir la contradiction fondamentale qui fait que des forces restreignent l'écriture au développement de ses thèmes, à la communication immédiate ; tandis que d'autres, exacerbant les phénomènes de sonorité ou de plasticité, la poussent hors du champ social. Transposé, ce conflit se retrouve dans l'histoire littéraire. Il est inséparable de clivages vieux comme notre langue. Les oppositions farouches au sortir de la Résistance entre les tenants de l'*Honneur* et du *Déshonneur des poètes*, les luttes des avant-gardes des années 1960-1980 (revendiquant les Grands Rhétoriqueurs, Mallarmé et les sciences humaines) contre leurs contemporains lyriques (épris de romantisme, accrochés aux certitudes du sujet), dessinent le mouvement de balancier qui, suivant les rapports de forces du moment, tranche alternativement les têtes. Ce qu'on qualifie aujourd'hui de Restauration, ce retour d'un refoulé proclamant que Freud, Marx, Barthes (et pas mal d'autres) n'étaient que mauvais rêves, en constitue une étape nouvelle. L'actuelle production Gallimard, avec l'éviction de toute une littérature, la présence majoritaire de livres où les certitudes religieuses[2], le bucolisme, les plaintes élégiaques triomphent, l'illustre clairement.

Pour ma part, ayant appris que nous n'existons *ici-bas* ni pour les uns ni pour les autres, que les excès d'aujourd'hui renvoient à ceux

---

2. Qui n'ont rien à voir avec un J.-C. Renard, un J. Mambrino ou l'attention à la misère de Jean-Pierre Lemaire.

d'hier, je reste sceptique et me refuse aux besognes de procureur. Je me réjouis des exceptions rajeunissant le prestigieux catalogue (Paul de Roux, Hédi Kaddour) comme je me nourris des voix incontestables qui y perdurent (Lionel Ray, Salah Stétié, Philippe Jaccottet)... puis, après classement sur les étagères, je recule d'un pas.

Feuilles volantes

1984

Que seraient devenus les moineaux que nous étions dans cette banlieue ouvrière de la Ve République, si la décentralisation culturelle n'avait apporté les « armes miraculeuses » (Césaire) que refusait l'école, si le *Livre d'or de la poésie* de Pierre Seghers ne nous avait ouverts *au chant* ? Quelle aurait été la durée de nos efforts, si *ce* bibliothécaire avait éconduit nos pauvres tentatives, s'il ne nous avait proposé des lectures en phase avec nos écrits ? Quelle aurait été notre pente de facilité sans la stimulation des revues (*Action poétique, Change...*), sans l'apport de collections telles que *Voix* (Maspéro) ?

1987

Il me saisit le coude. Il a laissé plusieurs mois le service en jachère et vient recueillir les fruits de sa patience. Démonstrations d'amitié... Il a oublié mon prénom. Plus tard, comme je me lève, il grille sa botte secrète. Déboutonnant son col de chemise, il exhibe la cicatrice :

– Au fait, je me...

– Oui, j'ai appris.

Il s'est pendu dans son appartement minable. Une vraie pendaison, pas un appel au secours. Sa femme, celle avec qui il se drogue, est rentrée à l'improviste... Jacquot ! Lors de notre première rencontre, il a trébuché. J'ai ramassé ses papiers et le bouquin de Prévert. Pestant contre sa maladresse, il s'est assis comme il allait le faire durant deux trimestres. Osseux, les joues creuses, la barbe naissante, il m'a souri de ses grosses lèvres et de ses yeux rieurs.

Après, toujours en relation avec une demande d'argent, il y a eu... les heures à m'expliquer ses rencontres avec des vénusiennes... la séquence des parents, gérants d'une station d'essence, qu'il a saignés aux quatre veines... l'émission avec François Bon sur France Culture... L'odyssée du TUC au LEP commercial, avec le quadrillage des souscripteurs potentiels... l'épisode de la compagne ayant à subir l'ablation d'un sein...

Je suis d'autant moins sûr de l'ordre des péripéties, qu'il n'était qu'un des cas dont je m'occupais et que mes rapports avec les écrivains (à quelques stations de RER), les phrases qui me réclament leur dû, m'empêchent d'être un *vrai* travailleur social, méthodique et organisé.

1988

Mon cher C.,

J'ai réfléchi à ton offre. Pourquoi ne pas transformer en résidence de directeur de collection ta résidence d'auteur ? Prendre du temps avec ceux et celles qui écrivent dans ta ville, qui suivent depuis des années vos actions me passionnerait. J'ai envie de faire entendre *leur* voix à ceux qui se pensent muets. J'ai envie de tenter l'impossible (sans perte d'exigence) avec ceux que l'on n'imagine qu'en position de lectorat. Combien ne dépense-t-on pas pour *démocratiser l'art* quand tant s'indignent dès qu'une tentative artistique part de ce *peuple* objet de tous les empressements ? Je supporte mal la morgue qui nous a orientés hors des études, nous expliquer à longueur d'œuvres complètes galopantes que l'histoire est depuis toujours finie, qu'écrire est impossible.

Malgré la distance de la coupe aux lèvres, les dévoiements démagogiques possibles, je revendique un art différent dès son substrat. D'autant qu'il suffit de feuilleter les rentrées romanesques ou de connaître l'édition, pour élever la relativité au rang de loi générale.

1992

Dans le parler de ces gosses, CE QUI, relevant de la satisfaction immédiate, ne peut d'ores et déjà exister qu'en prolongement de la réalité américaine ; CE QUI ne peut prendre nom que dans l'anglo-saxon ; CE QUI, déplaçant notre mode d'accentuation, déformant des mots préalablement traduits en verlan, transforme notre langue de l'intérieur ; CE QUI, plus sûrement qu'une censure neutralise les valeurs humanistes et accélère l'intégration à un nouvel ordre mondial...

III

Mars 1994

A l'inverse de ceux qui se sont servis des pistes de l'anthropologie moderne pour étayer leur recherche, Frénaud, philosophe de formation, grand connaisseur de la culture allemande, admirateur des agnostiques, n'a jamais cédé à la tentation d'illustrer. Chez l'auteur des *Rois mages* et d'*Il n'y a pas de paradis*, l'unité mouvante et contradictoire (réalités historiques) (données psychanalytiques) (expérience ontologique) affronte, durant le processus créatif, le pôle langagier qui a toujours le dernier mot. Tant que les conditions rythmiques et sonores ne sont pas satisfaites, le poème n'est pas authentifié. Cela peut durer, même si la signification générale est trouvée. Nombre de textes sont restés des années en sommeil parce qu'un élément minime sonnait faux.

Déformant une phrase de Valéry, on pourrait dire que le vers de Frénaud naît d'une contradiction prolongée entre le son et le sens. Le refus de simplifier l'écriture en n'intégrant qu'une dimension de la problématique est une marque si constante de ses poèmes qu'il est nécessaire de remplacer le terme initial d'hésitation. Il n'y a pas de place pour l'indécision dans un choix esthétique où la notion de *nécessité intérieure* redevient pertinente, où les arguments en faveur d'une poésie sans implication perdent leur efficacité.

Aux côtés de Segalen, du Claudel de *Connaissance de l'Est* et des *Cinq grandes odes*, de Reverdy, d'Aragon (*le Roman inachevé, le Fou d'Elsa*), de Jouve, de Du Bouchet... André Frénaud est de ceux qui dominent le siècle car ils ont produit une globalité vivante. Dans *l'Étape dans la clairière*, dans *la Sorcière de Rome* son apogée, il y a cette coupe et cette ponctuation, cette infinie variation de l'exclamation et de la question en prise avec la tension existentielle, qui fondent en un alliage unique la réflexion historique, la multiplicité des voix internes, les surgissements du hasard. Rien ne m'attire plus que ces formes capables, non de concilier, mais de maintenir dans une prosodie parfaitement élaborée, des visées divergentes. Rien ne me fascine plus qu'une écriture capable de me faire oublier mes implications, de me mettre en contact, par le mystère de la *présence*, avec un univers qui m'est étranger. Le prix à payer pour réaliser de tels chefs-d'œuvre est forcément élevé. Que ce soient les cinq années d'épuisement qui suivirent l'achèvement de la *Sorcière de Rome* ou le long silence qui précéda sa mort, Frénaud a pu le vérifier.

Dans cette perspective, chacun en fonction de sa singularité, Lorand Gaspar, Jean Pérol, André Du Bouchet, Édouard Glissant, Emmanuel Hocquard, Dominique Grandmond, François Boddaert et, parmi les plus jeunes, Pascal Boulanger, m'attirent parce que, loin de restreindre la question d'écrire à l'une de ses composantes, ils osent des totalités. J'aime la dialectique des sensations et de l'intelligence. Nombreux sont les auteurs dont le travail souffre, pour moi, d'une unilatéralité que ne rattrapent ni les prestiges de la radicalité, ni la science du savant technicien. Perec me séduit sans me transporter. Queneau me convainc surtout de ma médiocrité. Non, les explications n'y peuvent rien. *Quelque chose noir* est pour moi le sommet de la bibliographie de Jacques Roubaud, *Vingt-quatre heures d'amour* est à plus de cinquante ans la naissance poétique d'Henri Deluy et la trilogie *Amen, Récitatif, la Tourne* domine largement les publications plus récentes de Jacques Réda.

***

Réaliser un dossier Max Loreau. Rendre hommage à un poète des plus aigus. Je me souviens de quelques pas en sa compagnie, au sortir d'une réunion du CNL. J'étais empli par la découpe sensuelle et surprenante de ses poèmes. La maladie a empêché le dialogue de se poursuivre. Lorsque, lassé des parutions décevantes, j'erre devant ma bibliothèque, je feuillette souvent ses *Chants de perpétuelle venue* comme j'aime reprendre les livres de deux autres trop tôt disparus : Dadelsen et Salabreuil.

***

Si les manuscrits maudits sont une légende, il est sûr que des livres importants sont nécessairement ignorés par la critique. *SMS, l'automne d'une passion* est de ceux-là. Édité par Actes Sud au début des années 1980, quand se tournait la page des avant-gardes et que le lyrisme sans principe n'avait pas la place qu'il occupe, ce long poème narratif, renouant avec un genre délaissé depuis Blaise Cendrars, ne figure dans aucune anthologie, n'a suscité aucun écho. Pourtant son auteur, Baptiste-Marrey, y signait pour un coup d'essai un coup de maître. Là encore a fonctionné le mouvement de balancier dont j'ai précédemment parlé. N'appartenant à aucun des camps, proposant des solutions textuelles et des références étrangères au monde littéraire, il n'avait guère de chance de s'imposer. La réédition en 1992, après épuisement du tirage initial, est arrivée, en quelque sorte, après la bataille. Elle n'a pas suscité plus d'articles !

***

Clément Rosset est un philosophe que l'écriture poétique n'intéresse guère. Néanmoins, sa critique de la *parole oraculaire* (*le Réel et son double*), la manière qu'il a de repérer les vieilles conceptions platoniciennes dans les tissages les plus sophistiqués, ne sont pas sans stigmatiser le dédain pour le matérialisme qui réunit l'hyperformalisme aux écritures du religieux et les montrent polémiques mais frères dans le refus du réel. D'une autre façon que Bourdieu, il jette une lumière crue sur un fonctionnement. Qu'on ne le cite jamais dans les débats est en soi significatif car ses essais ne peuvent passer inaperçus. L'impliquer, fût-ce afin de l'attaquer, serait-ce lever un coin du voile ?

IV
Retour sur l'éclectisme

Avril 1994

Mais Char, mais Michaux ?

Si André Frénaud a la place prépondérante qu'il occupe dans mon panthéon personnel, c'est *aussi* parce qu'il éclaire mes propres ambitions. Mes formulations de mars n'ont pas la neutralité à laquelle elles prétendent ! En moi, le « pur lecteur » (ce lecteur d'hier, de moins en moins présent) apporte une vision plus contradictoire car les différentes manifestations de la beauté, les formes accomplies ne s'opposent pas entre elles et ne sont pas soumises à des hiérarchies. D'ailleurs, la volonté le voudrait, que la mémoire esthétique s'y refuserait. *La moitié du geste* de Bernard Noël, *Derviche / Le Robert* de Heidsieck, *Xbo* de Fourcade, *l'Art poétic'* de Cadiot, *Écrit au couteau* de Prigent, y ont laissé des traces indélébiles au même titre que *les Guerriers du Chalco* d'Hubert Juin, *Toboggans* de Patrice Delbourg, *Champs* d'Yves di Manno, *Une histoire de bleu* de Jean-Michel Maulpoix[3]. Et puis, il y a les structures qui continuent de fasciner, telles celle de *Table des éléments* de Charles Dobzynski, ou de *Requiem* de Maurice Regnaut.

Rien ne dément plus mon inclinaison vers les manifestations modernes de l'épique que la veine *mineure*. Pourtant, les *Ariettes* de Verlaine, les *Chansons* de Max Elskamp, quelques pages de Laforgue, deux quatrains d'Odilon-Jean Périer ou d'Audiberti, sont liés au tremblement d'exister et me viennent immédiatement à l'esprit lorsque l'on parle de littérature. L'effort, la démesure voulue, le projet, la morale, le savoir ne constituent nullement des critères. La vérité d'être est entière dans ces aquarelles de mots, ces aveux qui bravent le mode *majeur* des fresques, aussi bien que les déchaînements iconoclastes. Il existe des brassées de vers dans Bernard Delvaille, des réussites dans Alain Bosquet (*Les sonnets pour une fin de siècle* comptent des chefs-d'œuvre), dans Guy Goffette (la première suite de *la Vie promise*), qui valent à elles seules des volumes au caractère soutenu...

V

Il pleut. Ou il se prépare une journée de soleil. C'est en 1989, en 1991 ou en 1994... Il y a cette nostalgie d'avoir dirigé une collection et de l'avoir vue mourir. Sur le coup je n'ai rien regretté.

---

3. Mais la prose taillée dans le quotidien de G.-L. Godeau, le baroque de R. Mélik, l'éloignement dédaigneux de K. White, l'acuité de R. Munier...

Maintenant, j'en crève. J'aimerais repartir avec Claude Adelen, juste après *Intempéries* ; forcer la porte que Francis Combes a fermée après *Cévennes* ; dire oui à ce Jean Miniac qui vaut mille fois... Et puis apporter la preuve par Marie Etienne, Geneviève Huttin ou Josée Lapeyrère... de ce que je pressens d'un imaginaire féminin débarrassé du féminisme des années 70, résolu à ne rien céder aux constructions d'une *masculinitude* consternante...

VI

Nous faisons ce que nous ne faisons pas,
et nous ne faisons pas ce que nous faisons.
Quelque part il fait un silence terrible.
Vers cela nous gravitons.

Janos Pilinsky, *Hommage à Isaac Newton*

Pour avoir rencontré un président de l'Union des écrivains soviétiques, pour avoir entendu de la bouche de poètes chinois le récit des censures gouvernementales, pour suivre chaque jour les méfaits des intégrismes (islamique, papal, américain...) et la progression des divisions mondiales, j'éprouve une méfiance définitive vis-à-vis de tout programme légitimant ou condamnant l'art à partir de valeurs qui ne lui sont pas propres... sans oublier pour autant que mon expérience dans le milieu littéraire m'a fait côtoyer nombre de procureurs argumentant sur une « pureté » absolue. En d'autres termes, je considère comme dangereuse et obsolète la théorie de l'engagement mais refuse ce qui coupe la littérature de toute déontologie, de toute historicité, de toute contingence ; ce qui refuse que soit débattue la question de savoir qui écrit dans notre société et qui s'arc-boute dès qu'est envisagé sociologiquement, et donc aussi sur le plan des pouvoirs, le monde de la poésie.

Je ne parviens pas à identifier comme « me correspondant » un texte où rien ne s'échappe, où rien ne chante. Il faut que le (politique) dise (l'intime) et (l'intertextuel), il faut que le (métalangage) soit contaminé par (la présence concrète des hommes)... Le poème n'est jamais poème sur ou poème de, mais poème avec. J'aime les propositions complexes poussées jusqu'à retrouver une apparence qui se sait et se revendique trompeuse comme toutes les apparences.

Gérard Noiret

Le pari esthétique de l'art minimal*

Jean-Philippe Domecq

Par ESTHÉTIQUE DE LA PRÉSENTATION, nous désignerons une tendance majeure de l'esthétique du dernier demi-siècle. Aussi partirons-nous, pour la caractériser, d'œuvres choisies en fonction de leur notoriété mondiale et de la notoriété du mouvement artistique qu'elles illustrent. Soit donc le *minimal art*, puisque ce mouvement est considéré par la critique, par le marché, et par les musées, comme l'un des plus représentatifs du demi-siècle ; et soit, comme œuvres minimalistes majeures, les cubes de Tony Smith, les colonnes de Robert Morris, les plaques de zinc au sol de Carl Andre, les plaques et barres de plomb de Richard Serra, les néons de Dan Flavin. Ces pièces maîtresses du *minimal art* ont en commun, et pour dessein explicite, de présenter des volumes élémentaires, des formes minimales. Formellement, leur minimalisme implique l'épuration de tout détail qui singularise chaque volume que nous présente la vie quotidienne. C'est par l'absence d'éléments particuliers, pour ne pas dire particularisants, que ces pièces se distinguent des cubes, parallélépipèdes, plaques, barres et tubes au néon que nous pouvons rencontrer, à l'identique ou en analogie, dans le réel ; étant entendu que ce terme générique de « réel » définit ici l'espace non muséal. Cette oblitération du moindre détail particularisant, constatons-la sur un des exemples précités, les deux boîtes de Tony Smith intitulées respectivement *The Black Box* (1961) et *Die* (1962), qui ont valu à leur auteur sa première reconnaissance d'artiste : elles sont de surface aussi lisse que possible, d'éclat aussi neutre que possible, sans le moindre signe ajouté ni la moindre imperfection involontaire. Autrement dit, ce sont des volumes qui approchent tangentiellement d'aussi près que possible

---

* Conférence prononcée à l'université de Paris-VIII, au SEURF et à l'École d'art de Besançon.

le concept matérialisé du parallélépipède pour le premier, du cube pour le second. Avec toutefois des écarts minimes – minimaux par définition et intention – par rapport à l'idée, au sens platonicien, de parallélépipède et de cube, voire de cube et de parallélépipède absolus. En effet, dès lors que ces simples volumes sont matérialisés, ils ont leurs dimensions (en l'occurrence : 57 sur 84 cm dans le cas de *la Boîte noire*, et 1,83 m de côté dans le cas de *Die*), leur matériau (bois dans le premier cas, acier dans le second), leur couleur (noire), et leur perception est précédée ou suivie, selon le degré d'information du regardeur, d'un titre (littéral dans le premier cas, codé dans le second). Ce sont donc ces quatre vecteurs (dimensions, matériau, couleur, intitulé) qui font de ces volumes des volumes particuliers et non des volumes commutables, permutables – pour ne pas dire abstraits, pour ne pas dire non plus *conceptuels* mais on en approche et c'est pourquoi le mouvement artistique qui se développera à la suite du *minimal art* est l'art conceptuel. Ce sont aussi ces quatre vecteurs qui rendent possible et déterminant leur commentaire critique. Sur l'abondant commentaire critique que les œuvres de Tony Smith et des autres artistes minimalistes ont suscité de part et d'autre de l'Atlantique, nous n'allons pas revenir ici : d'abord parce que nous en avons analysé un échantillonnage, prélevé là encore au sein de ce qui est reconnu comme particulièrement adéquat en matière d'exégèse du minimalisme[1] ; ensuite parce que l'objet de notre présente réflexion est d'examiner à quelle(s) condition(s) les volumes élémentaires proposés par le minimalisme ont pu mériter l'exégèse esthétique et ainsi être validés comme œuvre d'art de grande valeur (valeur démontrée, rappelons-le, par la quantité et la qualité théorique de l'exégèse critique à laquelle ils ont eu droit, ainsi que par leur cote sur le marché international et par leur place dans les musées et collections permanentes).

L'objet de l'exégèse

En lisant toute l'exégèse autour des boîtes de Tony Smith ou des œuvres, parentes, de Robert Morris, on constate que les quatre ordres de spécification que nous venons de rappeler déterminent bel et bien l'exégèse. Ainsi avons-nous relevé antérieurement, dans l'analyse que nous en avons donnée[2], que les boîtes de Tony Smith occasionnaient une réflexion articulée autour de binômes tels que : forme/critique de la forme, vide/plein, présence/absence, sculpture/stature, anthropomorphisme et sa négation, iconographie et sa néga-

---

1. Cette analyse, également proposée en conférence, paraîtra dans le n° 137 d'*Opus international* (automne 1995), sous le titre « Les mots et les œuvres ».
2. « Les mots et les œuvres », *op. cit.*

tion, figuration/virtualité figurale, indécision de l'horizontal et du vertical, monument/socle, monument funèbre/jeu, boîte/appartement/cercueil, etc., la série n'est pas close. A l'énoncé de ces premiers binômes et trinômes, on peut penser que leur série n'a pas de limite, qu'elle pourrait être indéfinie. Indéfinie, c'est partiellement vrai puisque les volumes en question sont assez peu déterminants pour laisser une grande marge de manœuvre au commentaire. Dès lors en effet qu'il n'y a aucune forme inventée dans ces œuvres, le commentaire a beaucoup à remplir. Ou, pour le dire autrement : moins il y a d'éléments créés dans l'œuvre d'art, plus il y a d'espace vacant, disponible pour le commentaire. Le rapport est ici d'inversion proportionnelle. Inversion bel et bien, car, pour toutes les œuvres majeures que l'art a produites en dehors du minimalisme et des productions artistiques dont celui-ci présente l'archétype, on constate que la contrainte formelle de l'œuvre empêche le commentaire de prendre l'œuvre pour prétexte à création théorique. C'est à cela, à cette contrainte formelle forte qui oblige le discours à se soumettre à l'œuvre, qu'on a toujours, jusqu'aux années 1960 et suivantes, reconnu une œuvre forte, par distinction avec celles qui le sont moins.

Mais nous avons parlé précédemment de « forme inventée », par distinction avec les formes des volumes mis en œuvre par les artistes minimalistes qui, elles, ne sont pas créées à cette occasion, pas inventées pour et par l'œuvre ; elles sont directement rapportées des productions industrielles, au sens large d'industrie humaine, c'est-à-dire que ce sont des formes qu'on trouve dans l'espace non muséal, dans le réel, antérieurement à leur utilisation par les minimalistes. C'est d'ailleurs pourquoi s'est développée depuis une attitude que partagent plusieurs artistes contemporains, qui consiste à déléguer l'élaboration et l'installation de leur œuvre. Certes, les sculpteurs traditionnels ne mettent pas nécessairement la main à la pâte lorsqu'ils font couler plusieurs bronzes d'une sculpture ; et même, pour la *Porte de l'enfer* et bien d'autres de ses pièces, Rodin n'avait de sa main touché que le modèle en plâtre. Mais justement, la différence est nette avec l'artiste qui délègue la construction de son œuvre aujourd'hui, car les ouvriers qui la construisent et la mettent en place peuvent le faire avec d'autant plus de fidélité au projet que celui-ci comporte des indications minimales : à savoir les quatre vecteurs de dimensions, matériau, couleur, et carton de titre. Pour les formes, nul besoin de modèle puisqu'elles sont géométriques, puisqu'elles ne sont pas créées mais reprises de formes que les ouvriers connaissent déjà dans le réel.

Prenons même une sculpture d'art moderne qui approche de l'épuration esthétique à laquelle tend l'art minimal : *le Cube* de Giacometti, qu'on peut voir à la Fondation A. Giacometti de Zurich et qui est antérieur de 27 ans aux premiers cubes de Tony Smith puis de Robert Morris. Cette sculpture de 1934 est d'une extrême économie formelle, d'une sobriété de moyens telle qu'on peut la qualifier de « minimale » au sens non labellisé du terme. Il n'en demeure pas moins qu'elle n'est pas reproductible à l'identique sans le modèle original donné par Giacometti. Cela pour rappeler que le minimalisme non seulement a pour dessein de ne pas créer de forme, mais qu'en reprenant des formes entérinées par notre réalité non artistique, il ne procède pas à une recomposition qui, elle du moins, réintégrerait le processus créatif d'invention de formes comme c'est le cas du collage cubiste qui intègre des éléments bruts du réel – journal ou papier peint – au sein d'une composition qui doit tout à la conception de l'artiste ; comme c'est également le cas des compositions de Kurt Schwitters.

L'argument de la cohérence

Revenons donc au rapport des œuvres minimalistes et de leur fortune critique – rapport qui est analogue pour beaucoup d'œuvres qui se sont imposées comme majeures depuis le minimalisme jusqu'à nos jours. L'exégèse, disions-nous, a une marge de développement d'autant plus grande que les œuvres sont formellement moins déterminantes. Cela n'implique pas seulement une grande marge, mais aussi une forte cohérence de développement. Car il n'y a pas de cohérence plus facile à construire, à développer, et à faire proliférer en réseau toujours plus serré, que lorsqu'on raisonne à partir de peu d'éléments – ce peu d'éléments étant ici les quatre vecteurs de nos œuvres minimalistes. Ainsi peut-on constater que ce n'est pas la cohérence du discours critique qui garantit la force de l'œuvre qu'il apprécie ; que cette cohérence peut être d'autant plus ramifiée que l'œuvre lui offre moins de points par lesquels le commentaire doit passer ; et même, qu'une cohérence discursive qui prolifère à partir d'un minimum d'éléments déterminants, est le signe d'une grande autonomie laissée par l'œuvre au discours critique.

Au passage, il n'est pas interdit de se souvenir d'une caractéristique logique des raisonnements pathologiques : ceux-ci résultent souvent d'une combinatoire cohérente établie à partir d'un nombre trop restreint de données. On le sait, le brouillage des repères qui caractérise les raisonnements pathologiques vient de deux facteurs : l'individu n'intègre plus assez de données au sein de ce que les autres prennent pour réel ; et il établit des relations cohérentes entre ces données restreintes, réduites à l'excès, pour ne pas dire minimales. Cela pour rappeler que la cohérence d'un réseau logique entre un minimum de données peut traduire un éloignement à l'égard de ce que propose le réel concret.

Le concret en matière de raisonnement esthétique étant l'œuvre, le fait de moins attendre de l'œuvre concrète que de son commentaire théorique pourrait bien être pareillement symptomatique.

En tout cas, accepter que l'œuvre soit mineure par rapport au discours critique est un choix, un postulat qui fonde une idéologie esthétique. Idéologie qui caractérise la lignée dominante des mouvements artistiques qui se sont imposés des années 1960 à nos jours : idéologie dominante, par conséquent, qui a relégué au second plan d'autres conceptions et productions artistiques. On constate bel et bien que c'est en fonction de cette idéologie que les œuvres les plus appréciées sont celles qui permettent au discours d'appréciation de proliférer d'autant plus et avec d'autant plus de cohérence ; c'est-à-dire des œuvres qui contraignent d'autant moins ce discours à revenir à elles. L'autonomie de l'œuvre a été sacrifiée à l'autonomie du discours. Au point que cette dernière tend à l'autarcie. Les œuvres minimalistes ont notoirement illustré cette tendance, produit du parti pris idéologique qui consiste donc à admettre que l'œuvre soit minime du moment qu'elle permet à son commentaire de développer un riche réseau de cohérence conceptuelle.

Nous n'aurons pas envisagé la totalité des problèmes que pose la notion de cohérence si nous l'envisageons seulement sur le versant du discours et non sur celui de l'œuvre. La cohérence de l'œuvre, Meyer Schapiro en son temps l'a dit[3], n'est pas un critère suffisant pour distinguer l'œuvre forte de l'œuvre faible. Il ne s'agit certes et surtout pas de minimiser la valeur de cohérence inhérente au langage artistique mis en œuvre. Mais lorsqu'elle prime sur les autres données qui composent une œuvre d'art, au point de les réduire à la part minime voire inexistante comme c'est le cas dans nos exemples, alors on est en présence d'une œuvre qui *a priori* s'est vouée au discours qui développera la cohérence qu'elle affiche exclusivement. Affiche exclusivement : c'est bien le cas de volumes géométriques élémentaires tels que ceux que nous proposent les œuvres minimalistes et qui sont d'une incontestable cohérence formelle. L'œuvre ainsi conçue a son commentaire pour vocation dominante. Elle l'a intégré dans sa conception car la seule chose qu'elle met en forme concrètement, c'est une cohérence élémentaire, très simple, à partir de laquelle il pourra proliférer en toute logique. Pareille œuvre postule donc que l'apport de son langage artistique sera moindre que ce que le discours d'appréciation critique trouvera à en dire. C'est

---

3. Meyer Schapiro, *Theory and Philosophy of Art: Style, Artist, and Society, Selected Papers*, vol. IV, Braziller, 1994. Article de 1966, "On perfection, Coherence, and Unity of Form and Content".

bien le cas des œuvres minimalistes : leurs couleurs, volumes, dimensions, matériaux sont si vite repérables – et rien d'autre à voir au-delà –, qu'elle appellent, pour compenser leur peu d'apport œuvré, la cohérence proliférante du discours. Seul leur intitulé n'est pas rapporté du champ non artistique, mais ce n'est pas un hasard puisque l'intitulé, discursif par nature, est dans l'œuvre ce qui diffère du langage artistique. L'œuvre minimaliste est donc entièrement conçue en fonction du discours qu'elle va permettre ; conçue comme pré-texte.

Pour autant, n'existe-t-elle, n'est-elle reconnue comme œuvre que grâce aux discours qu'elle occasionne ? C'est presque le cas mais pas tout à fait, car il faut une ou des conditions pour qu'un discours légitimant soit tenu.

La condition du discours

Parmi ces conditions, écartons le facteur institutionnel de l'art défini par George Dickie. Ce facteur opère pourtant, et pleinement, dans le cas des œuvres minimalistes : de tels objets furent bel et bien commentés comme œuvres d'art dès lors qu'ils furent acceptés comme tels par les acteurs du milieu de l'art. Mais ce qui nous intéresse ici, c'est leur acceptation pour leur valeur esthétique, intrinsèque, et non leur valorisation institutionnelle, extrinsèque, car nous ne voulons savoir qu'une chose : qu'est-ce qui fait la valeur esthétique des œuvres minimalistes et de celles dont elles ont donné le prototype idéologique sur plusieurs décennies ? On pourrait faire remarquer que c'est bien le moins que de poser cette question de la valeur artistique des œuvres ; c'est même la question *sine qua non*, la question... minimale en esthétique. Force est pourtant de constater qu'en vertu de l'idéologie dominante que nous avons précédemment définie, cette question ne paraît plus si légitime et qu'il faut, pour la reposer, un certain luxe de précautions... Elle n'en demeure pas moins probante car, à supposer qu'on démontre que la valeur artistique de ces œuvres est faible, que ces œuvres autrement dit ne sont pas d'un grand intérêt spécifique, alors le milieu de l'art qui valide l'acceptation des œuvres contemporaines admettrait qu'elles ont pu, à un moment historique, présenter un intérêt pour la réflexion esthétique mais qu'en elles-mêmes elles ne peuvent plus être considérées comme les œuvres majeures de la période. Il est vrai, mais nous l'ajoutons par parenthèse, que resterait à mener un combat institutionnel pour que le discours démontrant cela soit accepté par ceux que Georges Dickie appelait « les acteurs du milieu de l'art » ; combat car, pour les critiques qui ont considéré ou laissé considérer les œuvres en question comme des œuvres de première valeur, il s'agirait d'accepter une démonstration qui les démentirait. Inutile d'ajouter que la psychologie du pouvoir n'aurait de cesse de fausser ce débat sur la valeur des œuvres – c'est donc une autre histoire. Pour notre part, tenons-nous-en au débat sur la valeur spécifique des œuvres, et vérifions à quelle condition esthétique des œuvres minimalistes ont pu être commentées comme des chefs-d'œuvre.

Lorsque nous disions, plus haut, que ces œuvres sont assez peu déterminantes, qu'elles déterminent peu le discours d'appréciation, ce n'était pas au sens où elles sont sobres. Car les œuvres sobres, aux formes minimales, n'ont pas attendu le minimalisme pour traverser l'histoire de l'art. Mais de tout temps, les œuvres sobres qui sont considérées comme fortes le sont parce que leurs formes sont inventées, et non reprises (on pourrait citer la Vénus de Lespugues aussi bien que des sculptures de Brancusi, et beaucoup d'autres évidemment). On n'aura garde d'oublier cette distinction entre formes inventées et formes reprises, qui est un premier élément significatif pour notre réflexion sur ce qui a bien pu justifier que les volumes minimalistes passent pour des œuvres d'art de haute valeur. Car en filigrane, la question est : qu'est-ce qui distingue une forme minimale considérée comme artistique d'une forme minimale qui n'est pas considérée comme telle ?

A ce point de notre interrogation, il semble, une fois de plus, que ce soit le commentaire qui fasse la différence. Commentaire dont nous avons vu qu'il pouvait approcher l'indéfini, au sens de prolifération indéfinie autour d'articulations formelles et théoriques minimales (le vide et le plein, l'horizontal et le vertical, etc.) Mais si le minimum de formalisation mis en œuvre autorise une prolifération discursive qui tend vers l'indéfini, pour autant cette prolifération n'est pas infinie, bordée qu'elle est par les spécifications des quatre vecteurs que nous avons précédemment dégagés (taille, matière, couleur, intitulé). Par exemple, le fait que les deux boîtes mentionnées de Tony Smith soient noires, et non pas blanches, induit directement les interprétations qu'on en a données autour du monument funéraire, du cercueil, nettement induites par la taille (1,83 m) et le titre (*Die*) de la seconde boîte, par exemple. Interprétations directement induites, pour ne pas dire trop directement induites. Entre le coffrage noir de taille humaine et l'idée de cercueil, le lien est unilatéral, et fort simple, très simple... C'est-à-dire que, si développé soit-il à partir de ces données fort simples, et si cohérent soit-il, le discours critique qui du noir va au deuil part d'un cliché pour y revenir – cohérence oblige. Cliché. On est donc bien en présence d'œuvres faibles.

Autre facteur discriminant : dire que la boîte susciterait un tout autre discours si elle était blanche au lieu de noire (et Tony Smith ainsi que Robert Morris n'ont pas manqué d'en produire de blanches), est-ce que cela autorise à commenter ladite boîte comme une œuvre intéressante, est-ce que cela justifie que le « milieu de l'art », dirait George Dickie, l'ait entérinée comme chef-d'œuvre ? Non pas, car on a plutôt par là confirmation que pareilles œuvres ne tiennent que par l'incitation verbale à laquelle va répondre un milieu prédisposé à cela. La preuve : un minimum de modification formelle (passer du noir au blanc est effectivement la plus élémentaire des modifications qu'on puisse concevoir) relance l'interprétation dans une autre direction. Le blanc, ce n'est plus le funéraire, le tombeau-hommage, cela devient l'immaculé, la non-couleur, la non-nuance ou la somme de toutes nuances, le vide, etc. : nouvelle prolifération cohérente de discours dont n'est amorcée ici que la première série d'étapes possibles. Mais qui ne voit que pareille prolifération discursive pourrait à tout coup se développer à propos de tous les volumes élémentaires qu'on peut pareillement exposer et multiplier dans l'espace réservé à l'art ? Et qu'à cet égard il n'y a plus aucune limite à ce que l'espace d'exposition peut intégrer, étant donné ce qu'a entériné le milieu international de l'art à la suite des années 1960 ? Un seul exemple parmi les derniers en date : le MAMCO de Genève, qui s'est ouvert à l'automne 1994. Tout ce que son responsable en chef, M. Christian Bernard, a trouvé à sélectionner, alors que ce musée est un projet qui a mûri pendant vingt ans, relève de l'analyse que nous appuyons ici sur les objets minimalistes. Et comme cette sélection est conforme à celle des principaux centres d'art contemporain et des foires internationales, on mesure l'enjeu de la discussion sur les critères qui ont permis au milieu de l'art de tenir pour éminente cette production d'objets.

Continuons donc à chercher les critères qui pourraient subsister en faveur de ces productions.

La différence avec le volume non artistique

Ces productions étant des volumes semblables à certains de ceux que nous présente le réel non muséal, quelle utilité de les traiter en œuvres d'art ?

On peut répondre que c'est pour nous amener à prendre conscience, et donc à percevoir avec plus d'acuité, ces mêmes volumes qui existent partout dans le réel – au détour d'une cour d'usine ou d'immeuble, dans des bureaux ou dans la rue, etc. En effet, dans ce réel dont le champ de l'art est un sous-ensemble, nous avons maintes occasions de passer parmi ces volumes élémentaires qui peuvent être, comme ceux que nous venons d'étudier, cubiques, parallélépipédiques, de surface plane et mate, ou échancrée et luisante, de dimension plus ou moins grande, de contour géométrique, cela peut aussi être des rails, des néons, etc. : tous volumes devant lesquels ordinairement nous passons sans leur prêter attention, mais devant lesquels aussi il nous arrive de nous arrêter inopinément. Chacun l'éprouve : la perception ordinaire se caractérise par le gommage qu'opère l'habitude à l'égard de ce que notre conscience estime avoir entériné mais, pour des raisons variables, elle entre parfois en suspens et a lieu alors le phénomène qu'on nomme communément l'attention, qui est en fait la prise de conscience de ce que notre œil perçoit. Le suspens hors du cours habituel des perceptions n'a pas seulement lieu devant des objets ou espaces inhabituels, ou frappants, littéralement extra-ordinaires ; il peut aussi avoir lieu devant des objets ou espaces auparavant rangés dans la catégorie du banal. A ces moments-là d'éveil de la conscience, lesdits objets et lieux cessent de paraître banals, pour apparaître dans leur présence singulière[4]. Jusque-là ils étaient perçus, sans l'être consciemment ni pour eux-mêmes, comme des volumes entre lesquels se guider dans l'espace quotidien ; comme de simples repères.

Ce terme de *repère* est décisif ; la notion de repérage va peut-être fournir une réponse discriminante quant à la valeur intrinsèque des volumes minimalistes et de maintes productions arbitrairement rangées dans la catégorie, non moins arbitraire, de l'« art contemporain ». Car si la plupart du temps les cubes, barres et néons sont perçus dans le réel pour nous repérer, alors ces mêmes cubes, barres et néons et objets de même simplicité d'élaboration que nous rencontrons dans les salles d'art contemporain, nous aident à prendre conscience des constants repérages grâce auxquels nous nous guidons dans l'espace. Objets-repères seraient ces objets minimaux. Voilà la prise de conscience qu'ils permettent d'opérer. Et donc, leur fonction précise est celle de *tests cognitifs*. Tests cognitifs en volume. Mais œuvres d'art ?

Il reste une dernière éventualité à envisager si l'on veut tout de même les considérer comme œuvres d'art. C'est de dire qu'ils permettent de prendre conscience de ces mêmes formes, ou de formes approchantes, que présente le réel non muséal. Or, ce n'est pas le cas, pour deux raisons. La première, c'est que nous remarquons ces objets et volumes sans que l'art les ait préalablement désignés à notre attention. Par exemple, nous n'avons pas besoin d'avoir vu les néons de Dan Flavin pour remarquer la présence de certains néons – dans un couloir de métro aussi bien qu'au fond d'une cour de

---

4. J'ai explicité cette phénoménologie de la banalité, que j'ai nommé *Banalyse*, dans plusieurs textes dont le premier parut en 1977 dans la revue *Fin de siècle* n° 4 (Christian Bourgois) ; les extraits de ces textes furent publiés, comme relevés d'expérience, dans *Une scrupuleuse aventure* (Éditions Papyrus, 1980) et *Une affaire de présence* (Éditions du Castor astral, 1984). *Cf.* également le chapitre sur Edward Hopper dans *Artistes sans art ?* (Éditions Esprit, 1994).

l'immeuble habituel : il suffit d'y rentrer à un horaire inhabituel pour percevoir la singularité de ce néon. On peut même dire que l'effet est contraire : le fait d'avoir vu les néons de Dan Flavin fait qu'on les reconnaît ensuite dans le réel, qu'on les reconnaît au lieu de les redécouvrir, au lieu de les percevoir avec conscience. Perte d'intensité dans la perception, perte d'attention, car reconnaître, c'est classer, catégoriser.

Et deuxièmement, si les néons de Dan Flavin ne sont pas n'importe quels néons, mais ceux-ci et nuls autres, agencés de telle façon géométrique, avec leurs quatre vecteurs de caractérisation précédemment énoncés, et sans signe accidentel de particularisation, ils renvoient à l'idée de ce que sont leurs analogues particuliers du réel, à l'idée mais pas à leur matérialité : donc les néons d'art ont moins de présence que les néons qu'ils reprennent du réel. On voit moins leur singularité d'objets irréductibles à notre conscience, on les perçoit moins intensément que lorsque notre attention, à la faveur d'un suspens du temps de vie habituel, se porte sur leurs analogues dans l'espace non muséal, néons, caisses de bois blanc, coffrages industriels, plaques d'acier, etc.

C'est rédhibitoire. Récapitulons en effet :

– Les objets minimalistes, et ceux qui s'ensuivent depuis trente-cinq ans sur cette lignée d'idéologie esthétique, ne nous donnent qu'une idée de formes elles-mêmes élémentaires et reprises du réel sans transformation formelle.
– Loin de nous faire prendre conscience de ces mêmes formes dans la vie ordinaire et de nous les faire percevoir avec plus d'acuité, ils nous permettent, une fois qu'on les a vues en espace d'art contemporain, de seulement les reconnaître dans l'espace non muséal. L'art servant à ce qu'on le reconnaisse dans le réel, au lieu de nous aider à mieux percevoir ce réel : le résultat est faible.
– Toutes choses égales par ailleurs, cette idéologie artistique ne nous proposait que de prendre conscience des plus simples volumes que puisse produire l'homme, comme on l'a vu. Portée proportionnellement limitée. On peut difficilement offrir moins à la pensée humaine.
– Cette limitation volontaire aux formes les moins élaborées qui soient, sans que l'artiste ait à leur égard procédé à la moindre création intellectuelle, comme on l'a vu, permet d'offrir des objets d'une cohérence affichée, puisque reposant sur les paramètres inévitables de tout volume. Cohérence trop évidente au premier regard : donc cohérence qui ne vaut que pour la cohérence du discours qu'elle va susciter.
– Lequel discours part d'interprétations manifestes (clichés sur le plan symbolique, tautologie sur le plan argumentatif), et y revient

sans autre contrainte que celle de prendre pour support les données géométriques du volume.

– En dehors de ces données, seul le titre éventuellement échappe à la tautologie – pas toujours, celle-ci pouvant être désignée et revendiquée par le titre. Mais même dans le premier cas, le titre dans une œuvre est ce qui n'est pas formel, ce qui ne relève pas directement de l'intelligence plastique. Aucune intelligence plastique n'est donc mise en forme dans les œuvres en question.

– La seule prise de conscience que permettent ces volumes élémentaires est la prise de conscience de notre repérage dans l'espace. Tests cognitifs, avons-nous dit, plutôt qu'œuvres d'art.

Le facteur commun à ces constats d'échec tient au refus volontaire d'inventer la moindre forme.

Puisque ces œuvres n'ont rien en elles-mêmes qui capte l'attention accordée à de l'art, il devient évident que si cette attention leur est accordée, c'est en vertu du seul cadre qui fait qu'on y prête tout de même attention, à savoir : le cadre que leur offre le lieu d'exposition. C'est cela, le parti pris de la seule *présentation*. Seul en effet le musée – ou la galerie, ou la collection, bref : tout espace d'exposition reconnu comme artistique – fait qu'on accorde à ces œuvres une attention qu'en elles-mêmes elles ne suscitent pas. Aucune valeur intrinsèque, tout est dans la valeur qu'extrinsèquement leur offre le cadre de présentation. A ce point de dépendance à l'égard du cadre, pareilles pièces pourraient un jour être sorties du musée, donc de l'art.

Pour quel usage ? Les *specific objects* de Donald Judd donnent une réponse à cette question secondaire. Dans son musée de Marfa, au Texas, et dans l'espace autour, on voit un double usage à ses formes géométriques élémentaires. A l'intérieur, elles constituent un décor, un style d'ameublement possible, un *design* globalement. A l'extérieur, ces formes géométriques servent d'indices et de cadrages à la vision du paysage environnant. On n'est plus dans la décoration, on est dans l'ornemental. Mais pour qu'il y ait sculpture – nom qui est donné à ses pièces – il faudrait que celles-ci contiennent un minimum de forme créée, et non reprise.

Avant de revenir sur cette question de la forme, voyons sur quelle aporie, sur quelle impossibilité logique, a reposé le pari esthétique de la seule présentation.

La représentation à repenser

Ne voit-on que ce qu'on voit ?

Le développement de l'esthétique minimaliste suit de près l'apparition des panneaux de bandes peints par Frank Stella, dont les premiers datent de 1958. On connaît ces panneaux à fond uni sur lequel une ligne, généralement blanche, donnée par le support non peint, reproduit le périmètre du cadre en autant de rectangles ou carrés concentriques ; tout aussi connus, ses *Shaped Canvass*, dont le cadre n'est pas le cadre du tableau traditionnel, et peut donc être triangulaire, hexagonal, en quinconce, etc. Ces pièces ont fait révolution à l'époque, et continuent d'être classées parmi les œuvres majeures du demi-siècle. Elles ont constitué une référence, explicite ou non selon les cas, pour les artistes, notamment américains, qui ont élaboré leur œuvre ensuite. Parmi les commentaires de Frank Stella, un est resté particulièrement célèbre : c'est que dans ses panneaux, dit-il, « tout ce qui est à voir est ce que vous voyez ». Effectivement, et sur plusieurs plans : – d'une part, ses panneaux ne superposent aucun plan sur un autre, donc aucune surface n'est occultée par une autre peinte en avant-plan ; – d'autre part, la facture est de type industriel, sans touche personnelle, donc sans intervention apparente de l'artiste – ; enfin, rien dans ce que ces panneaux montrent ne peut laisser supposer de signification, d'intention, d'image, de représentation de quelque ordre que ce soit[5]. Stella peut donc à bon droit dire – autre propos, très voisin du précédent – que sa « peinture est basée sur le fait que seul s'y trouve ce qui peut être vu ».

On voit tout de suite que cette formule tautologique a compté pour le minimalisme qui s'ensuit. Elle vaut aussi bien pour les œuvres de ce mouvement artistique. Au point que celles-ci et l'œuvre de Frank Stella relèvent de la même idéologie dont nous avons déjà dit qu'ensuite elle dominerait le champ de production artistique jusqu'à nos jours. Vérifions donc la validité de la proposition que Stella a formulée et qu'il a, observons-le, strictement appliquée – appliquée dans ses œuvres au point qu'elles ne proposent rien d'autre (autre caractéristique de cette idéologie esthétique, on l'a également vu). Ne voit-on que ce qu'on voit ? Car c'est cela que propose Stella en ses œuvres : ne voir que ce qu'on voit. Or, c'est impossible : jamais l'esprit humain ne s'en tient là, littéralement, jamais il ne s'en tient à ce qu'il voit. Même devant une forme élémentaire, aussi

---

5. Pour plus ample commentaire, voir *Opus international*, n° 137, *op. cit.*, et *Artistes sans art ?*, *op. cit.*, p. 171-185.

plane et plate que possible, il la sature d'interprétations – nous l'avons vu avec l'exégèse minimaliste, et en témoigne celle, fort abondante, qui a entouré les œuvres de Stella. Simplement, celui-ci présente ses panneaux élémentaires dans un cadre d'exposition, escomptant par là que le cadre permettra à l'esprit du regardeur de ne « voir que ce qui est à voir », c'est-à-dire un panneau noir, ou rouge, rectangulaire ou carré ou hexagonal, c'est-à-dire une forme qui n'offre pas de quoi retenir durablement l'esprit ni les sens, sauf dans le contexte hors-musée, où pareilles formes peuvent exister en fonction de l'environnement et en retour faire rebondir l'attention sur lui. Stella lance donc le pari de la présentation pour que l'esprit humain réduise le plus possible ses opérations à l'enregistrement strictement physiologique de ce qu'il perçoit... Dès son origine, on le voit, le parti pris de l'esthétique de la présentation manifeste une capacité de proposition véritablement minime. Et donc sa valorisation, extrême valorisation par la critique et le marché, n'est pas justifiée esthétiquement.

La représentation, à la lumière du pari perdu de la présentation

Nous avons vu qu'au bilan de l'idéologie esthétique de la présentation, le fait que les œuvres ne comportent pas de forme créée explique leur pauvreté à tous les niveaux d'interprétation et donc l'échec global de la tentative. Le refus de la forme créée est la traduction, dans l'œuvre, de l'esthétique de la présentation. En présentant les formes les plus pauvres, on escomptait que l'esprit cesserait de projeter ses préoccupations sur ce que lui présente le réel. L'exégèse qui s'ensuivit, plus abondante que pour la plupart des mouvements esthétiques, prouve que c'est impossible. Impossible parce que fondé sur une conception illusoire du réel, lequel n'est perceptible qu'en fonction du permanent va-et-vient entre projection et attention.

La forme créée est ce que l'esthétique de la présentation devait absolument éviter pour tenter son pari de ne montrer que ce qu'on voit. Mais cela n'étant ni possible ni souhaitable pour l'esprit qui jamais ne laisse la tautologie en l'état, ce pari n'a pu être tenté, et n'a fait illusion que grâce au cadre de présentation offert par le lieu d'exposition qui sacralise, qui sanctifie l'absence de forme créée comme digne d'attention en elle-même.

En dehors de ces pièces dites d'art, toute œuvre d'art sortie du lieu d'exposition est reconnaissable comme œuvre, c'est-à-dire comme produit différent des autres types de productions humaines. Pourquoi cette reconnaissance comme œuvre indépendamment du lieu de présentation ? Parce qu'il y a forme créée, mise en œuvre.

En vertu de cette forme inventée, l'objet se présente de lui-même. Se présenter indépendamment du cadre de représentation, c'est cela que fait l'œuvre et que ne fait aucun autre produit de l'industrie humaine. Et ce qui se présente sans nécessiter un cadre de présentation, offre de la représentation, en soi. Cette représentation *sui generis*, en soi et par soi, de l'œuvre, lui est conférée par la ou les forme(s) nouvelle(s) qu'elle concrétise. Car la forme créée fournit à l'esprit le cadre par lequel il prend conscience de ce qu'il voit ; il en prend conscience indépendamment du cadre de présentation de l'œuvre.

C'est une des données grâce auxquelles on repensera la représentation, en tirant profit de l'échec de l'esthétique de la présentation qui a dominé les quarante dernières années d'art[6].

Jean-Philippe Domecq

6.De J.-Ph. Domecq paraît, ce même mois, une critique de certains commentaires dont son livre *Artistes sans art* , *op. cit.*, fut l'objet, dans le n° 13 de la revue *AGONE* (50, rue de Marengo, 13006 Marseille).

Ekaterinbourg : la Russie industrielle en quête d'avenir*

Marie Mendras**

EKATERINBOURG et sa région sortent avec peine du passé industriel soviétique et regardent l'avenir avec appréhension. Les responsables administratifs et économiques présentent leur région comme « riche » mais aussi fragile. Ils ont été à la tête de l'un des cœurs de la richesse industrielle et technique de la Russie et n'acceptent qu'avec réticence de reconnaître que le déclin est structurel et non conjoncturel. Par fierté, et peut-être par découragement, ils blâment plus aisément Moscou qu'eux-mêmes pour leurs difficultés présentes.

Ekaterinbourg a été puissante et continue de se penser comme la capitale du grand Oural. Pourtant, son rayonnement paraît bien faible aujourd'hui. Chaque ville, chaque entreprise de l'Oural défend d'abord ses intérêts. On parle beaucoup d'autonomie mais on mentionne souvent le pouvoir central sur des questions essentielles. Faute de moyens et de stratégie, on attend finalement beaucoup de Moscou.

Marche de la Sibérie, cœur de la machine soviétique

Fondée au XVIIIᵉ siècle, rebaptisée Sverdlovsk à l'époque soviétique, la ville d'Ekaterinbourg est l'une des marches de la Sibérie. Les monts de l'Oural, à l'ouest, ne sont pas visibles de la plaine où s'étend ce très grand centre administratif et industriel. Ekaterinbourg n'est ni sibérienne ni européenne. Elle ouvre la Sibérie à la

---

* Voyage à Ekaterinbourg en octobre 1994. Cet article fait suite à un premier volet sur la province russe paru en mai 1995 dans le numéro 211 d'*Esprit*.
** CNRS et CERI (Fondation nationale des sciences politiques).

Russie dite européenne. Elle a toujours voulu être beaucoup plus qu'un carrefour, être le cœur de la Russie industrielle, le point d'équilibre entre l'Est et l'Ouest de l'empire. La compétition avec les autres villes d'Oural et de Sibérie occidentale, Perm, Orenbourg, Tioumen, Omsk, Tomsk, est légendaire. Encore aujourd'hui, les responsables de l'*oblast* de Sverdlovsk (puisque la région n'a pas changé de nom) font valoir l'avance de leur région sur les autres. « Nous avons été les premiers à soutenir l'idée d'une république de l'Oural », annonce E. Rossel, le président de la Douma de l'*oblast*. Et il se montre d'autant plus vexé de ce que Perm et Orenbourg aient pris de court Sverdlovsk pour adopter plus tôt leur *oustav*, loi fondamentale de la région, que l'on ne peut appeler constitution puisque ce terme est réservé aux républiques de la Fédération de Russie, comme le Tatarstan ou Iakoutie-Sakha.

L'Oural et la Sibérie occidentale ont franchi un grand palier industriel de manière brutale dans les années quarante. Les usines ont été déplacées des régions occidentales de l'URSS, menacées par l'avance allemande, vers l'Est. L'esprit pionnier des XVIIIe et XIXe siècles a cédé la place à un esprit industriel et productiviste que la seule exploitation des matières premières n'avait pas permis de développer. Des usines de l'Oural sortent des produits semi-finis, des biens d'équipement, des armements qui répondaient à la demande prioritaire du gouvernement soviétique. Depuis 1945, Ouraliens et Sibériens regardent la vieille Russie, la Russie moscovite, comme engourdie, rurale et peu performante. Car les grands centres industriels de la Russie dite centrale, c'est-à-dire les régions autour de Moscou, n'ont pas, eux, la même richesse en matières premières. La combinaison des ressources du sous-sol avec l'infrastructure, la technique et l'esprit industriel est, pour les Ouraliens, la marque de leur supériorité.

La culture rurale est peu présente à Ekaterinbourg. C'est peut-être ce qui frappe le plus par rapport aux grandes villes de la Moscovie, telles Kalouga, Iaroslav, Kostroma[1]. Au cours de la formidable expansion des dernières décennies, Ekaterinbourg a rompu avec le modèle russe de l'« urbanisation à la campagnarde », que décrit le démographe Anatoli Vichnevskii[2]. La ville et sa population grandissent sur un sol minier et pour répondre à un objectif industriel. L'équilibre entre production minière et industrielle et production alimentaire, qui était le secret d'une expansion durable aux siècles précédents car la survie des habitants était un souci quotidien, n'avait plus de raison d'être. Selon les nouveaux canons de la « spé-

---

1. *Cf.* « La province russe entre crise et renouveau », *Esprit*, mai 1995.
2. Anatoli Vichnevskii, « Bourgui bez bourjoua » (« Bourgs sans bourgeois »), *Znamia*, 3, 1993, p. 175-176.

cialisation » soviétique, la Russie européenne et caucasienne devait nourrir l'Oural et la Sibérie. On sait que ces grandes villes de l'Est ont beaucoup souffert des distributions erratiques et des pénuries de biens de consommation pendant les années soviétiques. La dépendance alimentaire a été, et reste, un lourd handicap.

Peut-être la volonté de développer la coopération entre régions de l'Oural est-elle d'abord née de cette exigence. En effet, les *oblast* de Sverdlovsk, Perm, Tcheliabinsk, Kourgan, Orenbourg, Tioumen, le district des Komis-Permiaks et les républiques de Bachkirie et d'Ourdmourtie sont réunis dans une association, dont Rossel est le président. La plupart des interlocuteurs à Ekaterinbourg ont mis l'accent sur cette coopération régionale. Comme s'il fallait asseoir une identité ouralienne pour se défendre contre Moscou et faire concurrence à la Sibérie occidentale. Sverdlovsk est un simple lieu, l'Oural est un esprit, nourri d'une histoire et d'une spécificité géographique que chacun cherche à préserver.

Une culture industrielle

Les dirigeants de l'administration et des entreprises de la région sont en majorité des ingénieurs et techniciens. Ils ont presque tous travaillé « à la production ». Ils sont sûrs de leur compétence, même si celle-ci n'est plus adaptée, ils ne manient ni la litote ni la diplomatie. Ils sont venus à la gestion en montant l'échelle de l'entreprise ou grâce au canal du parti communiste. Certains regrettent ce canal qui permettait une transmission directe et efficace avec Moscou. Ils sont fiers de ce qu'ils ont accompli et acceptent mal d'enterrer des outils de travail car cela signifie l'échec d'une vie, d'une époque. Ils ont le goût du concret, de la production, des masses physiques, de l'accumulation. Une sorte d'éthique de la production : ce qui n'est pas palpable et quantifiable est du vent. Il en résulte une méfiance à l'égard de ce qui se réduit à du service, de l'échange, et de la réflexion. Tout cela est, pour eux, de la spéculation et du profit « sans travail ».

La non-activité conduit au désœuvrement car l'Oural n'est pas la Russie des forêts, la Russie où l'homme a appris à s'occuper l'été intensivement des cultures et à employer son temps libre l'hiver à des activités variées. L'Oural est un pays de pionniers de l'industrie où l'agriculture et l'artisanat ne peuvent plus combler le vide créé par les réductions d'activité industrielle. Peut-être est-ce pour cela que se « mafiosisent », parfois avec violence, les réseaux économiques qui ont perdu leur belle assurance, celle d'être les meilleurs, le fleuron de la modernisation et de la puissance soviétiques.

Boris Eltsine a longtemps été associé à cet esprit de l'Oural industriel, de la Russie travailleuse et productive, hostile aux intrigues moscovites et à la grande politique. Dans son premier ouvrage, le président de Russie insistait sur la force, le courage, l'honnêteté des travailleurs de la région de Sverdlovsk qu'il dirigeait[3]. Le nom de Boris Eltsine n'est plus guère prononcé à Ekaterinbourg. Assis au Kremlin, il n'est plus vraiment « des leurs », il est passé de l'autre côté de la barrière. Aucun responsable, à l'exception du représentant du président, n'a parlé de Boris Eltsine comme étant à l'écoute des problèmes de l'Oural. Le désenchantement a suivi les espérances des années 1989-1991 où l'élite de Sverdlovsk se sentait représentée directement à Moscou. La défense à tout prix des grands centres industriels de l'Oural n'est plus la politique du gouvernement. L'illusion que la machine peut continuer à tourner par la force de l'inertie a vécu.

Le chômage inquiète les autorités, qui en parlent plus directement que leurs homologues de Russie centrale. Ainsi, la politique du gouvernement est, pour eux, essentielle. Car leur reconversion nécessite de très lourds investissements et ne peut continuer de se faire à tâtons, au petit bonheur la chance. Il est impératif d'avoir une stratégie. On ne peut pas « bricoler » dans l'Oural industriel.

On y voit toujours la Russie comme riche en ressources, en hommes, en potentiel. On ne se réconcilie pas facilement avec l'idée que l'industrie, surtout l'industrie lourde, n'est plus le moteur de la modernisation. Reconvertir une production d'équipements militaires en réfrigérateurs, filtres à eau ou autres biens de consommation courante est une chose, repenser toute une conception et une infrastructure industrielle pour s'adapter à une relative mais inévitable désindustrialisation de la région à moyen terme est autrement plus difficile.

Les principaux responsables politiques et administratifs rencontrés à Ekaterinbourg n'ont pas paru avoir encore pris la mesure du défi. Ils soulèvent certes les questions importantes et ne se voilent pas la face. En revanche, ils ne peuvent encore admettre, au moins ouvertement, qu'il faut abandonner la stratégie de développement post-stalinienne et penser une autre forme de croissance économique et sociale. Il y a à cette réticence deux raisons majeures. La première relève de la mentalité de ces hommes qui ont vécu et travaillé dans une région puissante et respectée, que certains ont même gouvernée. Comment accepter que la base de la puissance

3. B. Eltsine, *Jusqu'au bout*, Paris, Calmann-Lévy, 1990.

se dérobe sous leurs pieds ? La seconde raison est tout simplement pratique. Ces hommes savent qu'ils n'ont pas aujourd'hui les moyens de transformer l'économie et de moderniser les infrastructures de la région, que Moscou ne contribuera que faiblement, et sporadiquement, à l'effort et que les budgets des localités, des entreprises, et de la région de Sverdlovsk restent indigents face à l'ampleur du défi. Comment avoir une stratégie quand on ne dispose que des moyens de réparer les fissures de l'édifice ?

Les investissements étrangers sont-ils une solution ? Les réactions à ce sujet ont été dans l'ensemble sobres et lucides, sans animosité ou faux espoir. Les étrangers coopèrent là où ils trouvent leur intérêt, cela est naturel et il s'agit de susciter cet intérêt. Sur ce point, le directeur de l'usine *Ouralkriotekhnika* a tenu un langage raisonnable. « Nous avons certes des problèmes de production, mais le plus grave est notre difficulté à *vendre*. Pourtant il y a une demande. La mauvaise image de la Russie et les obstacles juridiques, financiers, fiscaux et douaniers sont grands. Même avec les pays de l'ex-URSS, le commerce se grippe. »

On remarque la différence avec les réactions en Russie centrale où l'on critique la frilosité des étrangers, où l'on raisonne plus en bureaucrates traditionnellement habitués à ce que Moscou dicte la stratégie et les modalités. L'Oural a gardé cet esprit pionnier et industriel. L'important est de faire et de défendre soi-même ses intérêts.

Le directeur d'*Ouralkriotekhnika* a également beaucoup insisté sur le problème des banques, qui ne jouent pas leur rôle de financier, d'investisseur, de conseil et ne pensent qu'« à gagner de l'argent vite grâce à l'inflation et aux difficultés de trésorerie de toutes les entreprises. Quant au pouvoir central, il continue de faire peser de lourdes contraintes et à s'opposer à des opérations commerciales, sans pour autant me donner les moyens de restructurer mon entreprise. Je ne suis pas maître chez moi », a-t-il conclu. « Quant aux ouvriers, poursuit-il, ils n'ont pas compris ce que la "privatisation" avait changé, sinon que tout est plus difficile. »

Ouralkriotekhnika est une petite entreprise à l'échelle de l'Oural : 1 000 employés il y a quelques années, 500 aujourd'hui. A l'origine, elle avait pour tâche de fournir de l'oxygène au grand combinat *Ouralmach*. Dans les années 1950, elle a commencé à produire des biens d'équipement et des machines. L'entreprise a été manifestement très perturbée par les changements de ces dernières années. Les ateliers de l'usine étaient comme morts. Même si le directeur assurait que c'était la pause du déjeuner, il était clair que la plupart des postes de travail n'avaient pas été occupés depuis longtemps. Les locaux étaient dans un état de décrépitude impressionnant. Aucune norme de sécurité ne pouvait être respectée. Le site n'était pas en meilleur état que les entrepôts et ateliers. Des détritus amoncelés, en l'absence de tout incinérateur, continueront longtemps à joncher le sol. Seules deux productions tournent, apparemment de façon épisodique, les filtres à eau et les usines d'azote liquide, en coopération avec la société française Air Liquide.

Les filtres à eau résultent d'une demande de plus en plus forte, provoquée par l'insalubrité de l'eau. Le directeur de l'entreprise soulignait qu'il vaudrait bien mieux rendre l'eau potable que faire du profit avec des filtres. Ni l'administration de la ville ni celle de l'*oblast* n'ont pris la décision de s'attaquer au problème. Le manque de moyens est probablement la raison principale. Les entreprises continuent de remplir, tant bien que mal, leur fonction sociale. Les services publics sont très loin de pouvoir assurer l'assistance sociale, l'aide aux chômeurs, la gestion des logements, des crèches et écoles. Il faudrait que les administrations locales aient un budget adéquat.

Les responsables de l'administration régionale de Sverdlovsk n'ont pas caché leur impuissance : « Il faut s'entendre avec les chefs d'entreprise, sinon le fragile équilibre se cassera », expliquait le chargé des relations avec les petites et moyennes entreprises. Quant à Semien Barkov, chargé de la reconversion, en dépit de propos rassurants et optimistes, il faisait comprendre que les entreprises devaient trouver elles-mêmes l'impulsion pour qu'ensuite les autorités publiques apportent leur soutien. « L'État est faible et les investisseurs étrangers ont peur de s'engager. Donc, les entreprises doivent se débrouiller seules. La privatisation n'a pas gêné la reconversion mais, quand personne n'aide, les résultats sont mauvais et les réformes ne sont pas bien accueillies. » Pour M. Barkov, et ses propos ont été confirmés par d'autre interlocuteurs, la production des industries militaires continue de décliner alors que la reconversion piétine.

Ainsi, le modèle d'une reconversion des industries militaires et des industries civiles inadaptées, initiée et pilotée par l'État ou ses administrations locales, semble bien être une vision erronée de la réalité en Russie.

Il est très difficile de brosser une image claire et ordonnée du paysage industriel à Ekaterinbourg à partir de quelques entretiens et visites. Les informations sont éparses et distillées avec parcimonie. Les bilans d'ensemble n'existent pas. Certains raisonnent autour de quelques grands pourcentages, qu'il faudrait vérifier – mais comment ? D'autres défendent leur point de vue par anecdotes et petites touches. Pourtant, quelques grands traits émergent.

D'abord, le contraste entre la taille des grandes entreprises et l'importance des petites affaires. Les petits profits à la marge sont aujourd'hui plus importants, ou tout au moins plus recherchés, que la productivité et la rentabilité à long terme. Même si cela est contraire à notre rationalité, il faut reconnaître l'étrange imbrication du gigantisme et du petit *business*, la cohabitation dans un même lieu d'équipements obsolètes et de fabrications à peu près modernes. On peut également noter la multiplication de liens autonomes établis avec des partenaires russes ou étrangers.

Ekaterinbourg s'ouvre rapidement au monde extérieur. L'existence d'une liaison aérienne régulière de Francfort sur Lufthansa le confirme. Américains et Allemands sont actifs. Le plus souvent, l'initiative de ces échanges et coopérations n'appartient pas aux pouvoirs publics. En revanche, ces derniers conservent la possibilité d'en compromettre le développement s'ils n'apportent pas leur concours ou tentent de freiner l'opération.

Ainsi, le développement de la région de Sverdlovsk reste largement conditionné par le fonctionnement des administrations locale, régionale et centrale. Chacun cherche à trouver le chemin le plus praticable dans un labyrinthe de règles et de contre-règles, de traditions administratives et de « capitalisme sauvage ».

Le casse-tête administratif et l'arbitrage de Moscou

Pour les responsables de l'administration comme pour les acteurs économiques et les juristes, le point névralgique de la gestion économique, politique et sociale est la *neplatejnosposobnost'* : insolvabilité, ou plus généralement « crise des paiements ». Celle-ci touche tous les acteurs en présence. Elle n'épargne ni les entreprises, ni l'administration régionale, ni le budget central. C'est un obstacle majeur à la bonne gestion des ressources et au bon gouvernement de la région. Comment administrer, et faire respecter des normes, si le financement ne suit pas ?

Plusieurs responsables de l'*oblast* et de la ville ont exprimé, à mots couverts, leur inquiétude majeure qui est l'affaiblissement de leur autorité. S'ils n'ont pas les moyens d'appliquer leurs décisions, ou les décisions du pouvoir central, l'autorité de leur fonction est sérieusement atteinte. Le représentant du président, Vitali Machkov, n'a pas caché qu'il était presque paralysé. Sa tâche est de veiller à la bonne application des décisions présidentielles dans la région et de coordonner les administrations fédérales représentées à Ekaterinbourg comme les impôts, l'intérieur, les services.

Pour M. Machkov, le système est bloqué par la conjonction de deux faiblesses graves : l'indigence financière du pouvoir central et, encore plus, des pouvoirs locaux ; la confusion sur les compétences des uns et des autres. La répartition des compétences entre Moscou, la région, la ville, les districts (*raiony*), et les entreprises n'est toujours pas définie de manière satisfaisante. Dans ces conditions, chacun se renvoie la balle quand il s'agit de supporter le poids financier d'une décision. Le représentant du président ajoute qu'aujourd'hui encore, « Moscou tient les cordons de la bourse. Un territoire sans subvention centrale ne peut que mourir, même s'il possède des richesses à exploiter. » Ainsi, chaque région utilise tous les moyens de pression possibles sur les administrations centrales et sur le pouvoir politique (exécutif et législatif) pour obtenir une meilleure part d'un gâteau qui, à l'évidence, s'amenuise. La coopération entre régions est, de ce fait, difficile, le chacun pour soi primant sur une solidarité entre administrations régionales. De plus, les « petits rois » ne souhaitent pas perdre leur nouvelle reconnaissance, ainsi que l'a montré l'ancien patron de Sverdlovsk, Edouard Rossel.

Président de la *Douma* régionale depuis quelques mois, E. Rossel est un homme politique et il compte bien regagner son poste de gouverneur par le suffrage direct. L'*oustav* de l'*oblast* de Sverdlovsk a été voté fin octobre 1994. Cette charte prévoit l'élection du gouverneur pour quatre ans[4]. « Il faut que le représentant du pouvoir exécutif soit élu. Le gouverneur doit être libéré des contraintes de gestion pour s'occuper des relations avec Moscou. La gestion sera faite par un Premier ministre et un gouvernement », a expliqué M. Rossel. « Nous espérons signer un accord (*dogovor*) avec le Centre, comme l'ont fait certaines républiques de Russie, par exemple le Tatarstan. Un problème crucial est la répartition des pouvoirs entre le Centre et l'*oblast*. Bien sûr, Moscou a du mal à lâcher du pouvoir, cela lui fait mal. » Il n'a pas caché sa nostalgie de la « république de l'Oural », proclamée en 1993, puis rapidement « annulée » par Boris Eltsine. Comme tous les Ekaterinbourgeois, il s'accommode mal de l'inégalité de statut entre les 88 sujets de la Fédération. D'un côté, les vingt républiques sont des « États » (*gosudarstvo*) et ont leur constitution ; de l'autre, les régions et territoires, même s'ils pèsent beaucoup plus lourd dans l'économie russe, ont un statut inférieur.

Edouard Rossel considère « inutile » le poste de maire de la ville d'Ekaterinbourg. « Il y a déjà des chefs de *raion* (équivalent d'un arrondissement de ville) et une *Douma* municipale, cela suffit. » On voit donc que la guerre entre la région et la capitale de la région, qui représente un tiers de la population et une bonne partie de la production, est ouverte. Les enjeux sont importants car ce sont les enjeux essentiels pour l'exercice de l'autorité publique : pouvoirs

---

4. *Cf. Cegodnia*, 2 novembre 1994.

législatifs et juridiques, perception des impôts, répartition des revenus et des budgets, relations avec les entreprises.

Les responsables de la mairie pensent tout autrement. Ils sont contre l'élection du gouverneur et pour une valorisation du gouvernement local (*mestnoe samoupravlenie*). Le chef de l'« appareil du chef de l'administration de la ville », Aleksandr Kobernitchenko, a rappelé que « dans la Russie tsariste, les gouverneurs n'étaient pas élus. Une telle élection n'est pas une bonne chose, elle encouragerait le populisme. Cela serait dangereux pour l'intégrité de la Fédération de Russie ». Il a indiqué qu'à Ekaterinbourg, « l'arbitrage entre la ville et l'*oblast* est très dur. La situation est d'autant plus difficile que 80 % des infrastructures étaient tenues par les grosses entreprises, essentiellement du complexe militaro-industriel. Depuis que ces entreprises ont perdu leur capacité à tout entretenir, la répartition des pouvoirs et des charges financières est devenue un problème aigu ».

Dans cette confusion juridique, administrative et financière, Moscou est à la fois le méchant, et le seul recours. Moscou est à l'origine des déséquilibres actuels, Moscou « privatise » à l'emporte-pièce (A. Tchoubaïs, le ministre privatisateur, n'est pas aimé), Moscou lâche les grandes régions industrielles, Moscou privilégie les républiques sur les régions de la Fédération... Les propos ne sont jamais tendres sur les hommes du Kremlin et les administrations centrales. On se plaint en particulier de la boulimie bureaucratique au centre, source d'abus, de corruption et de paralysie. A Moscou, ce sont les gratte-papier alors que dans l'Oural, ce sont les choses sérieuses qui sont en jeu.

Le reproche le plus fréquent formulé à l'encontre de Moscou est l'*absence d'une politique*. On supporte mal la morgue bureaucratique du grand trésorier si celui-ci ne sait pas où il va. Au lieu de se réjouir des incertitudes politiques dans la capitale, les responsables rencontrés à Ekaterinbourg ont exprimé le besoin d'une stratégie de développement et d'une politique de gouvernement des provinces. L'autonomie régionale est valorisée mais elle ne peut pas s'exercer dans de bonnes conditions si les règles du jeu ne sont pas définies. Le pouvoir fédéral a donc pour fonction d'arbitrer les choix, de contrer les dérives autoritaires et mafieuses de certains potentats, d'assurer les besoins financiers des grands services publics et d'une lente restructuration industrielle. Le consensus est très net sur tous ces points. Le « déficit d'autorité » et l'insécurité dans tous les sens du terme rendent les responsables locaux vulnérables. Plusieurs interlocuteurs ont souligné que la lutte contre la corruption et la mafia à Ekaterinbourg ne pourrait être menée à bien par des locaux, qu'il fallait que le Centre fasse appliquer la loi.

On touche ici à un autre point névralgique de l'évolution institutionnelle. La justice est profondément malade. Les rencontres avec le président du tribunal de l'*oblast* et une dizaine de juges et juges de paix, ainsi qu'avec le président du tribunal militaire du district (*okrug*) militaire de l'Oural ont montré à quel point le troisième pouvoir est en retard et freine l'évolution vers un État de droit.

Le président du tribunal de la région, Ivan Ovratchouk, a reconnu que « notre pratique judiciaire est faible » et que « nous sommes encore loin de l'indépendance des tribunaux ». Il a expliqué que la justice manquait terriblement de moyens pour travailler convenablement, notamment pour former des juges et du personnel compétent. « Alors, les cadres de l'administration décident tout. » Le président a également souligné le danger d'une parochialisation des juges si le pouvoir fédéral n'assure pas des moyens suffisants. « Privés d'un salaire décent, les juges de village par exemple seront obligés de tisser des liens étroits avec les pouvoirs locaux et perdront leur indépendance. »

Le président du tribunal militaire, Petr Ukraintsev, a d'abord insisté sur les problèmes matériels, tant dans l'armée en général qu'au niveau de la justice militaire en particulier. Le nombre de juges militaires s'est fortement réduit. Les délits les plus fréquents sont les vols, l'« hooliganisme », le bizutage, la désertion et non-présentation des appelés du contingent. « Sur trois mille jeunes qui n'ont pas répondu à l'appel, seuls quinze ont été jugés », a précisé le juge. Il a également souligné qu'il suffit qu'un militaire soit impliqué dans un délit aux côtés de civils pour que toutes les personnes arrêtées passent devant la cour militaire.

Enfin, justice et État de droit vont nécessairement de pair avec une presse indépendante et dynamique. Or, à Ekaterinbourg, le journal le plus lu est *Oural'skii rabotchii* (*le Travailleur ouralien*) dont l'horizon est limité et la capacité d'investigation et de réflexion bien modeste. Le rédacteur en chef, Boris Timofeev, souligne que le public se préoccupe d'abord de l'ordre (*poriadok*) et de sa vie quotidienne et qu'il accepte, peut-être par apathie, peut-être par rejet de la politique, d'être gouverné par les « nouveaux-anciens » nomenklaturistes.

Ce grand pays industriel se sent piégé par une histoire volontariste et des fonctionnements bureaucratiques qui bloquaient toute stratégie industrielle. Pour ceux qui se sont longtemps sentis protégés en haut lieu, il faut s'adapter à la nouvelle règle implicite : « Aide-toi, le Ciel t'aidera. »

La région de Sverdlovsk est et restera à la fois un grand centre industriel et administratif de l'Oural *et* une province de la Russie. Son sort dépend très largement des choix qui seront faits à l'échelle de toute la Russie, même si de nombreuses initiatives se développent localement. C'est pourquoi les dirigeants sont aussi sensibles au cadre institutionnel et juridique qui se met en place, difficilement, depuis l'adoption de la constitution en décembre 1993 et la mise en chantier de grands textes législatifs, comme la loi sur le gouvernement local ou la loi sur le système fiscal[5]. Car ils savent bien que le miracle économique ne se produira pas dans une région qui a trop longtemps vécu au rythme d'une révolution industrielle révolue.

Marie Mendras

5. Lors d'un séminaire sur les institutions russes et le pouvoir local, organisé à Ekaterinbourg en octobre 1994, tous les participants ont insisté sur l'importance d'un cadre institutionnel et juridique pour aménager les relations avec le pouvoir central et assurer l'uniformité des normes juridiques sur l'ensemble du territoire de la Russie. Le séminaire était organisé par le *Center for the Study of Constitutionalism in Eastern Europe* (Moscou et Université de Chicago)

LE SPECTRE DU MULTICULTURALISME AMÉRICAIN

Retour sur une controverse :
du « politiquement correct »
au multiculturalisme

Olivier Mongin

LES POLÉMIQUES relatives à la « correction politique » aux États-Unis – le fameux *political correctness*, traduit par « politiquement correct » et désigné ici par les initiales *PC*[1] – ont été d'une rare violence. Ce qui n'a pas toujours permis d'éviter les malentendus plus ou moins révélateurs, voire les interprétations excessives[2].

Et d'abord aux États-Unis, où les polémiques relatives à la loi du « politiquement correct » sur les campus américains ont suscité pamphlets et répliques en tout genre : après la célébrissime *Ame désarmée* d'Allan Bloom, qui avait précédé dès 1987 l'assaut critique,

---

1. « A l'automne 1990, l'expression *Politically Correct* (*PC*) fait une entrée remarquée dans le vocabulaire courant des Américains, à la suite d'un article de Richard Bernstein publié dans le *New York Times* : être "politiquement correct" consisterait à adhérer à une "nouvelle orthodoxie en vogue sur les campus", à un conformisme imposé par des minorités en passe d'y exercer une hégémonie culturelle. L'expression *PC* fait florès par son caractère ironique et dérisoire, après détournement de son sens originel marxiste-léniniste (agir en conformité avec la ligne officielle du parti). », Marie-Christine Granjon, extrait de son article « Le regard en biais. Attitudes françaises du multiculturalisme américain (1990-1993), *in Vingtième siècle. Revue d'histoire*, n⁰ 43, juillet-septembre 1994. Ce dossier intitulé « Histoire au présent de la *Political Correctness* », qui n'entonne pas le refrain habituel anti-*PC*, comporte également des articles de Denis Lacorne et Éric Fassin. De ce dernier on peut également lire « La chaire et le canon. Les intellectuels, la politique et l'université aux États-Unis », in *Annales ESC*, mars-avril 1993. En contrepoint on lira la mise au point récente de Thomas Pavel – « Lettre d'Amérique. La liberté de parole en question » – qui tire à nouveau la sonnette d'alarme à propos du *PC* dans *Commentaire*, printemps 1995.
2. Dans le numéro cité de *Vingtième siècle*, Éric Fassin intitule son article « *Political Correctness* en version originale et en version française. Un malentendu révélateur ». Quant à Denis Lacorne, qui prépare un ouvrage sur ce thème, il propose dans son article une analyse – celle-ci ne va guère dans le sens du dossier de l'instruction – de l'évolution des cours de civilisation dans les universités américaines.

et le brûlot de Dinesh D'Souza[3], il faudrait également citer un dossier substantiel de la *Partisan Review* et bien des attaques émanant de revues proches du camp conservateur.

Mais aussi en France où la cible du « politiquement correct » était une excellente occasion de redorer le blason de principes républicains un peu ternis et de rappeler que la pensée française, insensible au nihilisme ambiant, ne cèdera jamais sur le terrain de l'Universel ! Et, durant un temps, tout le monde s'est trouvé d'accord : des *Temps modernes* au *Messager européen*, de *Commentaire* à *Esprit*, de *la Règle du jeu* à l'*Infini*, les plumes ont pilonné avec un malin plaisir la décadence américaine et le spectre du *PC*. Poursuivant le combat conduit par François Furet, Alain Finkielkraut, Danièle Sallenave..., l'article de Tzvetan Todorov que nous publions ici est une nouvelle version de cette inquiétude, légitime quand elle ne se transforme pas en arme de combat. Si les uns ont retrouvé là les vieux accents d'un antiaméricanisme culturel dont l'intelligentsia la plus progressiste aime faire sa pitance alors même que les refrains sur l'exception culturelle lui ont donné une nouvelle jeunesse, d'autres se souciaient dans des termes plus politiques de l'ethnisation du pays et visaient le déclin du modèle américain d'intégration.

La polémique, qui courait d'un côté à l'autre de l'Atlantique, a pu donner lieu à des propos souvent exagérés. Denis Lacorne, Éric Fassin et d'autres l'ont déjà montré en se penchant d'abord avec rigueur sur les programmes d'enseignement dispensés dans certains campus : il y avait dans certaines attaques des effets de manches, voire des stratégies de pouvoir de la part des universitaires concernés, d'un bord ou de l'autre.

Reste que la controverse anti-*PC* a déjà une histoire, qu'il ne nous revient pas d'écrire : le plus intéressant réside actuellement dans le glissement de cette polémique factuelle vers une discussion plus théorique sur le multiculturalisme que nous avions déjà anticipée dans *Esprit*[4]. La publication récente en France d'un livre de Charles Taylor a été l'occasion d'en prendre toute la mesure, puisqu'elle concerne le Canada aussi bien que les États-Unis[5]. Non sans lien avec le débat opposant libéraux et communautariens sur le terrain de la justice sociale[6], la réflexion sur le multiculturalisme a le

---

3. *Illiberal Education*. Paru aux États-Unis en 1991, ce livre est publié en français chez Gallimard en 1993 sous le titre *l'Éducation contre les libertés. Politiques de la race et du sexe sur les campus américains*.
4. Voir notre précédent dossier (décembre 1992) sur les défis du multiculturalisme qui comporte des articles de Michel Feher, Michael Walzer, Pierre Hassner et Pascal Bruckner.
5. Charles Taylor, *Multiculturalisme. Différence et démocratie*, Paris, Aubier, 1994. Le texte de C.Taylor est suivi de plusieurs commentaires, dont l'un de Michael Walzer.
6. On sait qu'un texte important du célèbre théoricien de la justice sociale John Rawls – à paraître à la fin de l'année sous la forme d'un ouvrage aux Éditions Esprit – a marqué une inflexion vers le multiculturalisme. Sur ce glissement théorique, voir l'article de J.-P. Dupuy dans le premier numéro de *La Pensée politique*, Paris, Seuil/Gallimard/Hautes études, 1993.

mérite de ne pas se réduire à la thématique – mise en avant par un article de Samuel Huntington – de la « guerre des cultures » – dont la polémique sur le *PC* était en quelque sorte la préfiguration. Bien au contraire, ce qui est difficilement recevable par un esprit républicain concevant mal que l'identité des individus s'inscrive dans une communauté d'appartenance autre que celle de la nation politique, la controverse sur le multiculturalisme épouse une dimension profondément politique.

Stanley Hoffmann affirmait vivement, au cours d'un échange récent avec « le journaliste américain de Paris » Edward Behr – celui-ci a publié en France l'un des derniers pamphlets « anti-*PC* » en date[7] – que la question la plus urgente qui se pose aux États-Unis est celle de l'évolution de la scène politique américaine et non pas celle de l'idéologie culturaliste des universitaires. Pour Stanley Hoffmann, la situation pédagogique des campus – outre le fait que les universités connaissent des difficutés financières de plus en plus lourdes et contraignantes – est moins préoccupante que le durcissement politique dont témoignent le succès récent du parti républicain et les impasses de la démocratie sociale américaine. Michael Walzer, le directeur de la revue *Dissent*, va dans le même sens lorsqu'il essaie de comprendre « de concert » les tensions propres à l'individualisme contemporain et aux communautés sans opposer individu et communauté, mais aussi sans les séparer de la crise de la cohésion sociale aux États-Unis. Pour ces deux auteurs, le débat sur les communautés culturelles n'est pas dissociable d'une interrogation politique et ne peut se contenter d'opposer brutalement individu et communauté. Michel Feher ne craint pas pour sa part de renverser les représentations courantes en montrant que les mauvais génies de l'Amérique sont trop souvent une projection d'esprits rêvant de se tenir à distance d'une Amérique à tout jamais « étrangère ». Si les mauvais spectres de l'américanisation méritent selon Feher qu'on s'y attarde un peu sérieusement, Benjamin Barber – celui-ci a récemment publié en français *l'Excellence et l'égalité. De l'éducation en Amérique*, chez Belin – fait preuve d'un mauvais esprit similaire en se demandant si la meilleure réplique à la « guerre des cultures » prophétisée par Huntington n'est pas justement « la foi civique américaine », celle qui rend possible le multiculturalisme. Cette foi civique invite en effet les cultures les plus hétérogènes à communiquer plutôt qu'à se séparer, à entrer en contact plutôt qu'à se déclarer la guerre.

A suivre ces auteurs, qui ne se contentent pas de reprendre « la polémique des campus », nous sommes alors confrontés à trois modèles politico-culturels : 1.– celui de la République universaliste et de

---

7. Voir Edward Behr, *une Amérique qui fait peur*, Paris, Plon, 1995.

l'individualisme jacobin où l'homme est d'autant plus un citoyen qu'il s'est délié de toute appartenance communautaire ; 2.– celui du multiculturalisme américain où l'appartenance communautaire entretient des liens dialectiques avec l'aventure des individus, et où les communautés ne sont pas autant en guerre qu'on veut le faire accroire ; 3.– enfin la guerre des cultures qui sévit dans d'autres parties du monde. Alors que la France laïque – dont les vertus d'accueil des réfugiés et des étrangers sont paradoxalement bien faibles à côté du « creuset américain » – regarde avec mépris toutes les barbaries d'ailleurs, la leçon du multiculturalisme américain est de s'interroger sur les conditions d'un espace politique propre à accueillir la diversité des cultures (voir l'article de Joël Roman).

Certes, la question est plus américaine que française, mais rien n'autorise à croire qu'il n'y a pas d'autre modèle politique universalisable que le nôtre – l'Algérie anciennement colonisée par la République en a fait les frais pour sa part – et d'autre système d'intégration des cultures que la République laïque. A moins de se couper de la plus grande partie des habitants de la planète... Certes également, les excès du *PC* doivent être dénoncés, et l'on peut s'accorder avec Pascal Bruckner ou Mona Ozouf par exemple, quand le premier s'en prend à l'idéologie féministe et que la seconde célèbre les vertus de la sensibilité féminine française[8]. Mais pourquoi ne pas voir que la polémique sur le *PC* ne débouche pas inéluctablement sur la guerre des cultures, et que le multiculturalisme ne doit pas être passé à la trappe comme une simple expression idéologique du *PC* ?

Si l'on parle à satiété de multiculturalisme aujourd'hui, s'il est au centre de bien des débats politiques au Canada ou ailleurs, c'est que la réponse à la guerre des cultures passe peut-être plus aisément par lui que par un combat acharné pourfendant toutes les cultures du monde et se réclamant magiquement de la seule Haute Culture, celle des créateurs respectables. Rien n'interdit d'imaginer une défense des valeurs universalistes de la modernité occidentale sans s'enfermer sur soi, et ne plus rien connaître du monde que le meilleur de ses créateurs.

A une époque où la thématique de la guerre des cultures fait fureur, le multiculturalisme a le mérite de poser une excellente question : qu'est ce qui permet aux cultures de communiquer entre elles ? Sophie Mappia le rappelait récemment en évoquant la réflexion de Cornelius Castoriadis : « Il existe certaines conditions qui permettent de comprendre une société étrangère, ce qui laisse supposer

8. Voir dans ce numéro le compte rendu du livre de Mona Ozouf par Claude Habib – *les Mots des femmes. Essai sur la singularité française*, Paris, Fayard, 1995. Pour sa part Pascal Bruckner vient de publier *la Tentation de l'innocence* chez Grasset.

quelque "universalité potentielle" de tout ce qui est humain pour les humains. La racine de cette universalité n'est pas la rationalité mais l'imagination créatrice. Se mettre à la place d'autrui, comprendre par l'imagination ce que la raison n'admet pas de comprendre[9]. »

Que le multiculturalisme ne soit pas pour l'esprit français une évidence historique ne doit pas empêcher de reconnaître ce qu'il peut apporter à un monde où les cultures jouent un rôle de plus en plus intense[10]. On oublie que l'universalisme ne se déverse pas sur les cultures particulières, qu'il n'est pas en surplomb et ne peut se déployer que transversalement, par empiètement. Ce que Michael Walzer précisait dans le précédent numéro d'*Esprit* consacré au multiculturalisme en opposant deux universalismes : l'universalisme de surplomb et l'universalisme réitératif. Merleau-Ponty parlait pour sa part d'un universalisme latéral (« une incessante mise à l'épreuve de soi par l'autre et de l'autre par soi »). A trop vouloir réserver l'universel à la seule partie du monde où il est énoncé, on risque de commettre une erreur redoutable : oublier que l'Universel perd beaucoup de sa force et de sa capacité de conviction quand il devient le trésor d'une petite réserve d'Indiens. Même si ces Indiens habitent l'Europe de Schengen.

Tel est le sens de ce dossier : non pas faire l'éloge béat d'une Amérique que nous n'épargnons pas d'habitude[11], par simple esprit de contradiction ou pour céder aux charmes du relativisme, mais relancer un débat sur le multiculturalisme qui, s'il n'est pas sans lien avec la polémique sur le *PC*, ne s'y réduit pas. La controverse sur le multiculturalisme fournit les éléments d'une riposte à cette tribalisation du monde, que nous détestons nous aussi. Il y a là une réplique parmi d'autres à une guerre des cultures qui n'a pas fini de faire trembler ceux qui opposent avec superbe l'universel et le particulier[12].

Olivier Mongin

---

9. « Le développement par la démocratie ? » in *Le Débat*, janvier-février 1995.

10. Dans *le Bouleversement du monde*, Paris, Seuil, 1995, Marisol Touraine souligne le paradoxe historique contemporain : l'universalité de la démocratie occidentale s'est effectivement déployée mondialement après la chute du mur de Berlin, mais au moment même où elle ne s'imposait plus comme le modèle politique hégémonique. La victoire de la modernité démocratique s'accompagne donc d'une réorganisation de la scène politique qui favorise le climat d'impuissance que l'on connaît et la croyance que le désordre règne.

11. Voir par exemple l'article de Laurence Engel sur « Les dérives américaines de la notion de responsabilité », in *Esprit*, juin 1993.

12. Nous publierons également dans un prochain numéro un article d'Éric Fassin sur « Cornel West et la question de l'intellectuel noir aux États-Unis », suivi d'un entretien avec Cornel West.

L'anticipation américaine

Plus encore peut-être qu'à l'époque de Tocqueville, c'est aujourd'hui aux États-Unis que s'inventent les forces politiques et sociales de l'avenir. En France même, où la perte de puissance favorise une lente délégitimation du modèle politique national (« républicain »), l'expérience de la démocratie américaine n'est plus simplement invoquée par les libéraux traditionnels (comme c'était encore le cas jusqu'aux années soixante-dix) : elle est aussi devenue, pour de larges secteurs de la gauche, la référence qui permet de dénoncer l'étroitesse et l'autoritarisme de la tradition politique française, supposée fermée aux « minorités », dont la représentation jouerait au contraire un rôle central dans la politique américaine. Plus profondément, les États-Unis présentent un certain nombre de traits qui, au-delà de leur puissance de fait (économique et culturelle), donnent plus que jamais un caractère d'exemplarité à leurs institutions et à leurs mœurs politiques. Le premier de ces traits est l'ancienneté du fédéralisme, et son articulation sur le pluralisme, lui-même complexe, des groupes d'intérêt et des identités : la crise de l'État-nation en Europe, et, en France, du modèle « jacobin » ne peut manquer de susciter un intérêt pour l'histoire constitutionnelle américaine. Même si les États-Unis sont bien devenus, et depuis longtemps, un État-nation, la pluralité des niveaux de décision et d'identification politiques, combinée avec l'expérience originelle de la diversité religieuse, a constitué un terrain favorable à l'épanouissement d'une culture du compromis négocié, qui a d'autant plus aidé à l'assimilation des diverses vagues d'immigrants que ceux-ci prenaient place dans le complexe équilibre des « factions », dont Madison avait d'emblée prévu qu'il allait jouer un rôle central dans le développement de la « grande république commerçante » (cf. Fédéraliste, 10 et 51). Dans la mesure où la « construction européenne » se fait dans un contexte de forte légitimité de l'économie de marché, de déclin des repères de classe et de forte pression migratoire du « Sud », l'histoire américaine devrait apparaître comme riche d'enseignements (d'ailleurs problématiques, car les équilibres du fédéralisme américain sont depuis longtemps favorables à l'État central, et la société américaine a plus facilement « intégré » les immigrants européens que les Noirs, anciens esclaves, mais dont la présence est antérieure à la révolution de 1776). La seconde raison de l'exemplarité américaine réside dans le rôle central que joue le droit dans le processus politique, qu'il s'agisse de la décision, ou, ce qui est plus important encore, de la formulation des enjeux et des clivages acceptables. Rien ne permet, certes, de prétendre que la technique juridique américaine (issue pour l'essentiel de la Common Law anglaise) doive nécessairement prévaloir partout, ni d'assimiler le rôle des « cours constitutionnelles » des États européens à *celui de la Cour suprême ; ce qui est visible, en revanche, c'est le succès d'une certaine conception de la démocratie, qui fait reposer celle-ci sur les « droits des individus » plutôt que sur la « volonté générale », et qui, dans ce but, insiste sur la supériorité de la Constitution sur la loi, tout en faisant davantage confiance aux juges qu'au pouvoir constituant lui-même pour définir le sens des « droits » : le juge, et non plus le législateur, se voit investi du pouvoir de redéfinir l'identité mouvante de la « communauté » démocratique des individus égaux, en même temps qu'il se trouve appelé à jouer un rôle plus important dans des domaines jusqu'alors dépendants de l'administration ou de l'exécutif ; or, ce modèle est en partie issu d'une interprétation de l'œuvre de la Cour suprême, et sa logique interne peut difficilement être comprise si l'on fait abstraction du débat politique et constitutionnel américain[1].*

L'Amérique n'est donc plus seulement pour nous l'anticipation toujours déjà là de la logique interne de l'égalité des conditions ; elle se trouve, imaginairement du moins, à l'intersection de deux tendances lourdes du monde contemporain. La nouvelle utopie qui anime les démocraties n'est plus en effet celle de la réalisation de l'égalité économique (qui était au cœur de la protestation socialiste), mais plutôt celle d'une combinaison nouvelle entre l'acceptation sincère de la « diversité » humaine (ethnique, sexuelle, morale, etc.) et l'application immédiate des droits universels de l'homme, considérés comme immédiatement opposables à toute norme de droit positif, quel que puisse en être l'auteur. Cette utopie, devant laquelle s'efface peu à peu l'ancienne référence au rôle central du « conflit de classes », est sans doute dans ses principes plus libérale que démocratique, mais elle n'en a pas moins un potentiel critique considérable, dirigé contre tous les soubassements « identitaires » ou « autoritaires » des États modernes ; or, c'est aux États-Unis qu'elle connaît sa diffusion la plus massive, du fait de la rencontre entre la dynamique des « droits » et celle de la reconnaissance de la « diversité ». Les sceptiques pourront certes rappeler que l'emphase mise sur le « multiculturalisme » et sur les droits des minorités est la contrepartie d'un très ancien et très profond racisme, et qu'elle n'empêche nullement la société américaine d'exercer une forte pression assimilatrice sur les immigrés[2] ; quant aux juristes, ils savent bien que, au-delà des artifices, la constitutionnalisation des « droits » aux États-Unis (qui va de pair avec une définition de plus en plus large) est extrêmement restrictive en matière de libertés publiques ; tout cela ne fait que renforcer la légitimité des tendances actuelles et même celle du système politico-juridique des États-Unis, qui apparaît ainsi à la fois comme le produit de l'esprit public américain et comme son antidote.*

Philippe Raynaud

---

1. *Cf.* par exemple Ronald Dworkin, *Taking Rights Seriously*, Cambridge, Mass., Harvard University Press, 1978, et « Controverse constitutionnelle », *in Pouvoirs*, 1991, n° 59, *La Cour suprême des États-Unis*, p. 5-16.

2. Pour un point de vue français, *cf.* Emmanuel Todd, *le Destin des immigrés*, Paris, Seuil, 1994.

* Extrait de l'article « De la liberté au pouvoir. Réflexions sur le patriotisme américain », publié dans *La pensée politique*, n° 3, Hautes études, Gallimard/Le Seuil.

Du culte de la différence
à la sacralisation de la victime

Tzvetan Todorov*

JE N'AVAIS PAS VÉCU un peu longuement aux États-Unis depuis environ cinq ans. Aussi mon séjour pendant le semestre de printemps 1994 dans une université de la côte Est m'a-t-il donné l'impression de me faire découvrir quelques nouveaux traits dans la vie publique de ce pays, où je me rends régulièrement depuis assez longtemps. Cette impression ne concerne que le monde des *valeurs* : les limites dans le temps et, plus encore, dans l'espace social que j'ai fréquenté (une riche université) ne m'ont pas permis d'avoir une image parlante – serait-elle superficielle – des *réalités* sociales ou économiques. J'essaie donc de la transcrire ici, tout en sachant que des ouvrages entiers ont été consacrés à l'analyse de chacun de ces traits.

Si je devais résumer mon impression en une formule, ce serait : le recul de certaines valeurs démocratiques, et plus particulièrement de la valeur cardinale de l'autonomie. La naissance des démocraties modernes est en effet solidaire d'une transformation dans la manière dont l'individu se représente à lui-même. Dans les sociétés antérieures, par exemple dans ce qu'on appelle en France l'Ancien Régime, l'individu se soumet à une loi qui lui vient d'ailleurs et sur laquelle il n'a aucune prise : c'est l'ordre naturel ou le droit divin qui fonde le pouvoir royal et les lois de l'État. En démocratie, l'individu réclame le droit d'être responsable de son propre sort ; il est dirigé par un gouvernement que lui-même et ses semblables élisent, par

---

* A récemment publié *la Vie commune : essai d'anthropologie générale*, Paris, Seuil, coll. « La couleur des idées », 1995.

90

des lois que ses propres représentants formulent, et il se réserve de plus un territoire privé, sur lequel aucun pouvoir autre que celui qu'il a lui-même contribué à mettre en place n'a de droit de regard. C'est en cela que le citoyen d'une démocratie se distingue des sujets du roi sous l'Ancien Régime. Cette autonomie, cette exigence de ne se soumettre qu'à des lois que l'on assume soi-même, d'être le maître de son propre destin, sont politiques et non sociales : même si je veux me sentir responsable de mes actes, je continue de vivre dans un espace fait d'autres présences humaines ; plus même : je ne suis qu'un élément des réseaux interhumains.

La « victimisation »

L'aspiration à l'autonomie reste un moteur puissant de transformation de la société, aux quatre coins du monde. Si les habitants des pays de l'Est ont rejeté avec une telle unanimité les régimes communistes, c'est en grande partie parce que ceux-ci les privaient de leur autonomie et donc de leur dignité : ils n'avaient pas du tout l'impression de participer à la conduite des affaires publiques (les élections étaient une mascarade) et, de plus, l'appareil du parti-État pouvait s'immiscer jusque dans leur espace privé, ne leur laissant aucune liberté personnelle. Semblablement, les Noirs d'Afrique du Sud ont vu dans le suffrage universel auquel ils viennent d'avoir accès non une importation européenne, mais la possibilité pour eux d'affirmer leur autonomie (de décider de leur sort) et de retrouver leur dignité. Or les changements que je crois observer dans les valeurs publiques aux États-Unis vont en sens inverse : ils consistent à exiger *moins*, non *plus*, d'autonomie. Il est vrai que cette exigence n'est pas formulée de façon frontale, mais elle est sous-entendue dans toute une série de manifestations apparemment indépendantes.

La première forme de renoncement à l'autonomie concerne les individus isolés ; elle consiste à se penser systématiquement comme non responsable de son propre destin, voire comme une victime. Tous les visiteurs européens sont frappés par ce trait de la vie américaine : ici, on peut toujours chercher la responsabilité des autres pour ce qui ne va pas dans votre vie.

Si mon enfant tombe dans la rue, c'est la faute à la ville, qui n'a pas fait les trottoirs assez plats ; si je me coupe le doigt en tondant le gazon, c'est la faute au fabricant de tondeuses. Dans les procès criminels, la meilleure défense semble être devenue : je suis une ancienne victime, j'ai été maltraité pendant des années par mes parents, j'ai donc le droit de les massacrer aujourd'hui (ou, variante, de les traîner en justice pour tout le mal qu'ils m'ont fait) ; j'ai été brutalisée par mon mari, cela explique pourquoi je l'ai châtré. Si je ne suis pas heureux aujourd'hui, c'est la faute à mes parents dans le passé, à ma société dans le présent : ils n'ont pas fait le nécessaire pour mon épanouissement. La seule hésitation qu'on puisse avoir est de savoir si, pour obtenir réparation, on se tourne vers l'avocat ou vers le psychothérapeute ; mais dans les deux cas, je suis pure victime, et ma responsabilité n'est pas engagée.

Personne ne veut *être* une victime, cela n'a rien d'agréable, en revanche tous veulent l'avoir été, sans plus l'être ; ils aspirent au *statut* de victime. La vie privée connaît ce scénario depuis très long-temps : un membre de la famille s'empare du rôle de victime car, de ce fait, il peut attribuer à ceux qui l'entourent un rôle beaucoup moins avantageux, celui du coupable. Avoir été victime vous donne le droit de vous plaindre, de protester et de réclamer ; sauf à rompre tout lien avec vous, les autres sont bien obligés de répondre à vos demandes. Il est plus avantageux de rester dans le rôle de victime que de recevoir une réparation pour l'offense subie (à supposer que cette offense soit réelle) : au lieu d'une satisfaction ponctuelle, on garde un privilège permanent, l'attention et donc la reconnaissance des autres vous est assurée. Ce qui est nouveau de nos jours, c'est que ce rôle de victime individuelle est revendiqué sur la place publique.

Toutes les offenses ne sont pas imaginaires, bien sûr, et les vraies victimes méritent réparation ; cela ne peut être décidé qu'au cas par cas. Mais ce qui me frappe, c'est la place prééminente qu'occupe l'aspiration au statut de victime dans le débat public actuel. Or on n'est jamais entièrement déterminé : nous sommes tous agis par des forces sur lesquelles nous n'avons pas prise, mais nous pouvons aussi agir en tant que sujets autonomes. Une des leçons morales des camps de concentration est justement que, jusqu'au dernier mo-ment, l'être humain dispose de choix : il peut se laisser faire – ou préserver une parcelle de sa dignité ; s'abandonner à l'égoïsme – ou pratiquer le souci pour autrui. Dans les conditions infiniment moins contraignantes de notre vie quotidienne, déterminisme et liberté se mélangent dans des proportions bien plus équilibrées. Si je me casse une jambe en tombant, la providence et moi sommes tous deux res-ponsables ; me faire payer des réparations par la ville revient à dire que mon moi a renoncé à toute son autonomie, mais non à sa cu-pidité. Se voir comme dégagé de toute responsabilité à l'égard de son propre destin, c'est se considérer toujours comme un enfant, jouet de puissances infiniment supérieures. Dans les relations avec nos proches, aucun de nous n'est seulement victime : la vie affective n'est pas unidimensionnelle, nous acceptons d'être victimes ici parce que cela nous offre des compensations ailleurs.

Groupes et quotas

La seconde forme de renoncement à l'autonomie consiste à se penser avant tout comme le membre d'un groupe : si j'agis comme je le fais, ce n'est pas parce que je le veux, mais parce que j'appartiens à une communauté ; ma volonté est aliénée au profit du groupe. Les groupes se trouvent ainsi valorisés au détriment des individus. Là aussi, le contraste est frappant entre les États-Unis et une grande partie du reste du monde. Ce n'est pas que les groupes, à l'intérieur des États, n'existent pas ; mais on juge habituellement, et à juste titre me semble-t-il, que cette existence est source de conflits et même de désastres ; on cherche donc à neutraliser les différences plutôt qu'à les accentuer. L'échec de la neutralisation explique les tueries fratricides entre Tutsis et Hutus au Rwanda, orthodoxes et musulmans en Bosnie, catholiques et protestants en Irlande du Nord. Son succès, au contraire, consiste à faire voter dans les mêmes élections, en Afrique du Sud, Blancs, Noirs et Métis. C'est la seconde facette de la notion de citoyen, indissociable de celle de démocratie : non seulement les citoyens décident par eux-mêmes de la conduite des affaires du pays, mais ils sont aussi tous autant citoyens les uns que les autres, ont les mêmes droits dans la vie publique, quelles que soient par ailleurs leurs différences. Cette égalité de droits ne signifie pas, tant s'en faut, une égalité de fait : il y aura toujours de plus forts et de plus faibles, de plus riches et de plus pauvres, de plus beaux et de plus laids ; l'égalité politique est la règle du jeu, non son résultat.

Ces groupes qui existent donc partout mais dont on s'emploie habituellement à circonscrire les effets à la sphère privée, se trouvent, au contraire, confirmés et promus dans la vie publique aux États-Unis. J'en vois un premier exemple dans la pratique des quotas, plus ou moins officielle dans les universités et dans diverses agences gouvernementales ; l'idée que les personnes choisies, en vue d'un emploi par exemple, doivent être représentatives des groupes dans la société donne un statut légal à ces groupes. « Dans mon université, me disait une étudiante, la moitié des admis doivent être des femmes, dont la moitié peuvent être des Blanches, dont la moitié ne doivent pas être Américaines : sur vingt-quatre places théoriques, seulement trois me sont accessibles. » Un second exemple se trouve dans les tentatives pour infléchir le système électoral de telle sorte qu'il assure la représentation des « minorités », c'est-à-dire des groupes. En même temps qu'on s'indigne des pratiques de purification ethnique en Bosnie, on s'emploie à créer des districts électoraux ethniquement purs ici (le fameux 12ᵉ district en Caroline du Nord, qui s'étend sur 160 miles le long d'une route) ; en même temps qu'on se félicite de l'application du principe « un homme, un vote » en Afrique du Sud, on s'ingénie à trouver le moyen, pour assurer la représentation des groupes, que les membres des minorités puissent disposer de plus d'un vote. Sous-jacente à toutes ces tentatives est l'idée que, premièrement, tous les Noirs (ou membres d'une autre minorité) ont les mêmes intérêts, et, deuxièmement, que seul un Noir peut défendre les intérêts des Noirs, un Blanc ne pouvant exprimer qu'un point de vue de Blanc.

Un troisième exemple frappant de l'institutionnalisation des groupes se trouve dans diverses manifestations de ce qu'on appelle la « mixophobie », la peur des mélanges. Il y a quelques décennies déjà, les travailleurs sociaux noirs s'étaient opposés à l'adoption d'enfants noirs par des familles blanches, en évoquant la menace d'un « génocide culturel » et l'effrayante perspective d'« élever des enfants noirs avec des esprits blancs ». Aujourd'hui, la chose semble être entrée dans les mœurs, et c'est sur un ton fatigué, celui des professeurs s'adressant à des enfants particulièrement stupides, qu'un responsable de l'adoption à Cambridge explique aux lecteurs d'un journal : « Les adoptions transraciales ne doivent être tentées que si toutes les autres options ont échoué » ; ce qui est préférable, ce sont les « adoptions par la communauté étendue (c'est-à-dire des personnes de même race, culture, tribu, religion, ethnie) ». Faut-il s'attendre à ce que, dans un proche avenir, s'exprime la préférence pour des mariages à l'intérieur de la même race : là au moins on est sûr, si l'on ose dire, que les esprits blancs resteront blancs, et les noirs, noirs ? Dans les universités, les communautés (c'est-à-dire des personnes de même race, etc.) exigent et obtiennent d'avoir des dortoirs séparés, des tables ou des salles à manger séparées, des centres culturels séparés. Je n'ai pas entendu, pas encore, qu'on ait demandé des autobus séparés pour se déplacer, ou au moins une barrière partageant l'espace en plusieurs compartiments : les Blancs en avant, les Noirs à l'arrière, ou l'inverse.

On voit aisément en quoi consistent les avantages de l'enfermement à l'intérieur du même groupe. Se retrouver parmi les siens, ceux qui vous sont les plus proches, vous procure d'abord un sentiment immédiat de votre existence (je ne suis pas rien, je suis noir / asiatique / indigène / femme), une déresponsabilisation (ce n'est pas à moi de choisir mais au groupe), une sécurisation (je n'aurai pas à peiner pour me faire accepter par des étrangers). Mais s'il n'y a rien là de surprenant dans cette réaction, il n'y a rien non plus de particulièrement honorable : pourquoi s'enorgueillir de ce qu'on préfère toujours rester avec ceux « avec qui on a le plus de choses en commun » ? Pourquoi être fier de ce combat en faveur de l'*apartheid* culturel ? On s'aperçoit aussi, à passer en revue ces quelques exemples, que les groupes en question ne sont pas n'importe lesquels. Il ne s'agit pas de groupes que l'on choisit soi-même mais de ceux auxquels on appartient de naissance, par la force de la biologie ou de l'histoire. La race, le sexe, l'ethnie – de préférence aux groupes où votre volonté aurait joué ne serait-ce qu'un rôle modeste : une classe, une profession, un parti. Un pas de plus a été fait ici dans l'éloignement par rapport à l'idéal démocratique de l'autonomie : non seulement le groupe décide pour l'individu, mais en plus il s'agit d'un groupe qui lui est imposé.

« Différence » et « identité »

Dans la vie publique, les inconvénients de cette politique sont bien plus grands que ses avantages. Sous l'Ancien Régime, les gens étaient ce qu'ils étaient une fois pour toutes : je naissais paysan, je mourais paysan, et c'est ce fait qui décidait de ma place dans la hiérarchie politique du pays. Les nazis et les anciens maîtres de l'Afrique du Sud avaient transposé cette règle aux caractéristiques physiques ou ethniques des hommes, les prétendues « races » : les juifs sont assassinés *parce qu'ils sont* juifs. Les pays démocratiques, au contraire, ont toujours valorisé ce qu'on fait par rapport à ce qu'on est : même si l'on naît nécessairement homme ou femme, de telle ou telle culture, plus ou moins foncé de peau, on est tenu responsable (et, du coup, on peut s'enorgueillir) uniquement de ce qu'on fait soi-même ; c'est même un crime contre l'humanité que d'infliger le mal à quelqu'un seulement pour ce qu'il est. Insister sur l'appartenance d'origine plutôt que sur l'accomplissement personnel, contribuer ainsi à l'épanouissement de l'« orgueil ethnique », comme le dit ingénument le président d'une université des environs de Boston, c'est aller à l'encontre des valeurs démocratiques fondamentales. La formule « le noir est beau » (*black is beautiful*) est tolérable parce qu'elle ne concerne que l'esthétique ; « le noir est juste » serait du racisme pur et simple.

La politique des quotas est, d'une part, aberrante, et ne peut maintenir un semblant de justification que si nous tenons en mépris l'activité à laquelle ceux-ci sont destinés : qui voudrait se faire opérer par un chirurgien qui aurait obtenu son diplôme grâce au système des quotas ? qui voudrait écouter un orchestre dont les membres seraient choisis pour bien refléter la diversité culturelle du pays (le *Boston Symphony* en est menacé) ? A une maison, on demande qu'elle ne se « déconstruise » pas toute seule, non que ses maçons aient été ethniquement représentatifs. Cette politique est, d'autre part, dangereuse, car tout quota positif (« au moins 40 % de... ») cache un quota négatif (« pas plus de 60 % de... ») ; la chasse aux juifs dans les professions libérales, en Europe avant la guerre, n'a pas commencé autrement.

Ce n'est pas tout. Favoriser les groupes risque aussi d'entraver toute politique efficace puisque la société devient le terrain de confrontation d'intérêts particuliers, au lieu d'être celui de la recherche d'un intérêt général. Or toute cause, aussi juste soit-elle pour la communauté en son entier, lèse les intérêts d'un groupe particulier : celle des homophiles nuit aux homophobes, celle des écrivains qui sympathisent avec les animaux (comme Alice Walker) déplaît aux mangeurs de viande (apparemment majoritaires dans le *California Board of Education*, puisque celui-ci a frappé d'exclusion certaines nouvelles de l'écrivain). Réduire les individus à leur groupe biologique d'origine les appauvrit et les rabaisse, et par conséquent appauvrit singulièrement l'héritage commun de l'humanité. Il est vraiment désolant de voir que, cent ans après l'affaire Dreyfus, ce sont de nouveau des antidreyfusards qui gagnent : ceux qui pensent que l'identité de l'individu est entièrement déterminée par le groupe ethnique ou biologique auquel il appartient. « J'ai cessé de lire des auteurs mâles pendant dix ans », confesse fièrement une lectrice du *Times*, « c'était passionnant ». Si cela est vrai, n'est-ce pas plutôt parce que les livres écrits par les femmes révèlent, comme ceux écrits par les hommes, l'expérience humaine dans toute sa richesse, et non parce que le sexe de l'auteur est le même que celui du lecteur ? Le sexisme et le racisme restent condamnables même quand ils sont assumés par leurs anciennes victimes. L'identification avec le groupe conduit à sa défense inconditionnelle (« *My country right or wrong* » : le sinistre commandant d'Auschwitz, Rudolf Hess, avait fait sienne cette devise), et à la dépréciation simultanée de tout transfuge, de tout représentant atypique ou marginal, soupçonné d'être révisionniste ou traître, et menacé d'ostracisme (« Ralph Ellison n'est pas un écrivain noir »). L'encouragement des groupes constitue le terrain fertile sur lequel s'épanouit le nationalisme le plus intolérant : Shelby Steele a raison de remarquer que le succès de personnages comme Louis Farrakhan est la conséquence, lointaine et pourtant directe, des « programmes de diversité », complaisamment mis en place par des administrateurs qui se jugent eux-mêmes « libéraux ».

Mais la diversité n'est-elle pas bonne et belle en elle-même, n'est-elle pas la vertu sociale suprême ? La société la meilleure n'est-elle pas la société la plus diverse ? Il faut d'abord dire que la réponse à cette question ne saurait être un « oui » inconditionnel. Si une société est démocratique de manière homogène, il ne viendrait à l'esprit de personne de réclamer l'introduction d'une certaine dose de fascisme – juste pour avoir un peu plus de diversité ! Nous n'apprécions la diversité que lorsqu'elle ne nous paraît pas nocive ; autrement dit, le jugement de valeur sur le différent et l'identique est subordonné à celui sur le bien et le mal. Il faut ajouter que, contrairement à ce que suggère souvent une rhétorique déroutante, la défense de la différence relève d'une pensée conservatrice. Les différences sont une donnée, l'unité ne peut être que le résultat d'un effort ; les régionalistes protecteurs de leur héritage singulier sont conservateurs, les jacobins qui veulent transformer le monde à l'image de leur idéal sont révolutionnaires. C'est le chef Buthelezi qui s'exclame à la veille des élections sud-africaines : « L'ANC veut détruire la culture zoulou ! » Je ne souhaite pas refuser le droit de cité aux conservateurs, ni à la part conservatrice en chacun de nous, mais il se trouve que je n'en fais pas mon idéal ; je préfère mettre à cette place le *dialogue* qui présuppose bien une différence entre Je et Tu, mais aussi un cadre commun, la volonté de comprendre l'autre et de communiquer avec lui.

Ce qu'il faut dire surtout, c'est que, très souvent, la rhétorique de la différence, sous couvert de faire l'éloge de la pluralité, n'est qu'un camouflage opportuniste pour une aspiration à l'identité. Connaître mieux ma propre tradition, me retrouver parmi mes semblables et eux seulement, toute l'autoségrégation nouvelle qui règne sur les campus : cela n'a rien à voir avec la différence. Au nom d'un combat pour la différence et la pluralité, on aspire à la constitution de groupes plus petits mais plus homogènes : un Québec où l'on ne rencontre que des francophones, un dortoir où l'on ne croise que des Noirs. C'est là un des résultats paradoxaux – et pourtant prévisibles – de la politique des quotas : introduite pour assurer la diversité à l'intérieur de chaque profession, elle accrédite au contraire l'idée d'homogénéité au sein de chaque groupe ethnique, racial ou sexuel. La différence n'est pas une valeur absolue, mais elle est tout de même préférable à l'enfermement frileux à l'intérieur de l'identité. Etre obligé de parler à des êtres différents de soi amène chacun à ne pas trop se prendre pour le centre de l'univers, injecte en lui une certaine dose de tolérance, tout en enrichissant son esprit. La différence est bonne en ce qu'elle nous ouvre à l'universalité : il faut observer les différences, disait Rousseau, pour découvrir les propriétés.

Le premier recul des valeurs démocratiques consiste à renoncer à la responsabilité vis-à-vis de sa propre vie et à s'emparer du rôle de victime : rôle avantageux mais entièrement passif. Le second recul consiste à renoncer à son identité individuelle et à ne se voir que comme le membre d'un groupe, et, chose plus grave encore, d'un groupe auquel on n'a pas choisi d'appartenir : sexe, race, ethnie. Mais les deux reculs peuvent aussi se combiner et produire alors ce qui est probablement la figure la plus caractéristique de l'abandon actuel de la démocratie : le fait de jouer sur la victimisation collective, de se présenter comme le membre docile d'un groupe qui s'est emparé, dans la société, du statut de victime. Le mécanisme à l'œuvre ici est semblable à celui qu'on pouvait observer dans le cas des individus, mais plus rigoureux encore. Si l'on parvient à établir de façon convaincante que tel groupe a été injustement traité dans le passé, cela lui ouvre dans le présent une « ligne de crédit » inépuisable. D'où la compétition effrénée pour obtenir, non comme entre pays la clause de la nation la plus favorisée, mais celle du groupe le plus défavorisé. Qu'est-ce que six millions de juifs morts, du reste en dehors de l'Amérique, s'exclame Farrakhan : « L'holocauste du peuple noir a été cent fois pire que l'holocauste des juifs. » A victime, victime et demie.

C'est certainement là l'un des changements les plus fascinants qui se soit opéré ces dernières années dans la mentalité américaine : le remplacement de l'idéal héroïque par l'idéal victimaire. Avant, tout le monde se vantait d'avoir été le plus fort ; maintenant, le plus opprimé. Avant, on faisait l'éloge du *self-made man* ; maintenant, de celui qui n'a fait que subir. Les héros n'ont été nombreux à aucune époque ; mais l'idéal héroïque gardait son prestige. Pourquoi l'a-t-il perdu ? La question reste ouverte, mais l'une des causes en est sans doute que cette position d'ancienne victime est plus payante que celle des anciens héros. Puisque la société a reconnu que les groupes, et non seulement les individus, avaient des droits, autant en profiter ; or, plus grande a été l'offense dans le passé, et plus grands sont les droits dans le présent. Au lieu d'avoir à lutter pour obtenir un privilège, on le reçoit d'office, par sa seule appartenance au groupe jadis défavorisé.

Que l'ancienne victime mérite d'être traitée, non comme tous les autres, mais mieux que les autres, est pourtant loin d'être évident. D'abord, l'histoire nous l'a enseigné mille fois : le fait d'avoir été victime dans le passé n'empêche nullement que l'on devienne bourreau dans le présent. Pour justifier l'agressivité de l'État allemand, Hitler a constamment insisté sur l'humiliation infligée aux Allemands, à la fin de la Première Guerre mondiale. Pour fonder leur agression présente dans l'ex-Yougoslavie, les Serbes se réclament inlassablement de leur statut de victime ancienne – des Turcs, des Allemands, des Croates, etc. Chacun de nous pourrait compléter cette liste par d'autres exemples de l'histoire récente. D'un autre côté, l'attribution d'un nouveau privilège, cette fois à l'ancienne victime, ne répare évidemment pas l'injustice du passé : elle maintient la structure de l'offense, en se contentant d'en changer les acteurs. Avant, parmi les candidats à un poste, c'étaient les hommes et les Blancs qui étaient privilégiés, maintenant ce sont les femmes et les Noirs ; mais les privilèges existent toujours. Il faut s'entendre : il n'y a aucune commune mesure entre les injustices subies par les Noirs de la part des Blancs (énormes) et celles infligées aujourd'hui aux Blancs (tout à fait supportables) ; les Blancs ne sont pas lynchés aujourd'hui le long des routes, les maris ne sont pas régulièrement battus par leur épouse enivrée. Mais le maintien de l'ancienne structure ralentit la guérison de la blessure au lieu de l'accélérer ; dans le cas particulier des « races » et des ethnies, il nourrit le ressentiment et entretient le cycle de la violence et de la contre-violence.

La transformation récente de la politique du « harcèlement sexuel » s'inscrit également dans ce contexte. Tout comme il faut continuer de combattre les manifestations de discrimination raciale, encore trop fréquentes envers les Noirs, il faut espérer que disparaisse le droit de cuissage dont profitent certains détenteurs du pouvoir, chefs d'entreprise ou professeurs d'université. Mais la perspective des droits qui découlent du statut de victime a transformé tout cela. On peut se plaindre maintenant de ce qu'une image, un geste, un propos créent « un contexte dégradant, intimidant ou hostile », ou témoignent, en tous les cas, d'une « indifférence endurcie envers l'expérience des femmes », lesquelles pourraient, dans certains cas, aller jusqu'à « se sentir mal à l'aise » ; et obtenir des réparations (ou, au moins, la punition de la personne incriminée : mais le malheur des autres fait aussi notre bonheur, nous enseigne la sagesse des nations).

Certaines conséquences de cette réinterprétation du *sexual harassment* peuvent faire rire. Ainsi, le *Fogg Art Museum* de l'université de Harvard a inventé l'équivalent moderne des feuilles de vigne : au lieu de cacher la nudité féminine, on la neutralise en imprimant sur le mur, à côté du tableau, des textes du genre : « La sirène constituait un danger fatal pour l'homme défini commercialement. La représentation de la sensualité de la sirène par l'artiste/poète et par son modèle permettait au spectateur mâle victorien d'établir un sentiment de maîtrise et de surmonter par là la peur de l'impuissance, à la fois sexuelle et commerciale. » Il est vrai qu'il y a une certaine pruderie dans le fait de demander à chaque action culturelle d'être une réparation de quelque injustice passée : il n'y a plus de spectacle, plus d'exposition, plus de cours à l'université qui ne se présente comme une bonne action, comme une contribution à la cause de quelque minorité défavorisée. Mais c'est un inconvénient encore mineur. D'autres le sont beaucoup moins, dans la mesure où les victimes de cette éruption « puritaine » ne sont pas des tableaux ou des spectacles, mais bien des êtres humains vivants, comme ce professeur de l'université de New Hampshire, qui est accusé, non d'avoir abusé de ses étudiantes, ni d'être un mauvais enseignant, mais d'avoir, par des remarques d'un goût douteux, créé une atmosphère dans laquelle certaines femmes se sentaient mal à l'aise. Quelle que soit la décision finale le concernant – licenciement, obligation de suivre un *sensitivity training* ou réintégration – la vie de cet homme sera marquée à tout jamais par cet épisode. Et on imagine facilement quel climat malsain de chasse aux sorcières, d'appel aux dénonciations, d'encouragement des fantasmes chez les « offensés » se trouve entretenu par une telle situation.

Mais, pourrait-on rétorquer, la vie de ces jeunes femmes ne risquait-elle pas, à son tour, d'être définitivement marquée par des propos désobligeants ou des images dégradantes, concernant le sexe féminin ? Il se peut que des êtres d'une telle fragilité existent, après tout. Mais la réaction – la recherche d'une sanction administrative – ne me paraît pas appropriée à l'offense. D'abord parce qu'elle consiste à confondre la société civile avec l'État et ses administrations. Exiger que l'État assure notre confort intérieur, qu'il pourchasse les « indices de malaise », semble excessif et même dangereux ; le pas suivant dans ce totalitarisme librement consenti serait de faire contrôler la qualité de toutes nos relations par des agents de l'État, de leur demander d'être omniprésents. L'État et ses administrations n'ont pas à se mêler de cela. L'idée que se font les groupes les uns des autres à l'intérieur de la société relève, et doit relever, de la vie sociale, non de la législation ou de l'action gouvernementale. Devant la loi, les individus demandent l'égalité ; dans la vie sociale, ils recherchent tout autre chose qu'une égalité incolore et inodore : leur reconnaissance par le regard des autres, donc une confirmation de leur existence. Cette reconnaissance est obtenue par la maîtrise des codes culturels, différents d'un pays à l'autre, d'une époque à l'autre, et par une infinie négociation, qui constitue la vie même : on réclame et on cède, on donne et on reçoit. Les enfants confondent naïvement désir et droit : « J'ai bien le droit d'avoir un bonbon ! » ; les adultes finissent par apprendre que la satisfaction et le bonheur ne se commandent pas mais se négocient et se renégocient tout au long de l'existence.

Le déclin de l'autonomie

L'autonomie des individus, valeur démocratique fondamentale, est aujourd'hui en retrait ; et il faut beaucoup de naïveté, ou alors une démagogie très habile, pour nous faire prendre cette attaque de la démocratie pour une défense. On doit donc, tout d'abord, oser appeler les choses par leur nom. Comment s'expliquer ce retrait ? Est-ce parce que, comme l'ont souvent dit les ennemis de la démocratie, celle-ci va à l'encontre de la nature humaine, ou parce qu'elle est condamnée à produire le contraire de ce qu'elle proclame ? Je ne le crois pas. L'aspiration à l'autonomie n'est pas plus « naturelle », il est vrai, que le besoin de sécurité, apaisé souvent par un renoncement à l'autonomie. Il existe en nous une tentation d'« échapper à la liberté », pour parler comme Erich Fromm, en nous assurant ainsi paix et confort intérieur ; mais le contraire existe aussi. Regardons autour de nous : alors que d'autres maux propres à la société industrielle se retrouvent en Europe, le recul de l'autonomie individuelle comme idéal est un phénomène spécifiquement américain. A un autre niveau, la même opposition se répète dans le reste du monde : alors qu'en Afrique du Sud l'autonomie s'accroît, elle diminue en Algérie. La cause de ce recul en Amérique ne serait donc pas à chercher dans la logique démocratique elle-même, mais plutôt dans l'histoire spécifique des États-Unis ; je laisse la question aux spécialistes.

Je crois pourtant qu'on doit résister à l'effritement actuel des valeurs démocratiques. Mais comment ? Il ne faut pas espérer que le débat intellectuel influence les convictions et les comportements des parties prenantes, de ceux qui bénéficient de la nouvelle situation. Tous les arguments que j'aligne ici, et d'autres encore, ont déjà été formulés, ici et là ; il n'y a plus vraiment là-dessus de débat théorique. Pourtant, ce fait n'agit guère sur les pratiques. C'est que nos convictions proviennent, non de raisonnements logiques, mais de nos besoins existentiels, et la réalité est toujours suffisamment complexe pour fournir des illustrations à n'importe quelle thèse. En revanche, ceux qui sont chargés de défendre l'intérêt général, et non plus tel ou tel intérêt particulier, peuvent comprendre que certaines politiques, entreprises avec de bonnes intentions, perpétuent le mal plutôt que de le guérir ; qu'il faut donc les abandonner. Car l'attaque contemporaine contre les valeurs démocratiques n'est pas née spontanément, à partir de la base ; elle vient plutôt d'en haut, effet d'une politique gouvernementale. Ceux qui ont instauré cette politique ne sont pas identiques à ceux qui en profitent dans l'immédiat, il ne faut pas confondre les instances administratives et gouvernementales et les membres des minorités anciennement défavorisées. Il semble de plus régner dans les esprits une confusion néfaste entre sphère politique et sphère sociale : en même temps qu'égoïsme et uniformité s'étendent dans celle-ci, on renonce dans celle-là (pour y remédier ?) aux idées d'autonomie et de citoyenneté. Tout se passe comme si l'on voulait rattraper les carences de la société par des mesures administratives simples : les valeurs communautaires disparaissent, on fera donc élire des députés-représentants des communautés ; l'individu est perdu dans la société de masse, on légalisera donc, pour le rassurer, le statut d'ancienne victime.

Mais une telle confusion est néfaste ; et c'est cette politique volontariste qui peut être changée. On n'empêchera jamais l'individu de préférer se retrouver avec des gens semblables plutôt qu'avec des étrangers ; mais on peut exiger que cette préférence se limite à la vie privée et n'acquière jamais un statut administratif ou légal. Les élites gouvernantes, depuis le directeur d'une agence pour l'adoption jusqu'au président des États-Unis, peuvent influencer l'évolution de la vie publique ; ils en seront donc tenus pour responsables – pour le meilleur et pour le pire.

Tzvetan Todorov

Individus et communautés :
les deux pluralismes

Michael Walzer*

DEUX PUISSANTES FORCES CENTRIFUGES sont à l'œuvre aux États-Unis aujourd'hui. La première détache de ce qu'on peut considérer comme notre noyau commun des groupes de population, retenus par des liens lâches ; la seconde disperse les individus. Ces deux mouvements de décentrement et de séparation sont critiqués : le premier parce qu'il est motivé par un chauvinisme étroit et le second parce qu'il est tout simplement égoïste. Les groupes indépendants apparaissent aux yeux de ceux qui les critiquent comme des tribus intolérantes et hermétiques et les individus indépendants comme des égotistes déracinés et solitaires. Aucun de ces deux points de vue n'est entièrement faux, aucun n'est vraiment juste. Il faut considérer ensemble les deux mouvements dans le contexte de politique démocratique qui ouvre un large espace aux forces centrifuges. Envisagée dans ce contexte, chaque force me semble le contrepoids de l'autre.

La première de ces forces est l'affirmation de plus en plus véhémente des différences de groupe. C'est cette affirmation qui est nouvelle, de toute évidence, puisque la différence elle-même – sous la forme du pluralisme ou même du multiculturalisme – a été une caractéristique de la vie américaine depuis ses débuts. John Jay, dans un numéro des *Federalist papers*, décrit les Américains comme un peuple « qui descend des mêmes ancêtres, parle la même langue, professe la même

* Ce texte est repris du numéro de printemps 1994 de la revue américaine *Dissent*. Michael Walzer a publié notamment dans *Esprit* : « La justice dans les institutions », mars-avril 1992 ; « Le nouveau tribalisme », novembre 1992 ; « Les deux universalismes », décembre 1992.

religion, qui est attaché aux mêmes principes de gouvernement, qui est très homogène dans ses mœurs et ses coutumes. »

Ces lignes étaient déjà fort inexactes au moment où Jay les a écrites en 1780 ; elles furent de plus démenties au cours du XIXᵉ siècle. L'immigration de masse a transformé les États-Unis en un pays fait d'origines, de langues, de religions, de mœurs et de coutumes très différentes. Les principes de gouvernement sont notre seule référence stable et commune. La démocratie fixe les limites et établit les règles fondamentales du pluralisme américain.

Deux comparaisons peuvent nous aider à comprendre le caractère exceptionnel de ce pluralisme. Considérons, en premier lieu, l'homogénéité (relative) de pays comme la France, la Hollande, la Norvège, l'Allemagne, le Japon ou la Chine dans lesquels, malgré l'existence de différences régionales, la grande majorité des citoyens partage une seule identité ethnique et célèbre une histoire commune. Puis observons, en second lieu, l'hétérogénéité des anciens empires multinationaux (dont l'Union soviétique était le dernier exemple) et d'États comme l'ex-Yougoslavie, l'ancien empire d'Éthiopie, la nouvelle Russie, le Nigéria, l'Irak, l'Inde et ainsi de suite, où un grand nombre de minorités ethniques et religieuses revendiquent la restitution de leur patrie (même si les frontières en sont toujours contestées). Les États-Unis diffèrent de ces deux types de pays : ils ne sont pas homogènes, ni au niveau national, ni au niveau local ; ils sont partout hétérogènes : c'est un pays fait de diversités dispersées, qui n'est (sauf pour les survivants des Indiens d'Amérique) la patrie de personne. Bien sûr, il existe des situations locales de ségrégation, volontaire ou involontaire ; il existe des quartiers ethniques et des zones appelées, de façon inexacte mais évocatrice, « ghettos ». Mais aucun de nos groupes, malgré l'exception limitée et temporaire des Mormons dans l'Utah, n'a jamais concrétisé quoi que ce soit qui ressemble à une domination locale stable. Il n'existe pas de Slovénie ni de Québec ni de Kurdistan américains. Même dans l'environnement le plus protégé, nous faisons tous l'expérience de la différence chaque jour.

Et pourtant la revendication fervente et massive de la différence est un phénomène récent. Une longue histoire d'injustices, de subordination et de peur a interdit toute affirmation publique de « mœurs et de coutumes » minoritaires et a servi ainsi à dissimuler le caractère radical du pluralisme américain. Soyons très clairs à propos de cette histoire. Si on la considère à ses extrêmes, elle fut très brutale, ainsi qu'en témoignent les Indiens et les esclaves noirs ; en son centre, si on prend en compte la religion ou l'ethnicité plutôt que la race, elle fut relativement clémente. Cette société d'émigrants a accueilli les nouveaux immigrants ou, du moins, a trouvé de la place pour eux en manifestant peu de répugnance et de résistance par rapport à ce qui s'observe ailleurs. Toutes nos minorités ont appris la tranquillité : la discrétion fut la particularité des minorités jusqu'à récemment. Je me souviens, par exemple, que dans les années 1930 et 1940, tout signe d'affirmation de la communauté juive – y compris l'apparition de « trop » de noms juifs parmi les démocrates du *New Deal* ou parmi les intellectuels socialistes ou communistes – était accueilli avec un frisson dans la communauté. Les anciens de la communauté préconisaient de ne pas faire de bruit, de ne pas attirer l'attention, de ne pas se mettre en avant, de ne rien dire qui puisse être pris comme une provocation. Ils se considéraient comme des invités dans ce pays bien après l'acquisition de leur citoyenneté.

Dangereuse fragilité de la vie associative

Aujourd'hui tout cela appartient à l'histoire. Les États-Unis des années 1990 sont sur le plan social, bien que ce ne soit pas vrai sur le plan économique (et le contraste est particulièrement frappant après les années Reagan), un pays plus égalitaire qu'il y a cinquante ou soixante ans. Personne ne nous impose plus le silence ; personne n'est plus intimidé. Les anciennes identités raciales et religieuses ont pris une plus grande place dans notre vie publique ; la différence sexuelle s'est ajoutée au mélange ; enfin l'actuelle vague d'immigration qui vient d'Asie et d'Amérique latine crée de nouvelles différences entre citoyens américains et citoyens potentiels. Toutes ces différences sont revendiquées en permanence. Les voix sont toutes fortes, les intonations sont variées et le résultat n'est pas une musique harmonieuse – contrairement à l'ancienne image du pluralisme comme symphonie dans laquelle chaque groupe joue sa partie (mais qui a écrit la musique ?) – mais une cacophonie. Cela ressemble à la dissidence des protestants dans les premières années de la Réforme : il existe de nombreuses sectes divisées en groupes et en sous-groupes, de nombreux prophètes ou apprentis prophètes, et tous parlent en même temps.

Pour répondre à cette cacophonie, un autre groupe de prophètes, des intellectuels libéraux ou néoconservateurs, universalistes ou journalistes, se tordent les mains en jurant que le pays s'effondre, que notre multiculturalisme revendiqué avec fracas est une source dangereuse de division, que nous avons grandement besoin de réaffirmer l'hégémonie d'une culture unique. Curieusement cette culture prétendument nécessaire et nécessairement singulière est souvent décrite comme la grande culture, comme si c'était notre fréquentation commune de Shakespeare, Dickens et Joyce qui avait fait notre cohésion jusqu'à présent. Au contraire, la grande culture nous divise comme elle l'a toujours fait et comme elle le fera sans doute toujours dans tout pays où existe un fort courant égalitaire et populiste. La politique démocratique me paraît un recours plus fiable que quelque canon littéraire ou philosophique. La question pour nous est d'utiliser ce recours avec profit.

Mais en réalité, n'y avons-nous pas déjà recours, puisque les conflits multiculturels prennent place dans l'arène démocratique et requièrent des antagonistes toute une série de qualités et de comportements démocratiques ? Quand on étudie l'histoire des associations ethniques, raciales ou religieuses aux États-Unis, on voit qu'elles ont servi sans cesse de catalyseurs de l'intégration personnelle et collective, malgré les conflits politiques qu'elles créaient ou peut-être grâce à eux. Même si l'objectif de la vie associative est de préserver la différence, cet objectif doit être atteint *ici*, dans un contexte américain, et le résultat est en général une nouvelle sorte de différenciation inattendue : différenciation des catholiques et des juifs américains par exemple, non les uns par rapport aux autres ni par rapport à la majorité protestante mais par rapport aux juifs et aux catholiques des autres pays. Les groupes minoritaires s'adaptent à la culture politique locale. Et si leur but premier est leur préservation, la tolérance, les droits civils et une place au soleil, le meilleur résultat est évidemment leur américanisation, quelles que soient les particularités défendues au départ. Cela ne signifie pas que les différences sont calmement défendues – le calme ne fait pas partie de nos conventions politiques. Devenir américain signifie apprendre à ne pas rester calme. Les victoires obtenues par un groupe ne sont pas toujours compatibles avec celles de tous les autres – ni de chacun d'entre eux. Les conflits sont donc réels et même une victoire de l'un d'entre eux sur une petite échelle peut être menaçante à une plus grande échelle.

Les plus grandes difficultés, néanmoins, viennent des situations d'échec et particulièrement d'échec répété. C'est la faiblesse de la vie associative, les anxiétés et les ressentiments qu'elle engendre, qui séparent dangereusement les individus. Les groupes les plus bruyants de la cacophonie contemporaine et les groupes qui présentent les exigences les plus radicales sont aussi les plus fragiles. Dans les villes américaines aujourd'hui, les pauvres, pour la plupart membres de groupes minoritaires, éprouvent des difficultés à travailler ensemble de façon cohérente. L'assistance mutuelle et la préservation culturelle sont proclamées à grand cri mais mises en pratique de façon inefficace. Les pauvres aujourd'hui n'ont aucune institution dont la base soit suffisamment solide pour concentrer leurs énergies ou encadrer leurs membres les plus réfractaires. Ils sont socialement exposés et vulnérables. Voilà la caractéristique la plus déprimante de notre situation : le grand nombre de femmes et d'hommes désorganisés, impuissants et démoralisés dont la parole est confisquée et exploitée par un nombre croissant de démagogues charismatiques embouchant leurs trompettes de fer blanc sur des thèmes raciaux ou religieux.

La faiblesse est la caractéristique générale de la vie associative dans notre pays aujourd'hui. Syndicats, églises, groupes d'intérêts, organisations ethniques, partis politiques, sectes, associations locales de philanthropie, clubs de voisinage, coopératives, communautés religieuses : les associations aux États-Unis sont, par bonheur, innombrables. La plupart d'entre elles pourtant sont établies de façon précaire, chichement dotées et toujours au bord de la disparition. Elles ont moins d'influence et de pouvoir qu'avant. Je n'ai aucune statistique à citer mais je soupçonne que le nombre d'Américains qui sont inorganisés, inactifs et sans défense augmente. Pourquoi en va-t-il ainsi ?

Ambivalence de l'individualisme

La réponse à cette question n'est pas étrangère à la seconde force centrifuge à l'œuvre dans la société américaine contemporaine. Ce pays est non seulement fait d'une pluralité de groupes mais aussi d'une pluralité d'individus. C'est peut-être la plus individualiste des sociétés humaines. Comparés à n'importe quel homme d'un pays du vieux continent, nous sommes tous radicalement émancipés. Nous sommes libres de déterminer notre propre route, d'organiser nos propres vies, de choisir une carrière, un partenaire (ou une série de partenaires), une religion (ou aucune religion), une politique (ou un refus de politique), un style de vie – nous sommes libres de « nous occuper de nos affaires ».

La liberté individuelle est certainement une des réussites extraordinaires de la modernité célébrée aux États-Unis. La défense de cette liberté contre les puritains et les sectaires est un thème persistant de la vie politique américaine, elle fut même l'occasion de ses moments les plus enthousiasmants. La célébration de cette liberté, du développement individuel et de la créativité qu'elle permet, est un thème central de notre littérature.

Néanmoins, la liberté individuelle n'est pas un plaisir sans mélange. Nous n'avons pas, pour une bonne part d'entre nous, les moyens ni la capacité de « nous occuper de nos affaires » ou même de trouver les affaires dont nous voulons nous occuper. Le gain de pouvoir est, à de rares exceptions près, une réalisation familiale, communautaire ou de classe et non individuelle. Les ressources sont accumulées génération après génération, en commun. Sans ressources, les individus sont soumis à la pression des désordres économiques, des catastrophes naturelles, des erreurs de gouvernement et des aléas personnels. Ils ne peuvent pas compter sur un soutien communautaire ferme ou significatif. Ils sont souvent en rupture avec leur famille, leur classe sociale et leur communauté, ils cherchent une nouvelle vie dans ce nouveau monde. S'ils réussissent leur émancipation, ils ne se retournent jamais, mais s'ils ont besoin de regarder en arrière, ils se rendront probablement compte que ceux qu'ils ont laissés derrière eux ne sont pas capables de se prendre en charge.

Considérons un instant les groupes culturels (ethniques, raciaux et religieux) qui forment notre tonitruant multiculturalisme, facteur de divisions. Toutes ces associations reposent sur des volontaires et sont constituées d'un noyau de militants et de bénévoles ainsi que d'un cercle de femmes et d'hommes plus passifs – qui sont, dans les faits, les pique-assiette de la vie culturelle, profitant d'une identité pour laquelle ils ne donnent en contrepartie ni argent, ni temps, ni énergie. Quand ces personnes sont dans une passe difficile, elles cherchent de l'aide auprès de leurs semblables. Mais cette aide est incertaine, car ces identités sont pour la plupart imméritées et sans profondeur. Les individus déracinés ne sont pas des recrues fiables pour les associations. Nos groupes culturels ne sont pas délimités par des frontières et ne sont évidemment pas surveillés par une douane culturelle. Les individus sont libres d'y participer ou non, selon leur désir, d'aller et de venir, de claquer la porte ou simplement de s'évanouir progressivement dans un écart de plus en plus excentré. Cette liberté, répétons-le, est un avantage de la société individualiste ; pourtant elle ne permet pas d'organiser des associations caractérisées par la cohésion et la force. Au bout du compte, je ne suis pas même sûr qu'elle aide au développement d'individus résistants et confiants.

Le taux de désengagement des associations et des identités culturelles au profit de la recherche personnelle de bonheur (ou au profit d'un effort acharné pour la survie économique) est si élevé de nos jours que les groupes culturels s'inquiètent en permanence de la façon de retenir leurs membres périphériques et de garantir leur propre avenir. On collecte des fonds sans arrêt, on recrute, on fait des pieds et des mains pour avoir des animateurs, des réseaux, des adhésions, en prêchant contre les dangers de l'assimilation, des mariages mixtes, le papillonnage et la passivité. Ne disposant d'aucun

moyen de pression et peu confiantes dans leur capacité de persua-
sion, les associations exigent des programmes gouvernementaux (des
droits particuliers, des systèmes de quotas) qui les aideront à maintenir leur influence sur leurs propres membres. De leur point de
vue, la véritable alternative au multiculturalisme n'est pas une identité américaine vigoureuse et indépendante mais un individualisme
creux dont le contenu est livré au hasard : une grande dérive d'é-
paves humaines, privées de tout sol fécond.

Cela, il faut le redire, est un point de vue partiel, mais il n'est
pas pour autant faux. Le conflit aigu aujourd'hui dans la vie américaine n'oppose pas le multiculturalisme à quelque hégémonie ou singularité que ce soit, ni le pluralisme à l'unité, ni le multiple à l'un,
mais la multitude des groupes à la multitude des individus, les
communautés aux personnes privées. Dans ce conflit, nous ne pouvons pas prendre d'autre parti que d'affirmer la légitimité des deux
antagonistes. Ces deux pluralismes font des États-Unis ce qu'ils sont
(ou ce qu'ils sont parfois) et donnent le modèle de ce qu'ils devraient
être. Pris ensemble, mais uniquement ensemble, ils sont parfaitement
compatibles avec une citoyenneté démocratique commune.

Individus indépendants, indifférents, isolés, fragilisés

Considérons maintenant les individus de plus en plus dissociés
les uns des autres de la société américaine aujourd'hui. Il est certain
que nous devrions nous inquiéter des processus par lesquels la dissociation se produit, même si, pour certains d'entre eux, ils accompa-
gnent aussi l'émancipation. Les conséquences de cette dissociation
sont connues : taux croissant des divorces, nombre grandissant de
personnes seules, déclin des engagements (dans les syndicats et les
églises par exemple), déclin sur la longue durée de la participation
électorale et de l'intérêt pour les partis politiques (particulièrement
grave lors des élections locales), grande mobilité géographique (qui
sape les solidarités de voisinage), apparition soudaine des sans-logis,
vague grandissante de violence aveugle.

Ajoutez à ces phénomènes l'apparente stabilisation du chômage et
du sous-emploi à des niveaux relativement élevés, particulièrement
chez les jeunes, qui intensifie tous ces processus et aggrave leurs effets
sur des groupes déjà fragilisés. Le chômage affaiblit les liens familiaux,
coupe les individus des groupes d'intérêts et des syndicats, assèche
les ressources communautaires, conduit à l'aliénation ou au désengagement politique, accroît finalement la criminalité.

Je suis enclin à considérer que ces processus sont plus inquiétants
que la cacophonie du multiculturalisme, ne serait-ce que parce que,
dans une société démocratique, l'action en commun est préférable au

désengagement et à la solitude, le tumulte à la passivité, les objectifs communs (même quand nous ne les approuvons pas) à l'indifférence. De plus, il est probable que beaucoup de ces individus dissociés sont disponibles pour des mobilisations politiques douteuses que les démocraties devraient éviter. Des auteurs, bien sûr, prétendent aujourd'hui que le multiculturalisme est lui-même le produit de ce type de mobilisation : la société américaine à leurs yeux est au bord non seulement de la dissolution mais d'une guerre civile à la bosniaque. En fait, nous n'avons eu (jusqu'à présent) que des annonces de politiques ouvertement racistes et chauvines. Nous sommes au point où nous pouvons encore avec profit utiliser le pluralisme des groupes pour soutenir le pluralisme des individus dissociés les uns des autres.

Les individus sont plus résistants, plus confiants, plus sensés quand ils participent à la vie commune, quand ils sont responsables des autres et vis-à-vis d'eux. Bien entendu, cela ne vaut pas pour toute sorte de « vie commune » : je ne fais pas l'apologie des cultes religieux ni des sectes politiques (bien que ceux qui sont passés par ce genre de groupes sortent souvent renforcés de cette expérience, préparés à une communauté plus modeste). C'est seulement au sein d'activités associatives que les individus apprennent à délibérer, à argumenter, à prendre des décisions et des responsabilités. C'est un argument classique, utilisé déjà par les communautés protestantes – qui ont servi, comme on le sait, d'écoles de la démocratie dans l'Angleterre du XIXe siècle, malgré les liens exclusifs qu'elles ont créés entre elles et leurs doutes, si souvent répétés, sur la possibilité d'un salut pour les non-croyants. Les individus étaient bel et bien sauvés par l'appartenance communautaire : sauvés de l'isolement, de la solitude, du sentiment d'infériorité, de l'inaction, de l'incompétence, du vide moral, ils devenaient des citoyens utiles. Mais il est également vrai que l'Angleterre fut sauvée de l'hégémonie protestante par le puissant individualisme de ces mêmes citoyens utiles ; c'était justement une grande part de leur utilité.

Pour un renouveau de la vie associative

C'est pourquoi nous avons besoin de renforcer les liens associatifs même s'ils ne mettent en relation qu'une partie d'entre nous avec quelques-uns et non chacun avec tous. Il y a bien des voies pour y parvenir. La première et la plus importante, me semble-t-il, sont les politiques gouvernementales qui créent des emplois, qui promeuvent et soutiennent la syndicalisation sur les lieux de travail. En effet, le chômage est probablement la forme de dissociation la plus dangereuse et les syndicats ne sont pas seulement des lieux d'expérimentation de la politique démocratique mais aussi des instruments de la démocratie économique. Presque aussi importants sont les projets qui renforcent la vie de famille, non pas seulement dans ses formes convenues mais aussi dans ses formes non conventionnelles – toutes celles qui permettent des relations stables et des réseaux de soutien.

Mais je veux mettre l'accent sur les associations culturelles, puisque ce sont elles qu'on juge menaçantes aujourd'hui. Nous avons besoin de plus d'associations de ce genre, qu'elles soient plus puissantes et plus soudées et, enfin, qu'elles prennent plus de responsabilités. Voyez, par exemple, le dispositif des projets fédéraux en cours (subventions et autorisations) qui aident les communautés religieuses à gérer leurs propres hôpitaux, hospices, écoles, centres de soin et services familiaux. Ce sont des sociétés de services sociaux dans un État-providence américain décentralisé et, jusqu'à présent, inachevé. Les impôts sont utilisés pour aider les groupes caritatifs, de façon à renforcer les modèles d'assistance mutuelle qui apparaissent spontanément dans la société civile. Mais ces modèles ont grand besoin d'être étendus, puisque l'action de ces organismes est pour le moment foncièrement inégalitaire, et d'autres groupes doivent être associés à ces mécanismes de solidarité : des groupes raciaux et ethniques aussi bien que des groupes religieux (et, pourquoi pas, des syndicats, des coopératives et des corporations également).

Nous avons besoin de trouver d'autres projets de ce genre, par lesquels le gouvernement agit de façon indirecte pour aider des citoyens à influencer directement les communautés locales : des écoles conçues et gérées en commun par des professeurs et des parents, des locations autogérées et des rachats en coopérative de logements sociaux, des expérimentations dans la propriété ouvrière et le contrôle des entreprises et des usines, des initiatives locales de construction, des projets de prévention de la délinquance, etc. Des projets de ce genre créeront ou renforceront souvent les communautés locales, même s'ils risquent de créer des conflits pour le contrôle de l'espace public et les fonctions institutionnelles. Mais ils augmenteront également l'espace disponible ainsi que le nombre de fonctions à partager et, par conséquent, les occasions de participation individuelle. Quand ils prennent conscience de leur efficacité, les individus qui s'engagent dans la vie publique sont notre meilleure protection contre l'esprit de clocher des groupes dont ils font partie.

Les femmes et les hommes engagés dans la vie publique ont tendance à l'être complètement : ils sont actifs dans plusieurs associations à la fois, locales et nationales. C'est une des observations les plus courantes des sociologues (et une des plus surprenantes : où ces gens trouvent-ils le temps ?) Elle aide à expliquer pourquoi l'engagement travaille, dans une société pluraliste, à saper les prises de position et les idéologies racistes ou chauvines. Les mêmes personnes se retrouvent dans les réunions syndicales, dans les projets de quartier, dans les démarchages électoraux, dans les conseils paroissiaux et, à coup sûr, dans l'isoloir les jours d'élection. Elles sont, pour la plupart, cultivées, convaincues, adroites, confiantes et fermes dans leurs engagements. C'est un mystérieux mélange de responsabilité, d'ambition et d'envie de se mêler de tout qui les porte d'une réunion à l'autre. Tout le monde se plaint (je veux dire que tous ceux-là se plaignent) qu'ils soient si peu nombreux. Existe-t-il une fatalité de la vie sociale qui ferait qu'une croissance du nombre des associations pèserait d'un poids nouveau sur une couche toujours plus mince de personnes engagées ? Je soupçonne que les théoriciens de la demande ont des choses à dire sur ce « capital humain ». Multipliez les demandes de personnes compétentes, et ces personnes se manifesteront. Multipliez les occasions d'actions collectives, et des militants apparaîtront pour saisir ces occasions. Certains d'entre eux, à coup sûr, seront étroits d'esprit et sectaires, mais plus leur nombre sera élevé et plus variées seront les activités, moins l'étroitesse d'esprit et le sectarisme seront susceptibles de dominer.

Communautariens et libéraux

Les sons discordants que nous entendons sont la caractéristique de ce que nous définirons peut-être un jour comme le *premier* multiculturalisme. C'est particulièrement évident parmi les groupes les plus récents, les plus faibles et les moins organisés. C'est le résultat d'une époque dans laquelle l'égalité sociale prédomine sur l'égalité économique. Des organisations plus fortes, capables de collecter des fonds et d'offrir de réels avantages à ses membres, déplaceront ces groupes, par degrés, vers une politique qui les intègre démocratiquement. La force motrice sera créée par les membres actifs, socialisés par leur activité. Souvenons-nous que la situation s'est déjà présentée dans des conflits de classes et des conflits ethniques. Quand les groupes se renforcent, leur noyau arrime la périphérie et la transforme en vivier politique. De même les militants syndicaux commencent par le piquet et le comité de grève puis s'intéressent au comité d'établissement de l'école et au conseil municipal. Les militants engagés auprès d'une église ou d'un groupe ethnique commencent par défendre les intérêts de leur communauté d'origine, puis participent à des coalitions politiques dans lesquelles ils se battent pour une composition équilibrée de la liste des candidats et parlent, pour finir, du bien commun. La cohésion d'un groupe dynamise ses membres ; l'ambition et la mobilité des membres dynamiques libéralise le groupe.

De tels résultats ne peuvent survenir par hasard. Peut-être n'apparaîtront-ils pas du tout. Tout est plus difficile maintenant : les familles, les classes sociales et les communautés présentent une moins grande cohésion qu'auparavant, les autorités locales et les philanthropes disposent de ressources moins importantes, le monde urbain de la délinquance et de la drogue est plus inquiétant, un plus grand nombre d'individus semblent partir à la dérive.

Il y a de plus une difficulté supplémentaire à affronter. Dans le passé, les groupes organisés ne sont parvenus à rejoindre le courant dominant de la vie américaine qu'en abandonnant d'autres groupes (ou les plus faibles de leurs membres) derrière eux. Ceux qui étaient abandonnés acceptaient leur sort ou, du moins, ne parvenaient pas à attirer l'attention sur eux. Aujourd'hui, comme j'ai essayé de le montrer, le degré de résignation est beaucoup plus bas, et si une grande partie du vacarme qui en résulte est incohérent et stérile, il sert néanmoins à nous rappeler qu'il existe un enjeu social plus large que notre propre succès. Le multiculturalisme comme idéologie n'est pas seulement le produit de l'égalité *économique et sociale*, c'est aussi un programme en faveur de cette dernière.

Si nous voulons que le renforcement de la communauté et de l'individualisme fonctionne de façon effective pour chacun, alors nous devons agir au niveau politique pour les rendre effectifs. Cela requiert un cadre et un arrière-plan qui ne peuvent être fournis que par l'action de l'État. La vie de groupe ne sauvera pas les individus de la dissociation et de la passivité, à moins qu'existe une stratégie politique de mobilisation, d'organisation et, au besoin, de subvention raisonnée des groupes. Les individus dynamiques ne diversifieront leurs engagements et leurs ambitions que si de nouvelles occasions s'offrent à eux : métiers, fonctions, responsabilités. Les forces centrifuges des cultures particulières et de l'individualisme ne se corrigeront mutuellement que si la possibilité d'une correction est prévue. Il faut se donner comme objectif un équilibre des deux forces, ce qui signifie que nous ne pouvons pas être des défenseurs inconditionnels du multiculturalisme ou de l'individualisme : nous ne pouvons pas être simplement communautariens ou libéraux mais parfois l'un parfois l'autre, selon ce que réclame l'équilibre. Il me semble que le meilleur nom pour désigner cette balance, cette conviction politique qui défend les structures de la vie sociale et soutient les formes nécessaires d'intervention de l'État, à la fois pour les individus et pour les groupes, est la démocratie sociale. Si le multiculturalisme aujourd'hui crée plus de troubles que d'espoirs, une raison en est précisément la faiblesse de cette démocratie sociale. Mais cela est une autre histoire.

Michael Walzer
traduit de l'anglais par Marc-Olivier Padis

Identités en évolution :
individu, famille, communauté
aux États-Unis

Michel Feher*

De l'américanisation

PRÉSENTÉE sur le mode de la menace ou, plus rarement, du bain de jouvence, l'« américanisation » de la société française constitue un thème aussi répandu que mobilisateur, tant pour ceux qui s'en réjouissent que pour les défenseurs les plus farouches de l'« exception culturelle ». Mais surtout, tout le monde semble s'entendre sur ce que cette expression signifie, alors qu'à regarder d'un peu plus près, on constate rapidement que ce devenir américain, à conjurer ou à assumer, vise des phénomènes de natures très différentes, voire des tendances peu compatibles entre elles.

L'acception la plus fréquente du spectre de l'américanisation demeure incontestablement l'individualisation sans entrave qui caractériserait la société américaine, c'est-à-dire le capitalisme sauvage ou au contraire le libéralisme salvateur, qui figure à l'horizon de toutes les déréglementations et du démantèlement de l'État-providence. Si ce règne de l'entrepreneur triomphant inspire des sentiments contrastés, entre la dénonciation d'un « univers impitoyable » et la promesse d'une société enfin capable de former des « gagnants », il est une deuxième spécialité culturelle attribuée aux États-Unis qui, quant à elle, fait unanimement frémir les Français lorsqu'ils

---

* Directeur de la revue *Zone*, New York.

envisagent son importation. Il s'agit du célèbre « puritanisme » américain qui, non content de lester la vie des couples mariés d'impératifs moraux et de références religieuses, se délecte en outre d'un climat d'inquisition larvée, où la vie privée des hommes et des femmes publics importe davantage que leur compétence professionnelle. Dans une telle atmosphère, les secrets d'alcôve et autres tourments intimes des divers candidats à la reconnaissance collective, qu'il s'agisse de sportifs, d'artistes ou de politiciens, se retrouvent à la fois complaisamment étalés dans les médias, et légitimement soumis au jugement de la foule. Enfin, apparu plus récemment mais particulièrement en vogue, un troisième danger d'américanisation est soulevé par un grand nombre d'intellectuels français, qui expriment par là leur souci de préserver la tradition républicaine et laïque de la France. Ce nouveau péril, habituellement associé à la désormais populaire expression *politically correct* – utilisée en version originale – concerne les effets délétères des revendications identitaires qui, aux États-Unis, mobilisent les femmes et les minorités. Plus précisément, les organisations féministes, noires, ou homosexuelles, dont l'influence serait prépondérante dans les tribunaux comme sur les campus universitaires, se voient accusées de promouvoir un droit à la différence sectaire et relativiste, au détriment d'une politique d'intégration fondée sur l'indifférence au sexe, à l'origine ethnique et à la couleur de peau.

Quelle que soit la pertinence de chacun de ces diagnostics, il faut bien admettre que leur convergence s'avère rien moins qu'évidente. En effet, à les additionner simplement, on devrait conclure que l'américanisation qui menace de gagner la société française relève simultanément de l'individualisme effréné, du familialisme autoritaire, et du communautarisme fervent. Cela ne signifie pas que ces trois sensibilités ne pèsent d'aucun poids sur la société américaine, loin de là. Toutefois, leur articulation présente suffisamment de difficultés, tant aux acteurs sociaux qui s'y essaient qu'aux observateurs de l'Amérique contemporaine, pour que ceux-ci s'étonnent de voir logés à la même enseigne les cultes concurrents de la liberté individuelle, des valeurs familiales, et de la solidarité communautaire. Dès lors, et pour autant que la curiosité à l'égard des États-Unis ne se limite pas à la recherche d'un modèle exemplaire ou d'un repoussoir absolu, c'est au contraire cette rivalité entre trois modes d'identification qu'il faut interroger : rivalité entre les prétentions respectives de l'individu autonome, de la famille nucléaire et de la communauté définie par le genre, masculin ou féminin, ou par l'appartenance à une minorité. Plus précisément, si l'on veut tenter de cerner les évolutions récentes de l'identité américaine, ou tout au moins des politiques de l'identité aux États-Unis, il s'agit d'examiner les tensions qui parcourent chacune de ces trois instances, et notamment du fait de la pression exercée par les deux autres.

De la famille

Si de nombreux commentateurs s'accordent pour dénoncer l'état critique de la cellule familiale aux États-Unis, les analyses consacrées à cette crise permettent de dégager deux tendances contradictoires. La première renvoie au débat sur les « valeurs familiales », dont George Bush et son équipe ont vainement tenté de tirer parti, lors de l'élection présidentielle de 1992. Selon les thèses de la droite religieuse, épousées pour l'occasion par le candidat républicain, la famille nucléaire traditionnelle, qui constitue l'indispensable ciment de la société américaine, serait aujourd'hui menacée par la banalisation des « styles de vie alternatifs » : soit, en particulier, par la prolifération des mères célibataires et la visibilité croissante des couples homosexuels. Plus profondément, la rhétorique conservatrice n'hésite pas à présenter la crise de la structure familiale – en particulier au sein de la communauté noire – comme la cause principale de la violence et de la misère urbaines. Or si George Bush n'a pas réussi à imposer les « valeurs familiales » comme thème électoral porteur, ce n'est certes pas parce que le candidat Clinton a nié l'importance de ces mêmes valeurs. Au contraire, l'actuel président est parvenu à les reprendre à son compte de manière plus convaincante que son adversaire, en insistant davantage sur les sentiments d'affection et de solidarité qui constituent une famille que sur sa composition « traditionnelle » : c'est-à-dire deux parents de sexe opposé, et auteurs d'une progéniture née dans les liens du mariage.

Au cours de la campagne présidentielle de 1992, le candidat démocrate a en effet affirmé que les valeurs familiales s'expriment avant tout dans l'amour inconditionnel qui unit au moins un enfant et un parent, quel que soit le sexe ou l'orientation sexuelle de ce dernier. En tenant de tels propos, Clinton ne se souciait pas tant d'accorder une légitimité aux « styles de vie alternatifs » vilipendés par la droite religieuse, que de célébrer une aspiration universelle aux bienfaits de la vie de famille, et par conséquent d'inviter de nouvelles combinaisons d'individus à y accéder. Les « nouveaux démocrates », dont le président se veut le chef de file, s'écartent donc sensiblement de la position habituelle de leur parti, dans la mesure où ils cessent d'insister sur le droit des gens à vivre comme ils l'entendent, ou encore sur la responsabilité politique des administrations républicaines dans le délabrement du tissu social. Principalement déterminés à rassurer les classes moyennes, ils s'appliquent plutôt à convaincre celles-ci de la pérennité et de la transcendance de « leurs » valeurs familiales, en arguant que « même » les homosexuels et les parents célibataires ne demandent au fond qu'à y adhérer. Une fois parvenu à la présidence, Bill Clinton a maintenu cette approche, mais non sans infléchir progressivement son discours dans une direction de plus en plus conservatrice. Adoptant presque sans réserve l'équation, chère aux républicains, entre l'érosion de la structure familiale et l'accroissement de la délinquance, il amende considérablement son souci de diffusion des valeurs familiales en précisant que la famille traditionnelle doit demeurer le lieu privilégié de leur épanouissement.

Cependant, au moment précis où la vie de famille et le bonheur qu'elle promet sont censés faire de nouveaux adeptes, et par là même apaiser les craintes des anciens, les fameuses classes moyennes sont également gagnées par un second type de discours, lui aussi consacré à la famille nucléaire, mais qui envisage celle-ci comme le foyer principal de tous les maux dont souffrent la société et ses membres. Ce diagnostic est l'œuvre d'une vaste constellation de psychologues, de travailleurs sociaux et d'autodidactes *New Age*, qui connaissent un succès extraordinaire en avançant que le motif majeur de l'angoisse, du désarroi et surtout du manque d'estime de soi qui affectent la plupart des individus, réside dans la violence physique ou mentale qu'ils ont subie dans leur enfance, et qui prend souvent la forme d'abus sexuels commis par leurs propres parents.

Relayés par un air du temps réceptif à leur vocabulaire, les promoteurs de ce nouveau paradigme psychologique s'appuient sur un nombre croissant d'accusations d'inceste et de violence domestique récemment portées devant les tribunaux. Grâce à l'émotion que ces procès, souvent très médiatisés, suscitent dans l'opinion, ils s'emploient à en extraire une thématique de la blessure secrète, qui réhabilite, en la généralisant, la théorie de la séduction abandonnée par Freud. Leurs présupposés s'écartent en effet résolument de la tendance psychanalytique à traiter les soupçons d'inceste et d'agression parentale en fantasmes, et invitent au contraire leurs patients à se souvenir des très réels abus qui ont marqué leurs jeunes années : car c'est bien du déni dont ces sévices ont ensuite fait l'objet que procèdent tous les malaises et les échecs de l'âge adulte. Au fond de chacun de nous, expliquent encore ces thérapeutes, gît toujours un être pur et innocent – *inner child* – qu'un environnement familial abusif a enseveli, et qu'il s'agit désormais de ranimer et de chérir. Autrement dit, il nous faut devenir le bon parent qui nous a tant manqué, afin de permettre à l'enfant blessé qui nous hante de s'épanouir. Pour parvenir à ce résultat, nous devons commencer par nous défaire de toutes les dépendances auxquelles nous avons consenti pour oublier les traumatismes de l'enfance : drogue, alcool mais aussi sexe, nourriture, travail, sans oublier les penchants de nos éventuels conjoints, qui nous plongent dans la « co-dépendance ». Une fois ces écrans pathogènes dissipés, nous pourrons enfin reconnaître l'hydre monstrueuse qui est responsable de notre calvaire : à savoir, la famille infanticide ou, tout au moins, *dysfonctionnelle*, puisque tel est le terme employé par ses détracteurs, dont les Américains de toute condition sont également victimes.

Cette mise en cause de la famille américaine procède d'abord d'une revendication de l'individu, puisque celui-ci est incité à se libérer de son enfance en apprenant à s'estimer et à s'occuper davantage de lui-même. Mais elle débouche aussi sur une réévaluation de l'expérience collective, au sein d'une communauté soudée par le partage d'une même souffrance. Car le procès intenté à la famille nucléaire « dysfonctionnelle » est avant tout instruit au sein de « groupes de soutien » – *support groups* – où se pratique une thérapie fondée sur les techniques des Alcooliques anonymes, et qui réunit donc des gens affligés d'une même « dépendance » pathologique. Celle-ci peut-être directe – alcoolisme, toxicomanie, boulimie... – ou indirecte – enfants d'alcooliques, conjoints de toxicomanes... – mais de toute manière, elle cache et révèle des abus subis dans la prime enfance. Dans ces conditions, un groupe de soutien a pour fonction de délivrer ses membres des deux familles défectueuses qui les minent, puisqu'il doit à la fois réparer les dommages causés par la cellule familiale dont ses adhérents sont issus, et pallier le dysfonctionnement que ces traumatismes déniés ont nécessairement apporté dans les foyers qu'ils ont eux-mêmes formés. Autrement dit, loin que la chaleur et le réconfort offerts par la vie de famille permettent aux individus de fonctionner en société, comme le voudraient les défenseurs progressistes et conservateurs des valeurs familiales, ce sont bien au contraire l'entraide et la lucidité apportées par leur groupe de soutien qui donnent aux gens les moyens de vivre socialement, en cicatrisant les blessures infligées par la structure familiale. Dès lors, chaque groupe de soutien tend à se constituer en authentique concurrent de la famille nucléaire, dans la mesure où il procure la solidarité, la confiance et les capacités de régénérescence que sa rivale promet mais n'offre pas.

On le constate, le « familialisme » si volontiers imputé à la puritaine Amérique se trouve dans une situation pour le moins paradoxale. D'une part, les « nouveaux démocrates » ne plaident pas pour l'extension progressive de l'appellation « famille nucléaire » sans rejoindre leurs adversaires républicains, lorsque ceux-ci affirment que seules les valeurs familiales peuvent conjurer la désagrégation du lien social. Mais d'autre part, il apparaît que cette même cellule familiale, dont les républicains se veulent les protecteurs intransigeants et dont les « nouveaux démocrates » se flattent d'extraire des valeurs universelles, se présente à une large portion de leurs clientèles respectives comme la source principale des miasmes dans lesquels la société se débat. Centre de gravité de la plupart des débats de société, la famille nucléaire s'y présente donc comme une étrange figure de Janus : tantôt Enfer quotidien, dont l'individu, aidé par son groupe de soutien, doit s'extirper pour trouver son équilibre ; et tantôt Paradis perdu, dont la dégénérescence a précipité le déclin de la responsabilité individuelle et de l'esprit civique.

De la communauté

Depuis le début des années 1980, les États-Unis sont traversés par d'âpres débats sur les mérites et les dangers de revendications présentées au nom des femmes et des minorités, et qui font apparaître la société américaine comme une « mosaïque » de communautés. Ces controverses, aux nombreuses ramifications, sont étroitement liées à l'essor de la notion de « multiculturalisme » : soit à un terme qui ne désigne certes pas un mouvement organisé, mais qui exprime une sensibilité et une approche des rapports sociaux dont la diffusion est incontestable. Tandis que les nombreux détracteurs du multiculturalisme l'accusent de menacer la cohésion nationale et de faire régner un climat de terreur intellectuelle dans les lieux d'étude et de travail – la célèbre « correction politique » –, ses partisans affirment promouvoir une société plus égalitaire, en engageant les communautés historiquement défavorisées, dont ils défendent les intérêts, dans ce qu'ils appellent les « politiques de l'identité » (*identity politics*). Or, en dépit des accusations portées contre elles, il faut bien admettre que ces politiques s'écartent nettement du séparatisme culturel et de la rhétorique révolutionnaire qui furent jadis l'apanage des organisations noires issues du *Black Power* et des féministes dites radicales. On pourrait même avancer que la bruyante dispute autour de la *political correctness* n'a au fond servi qu'à masquer la fin des stratégies de rupture, au profit de la recherche d'un nouveau consensus social fondé sur le pluralisme. Cependant, les politiques de l'identité tournent également le dos au modèle d'intégration défendu dans les années 1960 par le mouvement des droits civiques : soit à une démarche qui visait la conquête d'une égalité des chances pour tous les individus, *indépendamment* de leur sexe, de leur origine ethnique ou de la couleur de leur peau.

Pour les multiculturalistes, la réduction des inégalités peut sans doute faire l'économie d'un rejet de la nation américaine et des institutions qui s'en réclament, mais à la condition que celles-ci reconnaissent à leur tour la mosaïque des communautés dont la société se compose. Plus précisément, il s'agit d'abord d'arracher aux représentants de l'unité nationale – telles que les administrations judiciaires, scolaires, militaires... – la reconnaissance que l'État-nation s'est jusqu'ici nourri, ou tout au moins largement accommodé, des *discriminations* dont sont victimes certaines composantes de la population américaine : les unes en raison de leur origine ethnique ou de la couleur de leur peau, d'autres du fait de leur sexe ou de leur orientation sexuelle, d'autres encore parce qu'elles souffrent d'un handicap physique ou psychique. Ces traitements discriminatoires comprennent même deux aspects distincts, puisqu'ils tendent simultanément à ignorer l'identité de ceux ou de celles qu'ils visent, et néanmoins à leur retirer des droits du fait de cette identité. Autrement dit, les iniquités passées et leurs séquelles présentes, dont les institutions nationales doivent assumer la responsabilité, relèvent d'une part du défaut de représentation publique dont pâtissent certaines cultures et certains modes de vie, et d'autre part d'une inégalité de droit ou de fait, qui assure la subordination de ces mêmes communautés, dont la spécificité est par ailleurs déniée. Les « politiques de l'identité » prônées par les multiculturalistes se proposent par conséquent de conjurer la perpétuation de cette double discrimination. Pour ce faire, elles poursuivent trois objectifs solidaires mais distincts, qui sont respectivement la reconnaissance collective des dommages passés subis par chaque communauté, mais aussi la protection future de ses intérêts et de ses valeurs spécifiques, et enfin l'assurance permanente que chacun de ses membres puisse jouir des droits communs à tout citoyen.

Ni séparatiste ni exclusivement réparatrice, l'option multiculturaliste se veut avant tout réaliste et pragmatique : constatant les insuffisances et les effets pervers d'une politique d'intégration qui s'obstine à ignorer les différences, ses défenseurs ne croient pas davantage à la confrontation avec les pouvoirs publics, auxquels ils réclament plutôt un droit de regard et une sorte de reconnaissance de dette. Cependant, cette position médiane, dont l'objet premier consiste à promouvoir la représentation institutionnelle et l'expression culturelle des communautés historiquement défavorisées, rencontre une difficulté théorique, liée au statut des discriminations qui motivent ce besoin de « valorisation » (*empowerment*). Car dans la mesure où les injustices passées et présentes sont inséparables de la solidarité, de la culture et de l'activité politique qui unissent leurs victimes, c'est-à-dire de l'identité communautaire et de la reconnaissance que celle-ci réclame, le multiculturalisme se trouve aussitôt confronté à une redoutable alternative. En effet, si ces discriminations sont également constitutives de l'identité américaine et des institutions qui la produisent, on doit nécessairement conclure qu'une véritable égalité ne peut progresser qu'aux dépens de la fiction d'une communauté nationale. En revanche, si les dommages subis par les femmes et les minorités peuvent être tenus pour des aberrations et des fautes, au regard même des principes qui fondent les États-Unis et que sa constitution exprime, alors les politiques de l'identité n'auraient plus guère de raison de subsister à la correction des erreurs et à la réparation des torts. Bref, les perspectives formellement abandonnées du séparatisme insurrectionnel et de l'intégration « indifférenciée » continuent néanmoins de hanter l'horizon du multiculturalisme. Dès lors, celui-ci ne parviendra à maintenir la représentation des communautés *entre* les insignes de la nation et les droits des individus, c'est-à-dire sans contester l'existence des premiers ni se confondre avec les seconds, qu'à la double condition de proposer des modes d'action communautaires qui justifient la permanence des politiques de l'identité, mais aussi des modèles de relations entre les communautés, qui assurent leur compatibilité avec une cohésion nationale rénovée.

Pour le meilleur ou pour le pire, c'est bien à ces deux missions que les réformateurs multiculturalistes se consacrent depuis quelques années. Tout d'abord, ils constatent que pour traduire « en droit » le pluralisme qui caractérise déjà la société américaine « en fait », il ne suffit pas de rappeler les injustices endurées par les femmes, les minorités ethniques, les homosexuels ou les handicapés, ni même de combiner l'évocation de leurs épreuves avec celle des contributions apportées par les membres de chacune de ces communautés à la culture américaine et universelle. Au-delà de ce nécessaire mais insuffisant effort de galvanisation, il faut encore constituer ces expériences collectives formées par l'oppression, mais aussi par la résistance que celle-ci a suscitée, en autant de *points de vue* opposables à l'ensemble des citoyens, et par conséquent susceptibles de modifier les représentations culturelles et les pratiques sociales au niveau de la nation tout entière. Il s'agit donc d'octroyer à chaque communauté les moyens de « contrôler son image », c'est-à-dire d'assurer sa visibilité tout en se protégeant des stéréotypes, afin que ses membres soient en mesure d'exposer et de faire condamner les obstacles spécifiques qu'ils rencontrent, tant dans l'exercice de leurs droits civiques que dans l'affirmation de leur identité communautaire. L'application la plus connue de cette stratégie de la représentation, puisqu'elle est à l'origine de la campagne contre la « correction politique » à l'université, réside dans les tentatives de réforme du « canon » académique, ou plus modestement de la liste des ouvrages prescrits pour les cours introductifs de « civilisation » ou d'« humanités », que reçoivent obligatoirement les étudiants du premier cycle universitaire. Plus qu'une simple addition de quelques livres dont les auteurs ne seraient pas des « mâles blancs », il s'agit de faire avancer l'idée que la culture universelle procède moins des progrès d'un idéal occidental d'universalité, que de l'harmonisation d'une multiplicité de perspectives communautaires, chacune d'elles étant informée par une combinaison singulière de traditions et d'épreuves. Accusés par leurs adversaires de favoriser un relativisme hostile aux puissances de la critique et aux lumières de la raison, les multiculturalistes rétorquent que c'est plutôt l'étouffement d'une culture par une autre – fût-ce au nom de valeurs réputées universelles – qui produit les obscurantismes.

Outre leur volonté de modifier les programmes d'éducation, les promoteurs des politiques de l'identité rejoignent leurs prédécesseurs du mouvement des droits civiques en cherchant à peser sur les décisions du pouvoir judiciaire, et en particulier à infléchir la jurisprudence constitutionnelle. Toutefois, là où les réformateurs des années 1960 appuyaient leur action sur le premier amendement de la constitution américaine, c'est-à-dire sur un usage extensif de la liberté d'expression individuelle, pour leur part, les avocats du multiculturalisme font avant tout valoir les potentialités du quatorzième amendement. Parce qu'il garantit l'égale protection de tous les citoyens, ce dernier ouvre en effet de remarquables possibilités pour le dépistage et la dénonciation des discriminations, mais surtout pour une définition de l'égalité qui prenne en compte les conditions spécifiques de chaque communauté. Ainsi, exemplaires d'une telle évolution, la majorité des juristes féministes qui défendent le droit à l'avortement ont-elles cessé d'invoquer le droit à la « vie privée » – *privacy* – reconnu à toute personne, pour justifier le libre choix des femmes. Tournant le dos à cette doctrine fondée sur le premier amendement, et qui fut retenue par la Cour suprême lorsque celle-ci a libéralisé le recours à l'avortement dans le célèbre arrêt *Roe vs. Wade*, les féministes considèrent désormais que le droit d'avorter constitue moins une affaire de liberté individuelle, qu'une protection indispensable à l'établissement d'une véritable égalité entre les hommes et les femmes.

Enfin, le troisième grand axe de pénétration des politiques de l'identité concerne les orientations et les applications sociales de la recherche scientifique, et plus particulièrement dans le champ biomédical. Ce sont les représentants de la communauté homosexuelle qui ont ouvert la voie dans ce domaine, en se prévalant de l'exposition particulière de la minorité *gay* à l'épidémie du sida, pour exiger un droit de regard sur l'allocation et la gestion des ressources mobilisées pour la lutte contre la maladie. Des groupes de femmes génétiquement prédisposées au cancer du sein se sont ensuite organisés de la même manière, et on peut penser que ce contrôle communautaire pourrait également s'appliquer pour la tuberculose, dont la récente recrudescence frappe essentiellement la minorité afro-américaine. En outre, dans un registre nettement plus controversé, certaines franges de la communauté homosexuelle en appellent encore à l'*identity politics* pour encourager les recherches sur l'origine génétique de l'homosexualité ; laquelle assurerait à la population *gay* une identité aussi « naturelle » que celle des femmes ou des minorités ethniques.

D'une manière générale, il apparaît bien que le multiculturalisme s'oriente progressivement vers un « multi-perspectivisme », où chaque communauté formerait moins un carreau de mosaïque qu'une sorte de monade leibnizienne : soit une identité autonome qui exprime un point de vue particulier, mais sur la société américaine tout entière. Autrement dit, les politiques de l'identité ne serviraient pas seulement à défendre le patrimoine culturel et à présenter les griefs des femmes et des minorités, mais elle tendraient surtout à ériger ces expériences collectives en perspectives sur la construction d'une réelle égalité des chances, ou du moins de l'égale protection des citoyens, dont la constitution se réclame. Quant à la société réformée par l'accueil de cette multiplicité de regards, elle serait invitée à se reconnaître comme le produit des perspectives qui l'expriment, plutôt que dans la simple somme des communautés dont celles-ci procèdent. Mais pour parvenir à la société multiculturelle ainsi définie, il faut encore établir ce que Leibniz appelait la *compossibilité* de l'univers quelle dessine, c'est-à-dire la compatibilité entre les divers points de vue qui la composent.

La recherche de ce « terrain commun » – *common ground* – manifeste la très nette évolution de la sensibilité multiculturaliste, dont le radicalisme initial s'est progressivement mué en recherche d'un nouveau consensus. Sans doute, l'égalité à construire consiste-t-elle en une pluralité de perspectives communautaires qui jouiraient toutes d'un même respect de la part des autres, de sorte que la fédération des politiques de l'identité ne peut reposer sur la seule invocation des droits de l'homme et des valeurs universelles qui s'y attachent, sous peine de retrouver l'horizon d'une égalité « aveugle aux différences » : *color-blind* disent les multiculturalistes, ce qui signifie aussi daltonien. Cependant, il apparaît également que la coalition multiculturelle ne peut pas non plus se fonder sur une opposition commune à ceux qui feraient passer leurs intérêts particuliers pour le ciment de la nation, c'est-à-dire aux mâles blancs, d'origine anglo-saxonne, hétérosexuels et dépourvus de handicap. D'une part, on a vu que les multiculturalistes entendent plus se faire reconnaître par les institutions nationales que récuser leur légitimité. L'objectif qu'il poursuivent n'est donc pas l'insurrection des femmes et des minorités contre les bénéficiaires de l'ordre établi, mais bien la traduction politique et juridique d'un pluralisme culturel qui est déjà à l'œuvre dans la société. Mais d'autre part, le réformisme de plus en plus avoué des multiculturalistes s'accompagne d'une remarquable diffusion, voire d'une appropriation éhontée, de leur rhétorique, au sein même de groupes ethniques et sociaux habituellement associés à la « majorité ». Plus précisément, on peut affirmer que depuis la seconde moitié des années 1980, les classes moyennes blanches ne croient plus guère aux promesses reaganiennes de nivellement par le haut. Si elles ne sont pas davantage disposées à payer plus d'impôts pour réduire la pauvreté et les injustices sociales, en revanche, elles n'hésitent pas à s'identifier aux minorités défavorisées pour faire valoir leur propre statut de victimes.

Nous retrouvons ici le phénomène des *support groups* que nous avons déjà évoqué à propos de la crise de la famille nucléaire. Car ces « groupes de soutien », qui rassemblent des petites communautés majoritairement issues des classes moyennes, ne sont pas loin de revendiquer leurs propres politiques de l'identité. Leurs membres partagent, eux aussi, un passé de souffrance et d'abus, qu'ils ont longtemps nié en adoptant une conduite de dépendance assimilable à un handicap, et dont ils s'arrachent enfin lorsqu'ils font valoir leur perspective en tant que communauté, c'est-à-dire lorsqu'ils obtiennent une digne représentation de leur expérience. En d'autres termes, les Alcooliques anonymes et leurs multiples avatars – y compris le désormais fameux « mouvement des hommes » de Robert Bly, qui prend en charge des mâles, victimes à la fois du machisme que la société les force à endosser et du féminisme qui leur en tient rigueur – n'hésitent pas à modeler leur thérapie collective sur la conception multiculturaliste de l'identité communautaire. En outre, les représentants des multiples « populations à risque », identifiées par les progrès de la génétique et de la médecine préventive, peuvent quant à eux se prévaloir d'une remarquable synthèse entre les techniques des « groupes de soutien » et les revendications des organisations féministes ou minoritaires « traditionnelles ». Car si les méthodes des premiers leur permettent d'entretenir la solidarité interne de la collectivité dont ils défendent les intérêts, ils peuvent aussi se prévaloir d'un handicap, et par conséquent de discriminations au moins potentielles, dont la légitimité est moins sujette à caution qu'une dépendance psychologique provoquée par le déni d'une enfance traumatisante.

multiculturalisme peuvent parfois
ération de leur stratégie, et surtout
tions que cette appropriation sup-
imes respectives de conjoints fu-
seraient situées sur le même plan
flexion récente des politiques de
conception thérapeutique des re-
le fondement idéologique des
ofessent en effet que l'expérience
s entre eux – expérience d'abus,
ise, mais ensuite de courage, de
rison – définit non seulement les
otalement singulière, mais encore
ent présider aux relations de res-
entre les différentes communau-
sa propre histoire, ou du moins
les « siens », et en y découvrant
, de solidarité et de résistance,
ground qui permet de communi-
s « autres ». Loin de promouvoir
es emprunts croisés et l'échange
lentité inspirées par le dispositif
it plutôt chaque groupe à se pré-
quer un droit de propriété exclu-
sive sur sa propre expérience. Quant au dialogue entre les
communautés, il repose sur la reconnaissance mutuelle de ce droit,
et consiste par conséquent en un accueil respectueux de la perspective de l'autre. Chacun ne peut alors que s'incliner devant l'i-
naliénabilité de la douleur, physique ou psychique, causée par un
traitement abusif et discriminatoire, et ce afin d'aider les victimes
de l'injustice à recouvrer l'estime de soi nécessaire à la construction
d'une réelle égalité des chances.

Derrière le débat autour de la « correction politique », et en dépit
des emportements rhétoriques que cette controverse a suscités, à
propos de l'unité menacée ou au contraire factice de la nation américaine, il faut bien reconnaître que la coalition des « damnés de
la terre » n'est pas plus à l'ordre du jour que la restauration du
melting pot. En revanche, les multiculturalistes en quête de reconnaissance rencontrent les classe moyennes gagnées par les politiques de l'identité, pour faire advenir de nouvelles formes de
relations intercommunautaires. Celles-ci ne se fondent ni sur une
allégeance commune à des principes abstraits de liberté et d'égalité
entre les seuls individus – car les intérêts des communautés ne seraient pas suffisamment représentés – ni sur une opposition concer-

125

tée à la domination d'un groupe hégémonique – car plus personne
ne se reconnaît dans ce rôle. Elles s'inscrivent plutôt dans un processus de « cicatrisation » – *healing* – du tissu social, où chaque
communauté est invitée à puiser des enseignements universels dans
les blessures qui jalonnent son expérience unique, et ce faisant à
manifester sa dignité en exprimant son point de vue sur le monde,
ou du moins sur la société américaine.

De l'individu

S'il est une thèse sociologique qui jouit d'une faveur particulière
en France, c'est assurément celle de l'irrésistible progression de l'individualisme au sein des sociétés occidentales. Non pas que l'érosion
des solidarités traditionnelles et la crise des idéologies révolutionnaires aient abandonné l'individu à lui-même : la société contemporaine s'efforcerait plutôt de conforter, mais aussi de régir les
revendications d'autonomie qui émanent de ses membres, à la fois
en leur ménageant de nouvelles aires de gratification narcissique et
en entretenant leur désenchantement lucide à l'égard de tout projet
collectif. Or, dans un tel cadre, les États-Unis semblent promis à
un rôle privilégié. Parce qu'ils demeurent la terre d'élection de la
libre entreprise, parce qu'ils sont le pays où le socialisme n'a jamais
fait rêver les masses et où l'État-providence est demeuré embryon-
naire, ils devraient en effet offrir le modèle le plus « avancé » de
cette société vouée à l'individualisme : un monde où les libertés sont
délimitées par la nécessité de rentabiliser leur exercice, et où les
égoïsmes sont amplifiés par l'obligation de faire face à une impitoyable compétition économique. Toutefois, s'il est peu contestable
que le défaut de protection sociale et l'hégémonie de la logique marchande distinguent encore les États-Unis de l'Europe occidentale,
il reste que la persistance des références à la famille et à ses valeurs,
ainsi que la recrudescence des solidarités communautaires définies
par les diverses politiques de l'identité, donnent de la société américaine une image plus contrastée.

L'individualisme contemporain, tel que l'envisagent les observateurs de la société française, réside avant tout dans l'importance
que le sujet attache à sa liberté de choix, même si cette faculté
génère aussitôt en lui des angoisses liées à un monde dépourvu de
repères, et par conséquent un besoin compensatoire, mais quelque
peu abstrait, de solidarité et de sécurité. Inquiet de son propre déra-
cinement, le « nouvel » individualiste demeure néanmoins rétif à
toute forme d'identification qui ne se présente pas à lui comme un

investissement facultatif et personnalisé. Aussi manifeste-t-il son autonomie en se targuant de décider de ses allégeances comme des produits qu'il consomme, quitte à ce qu'en retour, un même type de marché se charge d'homogénéiser la portée de ses engagements et la variété de ses achats.

Si un pareil portrait ne rend pas exactement compte des évolutions récentes de l'identité individuelle aux États-Unis, c'est avant tout parce qu'il présente un sujet dont la fierté principale et l'inquiétude majeure résident dans sa propre émancipation, tant par rapport à des liens communautaires érodés qu'à l'égard d'affiliations idéologiques et partisanes jugées obsolètes. Or, pour sa part, l'individualisme américain tend moins à prospérer sur les décombres des identités collectives, qu'à se nourrir de l'efflorescence des revendications identitaires. Loin que le sujet se contemple dans un « moi » irréductible aux communautés auxquelles il est objectivement rattaché, le climat politique et culturel le conduit plutôt à revendiquer toutes formes de solidarités auxquelles il peut avoir accès. Avec une intensité et une pondération variables, l'individu est donc invité à se réclamer de l'ensemble des expériences que les diverses politiques de l'identité réservent à chacun des groupes qui se croisent en lui. Autrement dit, le sexe et l'orientation sexuelle, la couleur de la peau et l'origine ethnique, les éventuels handicaps physiques et les dispositions génétiques à certaines maladies, enfin les dépendances et co-dépendances pathologiques qui cachent et révèlent les traumatismes de l'enfance : tous ces traits distinctifs constituent autant de facettes que l'« individualisme » américain se garde bien de négliger au nom d'un sujet transcendant ses attributs. Portées par la consolidation mais aussi par la multiplication des perspectives communautaires, ces déterminations identitaires tendent à se rassembler dans une subjectivité composite, laquelle se voit dotée d'une personnalité juridique capable de faire respecter les différences qu'elle fédère.

Dans la mesure où un individu participe le plus souvent de plusieurs collectivités protégées par une politique de l'identité, c'est-à-dire par un système de vigilance collective et un mode de recours juridique vis-à-vis des discriminations qui forgent une communauté tout en la menaçant, on peut avancer que le sujet d'expériences et de droits qui enveloppe cette pluralité de traits distinctifs apparaît non seulement comme un fragment, mais encore comme une réplique de la société à laquelle il appartient. Il existe par conséquent un multiculturalisme « intérieur », ou encore une « mosaïque » subjective, qui agrège, mais sans les mélanger, les composantes du patrimoine identitaire de chaque personne. Dès lors, si on admet que les identités collectives des diverses communautés américaines ressemblent bien à des *monades*, c'est-à-dire à des points de vue exclusifs sur le monde où elles entendent se faire reconnaître, on peut aussi avancer que les identités individuelles qui leur correspondent apparaissent, quant à elles, comme autant de *microcosmes* de la société multiculturelle en devenir.

En tant que sujet d'expériences, l'individu-microcosme se situe à l'intersection des perspectives qui lui confèrent les blessures intimes dont il peut s'estimer affecté, pour autant que celles-ci disposent d'une représentation collective suffisamment affirmée. Sa liberté individuelle ne s'exprime donc pas tant par une « originalité » qu'il ne devrait à personne, ni par une « singularité » qui résulterait d'un métissage des liens filiatifs et affiliatifs dont il est issu, mais plutôt par une gestion optimale de l'ensemble des points de vue inaliénables qu'il est en droit de revendiquer. Détenteur d'un véritable « portefeuille » de participations identitaires, c'est surtout en tant que personne juridique que ce même individu peut faire jouer les droits qui lui procurent ses titres d'appartenance à des communautés ou à des groupes de soutien socialement reconnus. Il lui revient en effet de veiller à ce que les identités collectives dont il est en quelque sorte « actionnaire » ne constituent pas un motif de discrimination sociale, et surtout professionnelle, qui le priverait du traitement égal promis à tout citoyen. Ce dernier point, qui procède d'une interprétation extensive du quatorzième amendement de la constitution, donne lieu à une activité politique et juridique particulièrement intense : d'une part, parce qu'il invite des groupes toujours plus nombreux et plus divers à se former autour de nouvelles formes de discriminations, et à s'organiser afin de les combattre ; mais d'autre part, parce qu'il est la cible d'une vaste campagne de protestation contre l'exploitation abusive de la notion de victime dans l'Amérique contemporaine. Bien plus, on peut avancer qu'une telle campagne a largement pris la succession de la dénonciation, déjà un peu usée, de la « correction politique » imposée par les féministes et les organisations minoritaires.

En effet, les mêmes critiques qui décrivaient les ravages de la pensée « politiquement correcte » sur la liberté d'expression, ont progressivement reporté leurs inquiétudes et leurs récriminations sur la prolifération d'un discours plaintif qui, selon eux, menacerait l'ethos national fondé sur le mérite et la responsabilité individuelle. Tout en continuant à s'élever contre les perpétuelles accusations de racisme et de sexisme portées contre la société américaine, accusations dont les femmes et les minorités se seraient éhontément servies pour bénéficier de multiples avantages sociaux, les contempteurs du déclin de l'Amérique s'en prennent désormais à un fléau qu'ils jugent plus redoutable encore : à savoir, la définition sans cesse plus étendue et plus « compréhensive » du statut de victime. Car si les promoteurs de la société multiculturelle l'ont d'abord invoquée pour leur compte, le recours immodéré à la qualité de victime s'est rapidement répandu dans toutes les couches de la population, grâce à la légitimation d'une variété toujours plus grande de groupes de soutien, pratiquant leur propre politique de l'identité.

D'après ses adversaires, le premier danger que présente ce processus de victimisation généralisée concerne rien moins que le fonctionnement de la libre entreprise, dans la mesure où il conduit à fausser les règles « normales » du marché de l'emploi : ainsi les malheureux chefs d'entreprise se verraient-ils bientôt dans l'impossibilité de choisir leurs employés comme ils l'entendent, puisque des caractères tels que la taille, le poids, l'apparence physique, la tenue vestimentaire, voire l'odeur corporelle des candidats, sont déjà protégés de tout traitement discriminatoire, au même titre que la race, le sexe, l'orientation sexuelle, et les handicaps physiques ou mentaux qui ne s'opposent pas à l'exécution des tâches requises. Inversement, les individus représentés par un groupe de soutien socialement reconnu seraient, quant à eux, en mesure de se disculper des actions délictueuses qu'ils ont commises, et ce par simple présentation de leur titre de victime : nombreux sont en effet les procès où les avocats s'opposent moins sur l'établissement des faits incriminés que sur la question de savoir qui, de l'accusé ou du plaignant, a davantage le droit de se considérer comme une victime. Enfin, la détermination de plus en plus subjective, et par conséquent invérifiable, des actes donnant accès à ce statut inciterait à des abus sans borne : les critiques du discours « victimisant » relèvent notamment avec horreur qu'une femme qui s'affirme harcelée par le seul regard insistant d'un collègue ou d'un supérieur hiérarchique, n'a besoin que d'alléguer le traumatisme qu'elle estime avoir subi, pour aussitôt exiger un dédommagement financier conséquent de ce traitement réputé discriminatoire. D'une manière générale, l'autoportrait de l'individu en victime, qui gagnerait aujourd'hui les États-Unis, est accusé par ses détracteurs de miner ces deux piliers de la nation que sont la sélection par le travail et la compétence, et la responsabilité de chacun à l'égard de ses actes. A ce glorieux individualisme d'antan, se substituerait une valorisation de la douleur et de l'impuissance, soutenue par un nombre croissant de lobbies, et orchestrée par la puissante corporation des avocats.

On remarquera toutefois qu'en dépit de son aversion proclamée pour une Amérique résonnant de plaintes et de lamentations, la campagne menée contre les victimes autoproclamées ne va pas sans revêtir son indignation d'un ton pathétique, voire d'une rhétorique de la déploration, qui la rapproche étrangement des maux qu'elle dénonce : autrement dit, les partisans du vieil *ethos* américain se présentent eux-mêmes comme les véritables « victimes » de l'évolution des mœurs professionnelles et juridiques. Mais, plus profondément, on peut encore se demander si un individualisme perméable à la psychologie des groupes de soutien et aux politiques de l'identité ne se révèle pas plus en phase avec l'évolution récente de l'économie de marché, que la protestation nostalgique dans laquelle se complaisent les vaillants défenseurs de l'esprit d'entreprise et de la responsabilité individuelle. En effet, même s'il est difficile de mesurer l'ampleur exacte du « marché de la discrimination », c'est-à-dire des revenus générés par les multiples actions en justice qui procèdent de la définition élargie du statut de victime, il est cependant indéniable qu'un individu qui s'ingénie à rentabiliser son « portefeuille » identitaire, ne fait rien d'autre qu'épouser la tendance du capitalisme contemporain à repousser les frontières de son empire bien au-delà de la sphère marchande traditionnelle. Bien plus, on peut affirmer que la multiplication des procès de ce type témoigne d'une interprétation originale de la conception de la vie chère aux économistes néolibéraux, puisque ceux-ci professent que la conduite des personnes doit être étudiée en termes de capital humain cherchant à se faire fructifier.

Enfin, si on examine les théories psychologiques dont se réclament les divers groupes de soutien, il apparaît que la condamnation judiciaire d'un abus, et l'obtention du dédommagement financier qui l'accompagne, n'ont pas du tout vocation à conforter le statut de victime du plaignant mais, au contraire, à le mener sur la voie de la réhabilitation – *recovery* – c'est-à-dire du recouvrement de son « estime de soi ». Dans ces conditions, le « marché de la discrimination » ne démontre pas seulement son adaptation aux conditions économiques de l'Amérique contemporaine : il enveloppe également une morale individualiste, qui est certes une version modifiée des *success stories* d'autrefois – il s'agit désormais moins de « se faire » à partir de rien, que de se refaire à partir de ses blessures – mais qui s'avère néanmoins irréductible à un culte de la douleur ou à une apologie de l'impuissance.

Une famille nucléaire sous le signe de Janus, puisque tenue à la fois pour la racine du mal et la planche de salut de la société américaine ; des communautés monades, soucieuses d'exprimer leur point de vue exclusif sur le monde, et dont les aspirations ne correspondent ni à une intégration aveugle aux différences, ni à un séparatisme hostile à la nation ; enfin, des individus microcosmes d'un univers en gestation, qui cultivent leur richesse intérieure en apprenant à gérer leur patrimoine identitaire : de telles esquisses n'ont pas l'ambition de dresser un portrait ressemblant de l'Amérique contemporaine, mais seulement de faire ressortir la manière dont les questions d'identité y sont le plus souvent représentées, tant dans les « affaires » juridico-médiatiques où elles s'exposent, que dans les débats académiques qu'elles suscitent. Ces articulations très schématiques, qui ne constituent rien d'autre qu'un cadre de recherches, réclament bien entendu d'être éprouvées à partir de cas concrets. Mais, pour autant qu'elles dessinent un tableau fidèle, celui-ci témoigne au moins de la singularité et de la complexité des croisements dont il est le produit, entre les valeurs familiales, les revendications communautaires et les prérogatives de l'individu. Aussi permet-il d'abord de jeter le doute sur les acceptions les plus sommaires de cette *américanisation* qui est supposée hanter la société française, mais aussi d'envisager un comparatisme qui évite les facilités symétriques offertes par l'opposition exemplaire et l'identité profonde : autrement dit, un comparatisme où l'étrangeté du « modèle » américain deviendrait contagieuse, de sorte que les traits distinctifs de l'« exception culturelle » française, censée lui résister, cesseraient à leur tour de paraître familiers.

Michel Feher

Face à la retribalisation du monde

Benjamin Barber*

L'AMÉRIQUE ET LA FRANCE, « républiques sœurs », partagent le besoin de réconcilier des sociétés multiculturelles et plurielles avec une idéologie civique de la démocratie qui implique l'intégration. Des questions qui, il y a dix ans, paraissaient propres aux États-Unis, rongent aujourd'hui la France. Au début de 1993, un journal américain titrait : « La France emprisonne une femme pour avoir fait exciser ses filles ». L'article expliquait que l'on ne laisserait plus les femmes musulmanes vivant en France « mutiler » ainsi leurs enfants. Après avoir interdit le port du foulard islamique dans ses écoles publiques, la France peut difficilement reconnaître la pratique « multiculturelle » de la clitorectomie.

Le multiculturalisme fait aussi question ailleurs. Des Turcs résidant depuis bien longtemps en Allemagne comme travailleurs étrangers ont été chassés de leurs maisons par des incendies criminels, pendant que, dans leur propre pays, on persécute la minorité kurde. Musulmans et hindous de Grande-Bretagne reproduisent les violences sectaires qui déchirent l'Inde ; l'Afghanistan a été officieusement (et sans cérémonie) divisé en trois territoires ethniques peuplés par des tribus en guerre : Ouzbeks (avec quelques Tadjiks), Pathans et Persans ; la Chine est menacée par le regain des vieilles rivalités de clans dans les villages et, pour cause de nettoyage ethnique (quel euphémisme !), les tribus zélées de l'ancienne Yougoslavie s'emploient à un génocide mutuel selon un code hiérarchique désordonné qui, tout en faisant de chaque groupe ethnique l'ennemi

* Benjamin Barber est directeur du Walt Whitman Center for the Culture and Politics of Democracy à Rutgers University (New Brunswick, New Jersey). Auteur de *l'Expérience et l'égalité*, Belin, 1994.

de tous les autres, place systématiquement les musulmans au bas de la liste de chacun. Même la Suisse, qui incarne en Europe la capacité de faire durer un nationalisme multiculturel, connaît un grave clivage entre ses composantes francophone et germanophone à propos des relations avec l'Europe : à l'automne de 1992, une majorité substantielle de Suisses alémaniques a repoussé tout approfondissement des relations avec la nouvelle Europe, scandalisant les francophones, qui, à près de 80 %, avaient voté pour. Si le démantèlement de la Confédération helvétique (fondée en 1848 dans sa forme moderne) n'est pas pour demain, ces difficultés n'augurent rien de bon pour le multiculturalisme suisse ni pour l'unité de l'Europe. Le *New York Times* a salué la nomination de Warren Christopher au poste de secrétaire d'État par un éditorial selon lequel « aucun ministre des Affaires étrangères, depuis la Seconde Guerre mondiale, n'avait hérité à son arrivée d'un ordre du jour aussi varié de troubles mondiaux : Bosnie, Irak, Somalie, Haïti, Russie et une flopée d'anciennes républiques soviétiques[1] ».

Ces déchirements, dans une Europe où l'histoire était censée avoir « pris fin » (Fukuyama) et où, quelques années plus tôt, on s'attendait à un processus calme de « démocratisation » à l'Est et de construction de l'unité politique et économique à l'Ouest, ont donné à un débat jusqu'ici essentiellement américain un relief mondial. S'il est revendiqué en Amérique comme une propriété culturelle, le multiculturalisme hante aujourd'hui, tel un spectre, l'Europe et le monde. La *political correctness*, les préoccupations de race et de sexe, les controverses sur le « canon », l'intérêt pour le multiculturalisme qui donne naissance à tous ces phénomènes, continuent sans doute de susciter plus de discours aux États-Unis qu'ailleurs ; mais la pertinence de ces débats pour les autres continents apparaît enfin, et la possibilité de tirer des leçons de l'expérience américaine est reconnue. Inversement, la toxicité des fractures culturelles en Europe pourrait donner à réfléchir aux Américains qui pensent que la différence culturelle n'est qu'une occasion de célébration et qui ont tendance à ignorer les avertissements de ceux qui, comme Arthur Schlesinger, s'inquiètent de la fragilité de l'unité américaine. Le fait (stupéfiant) est que moins de 10 % des États actuels sont réellement homogènes, et que l'ethnie majoritaire représente plus des trois quarts de la population dans la moitié des États[2] seulement. Le multiculturalisme est la règle, l'homogénéité l'exception.

Même les pays les plus homogènes ont de bonnes raisons de porter quelque intérêt à l'expérience américaine. L'interdépendance croissante des économies, la densification des communications, plongent

---

1. *The New York Times, Week in Review*, dimanche 24 janvier 1993.
2. *The Washington Post, National Weekly Edition*, 21-27 décembre 1992 (Joseph Nye), p. 28.

ces pays dans un environnement de plus en plus multiculturel. Ironie : la planète, qui s'unifie culturellement et commercialement, devient un monde dont les parties infranationales, ethniques, religieuses ou raciales, sont aujourd'hui beaucoup plus apparentes. Forcées à un incessant contact, les nations postmodernes ne peuvent tenir emprisonnées leurs particularités. L'Europe de Maastricht, même si elle est loin de correspondre à certains espoirs, est assez intégrée pour imposer à l'échelle du continent une conscience multiculturelle dont les conséquences sont loin d'être heureuses, et encore moins unificatrices. Plus l'« Europe » se lève à l'horizon, plus ses composantes nationales se montrent réticentes et conscientes de leur particularisme. Ce que Günter Grass a dit de l'Allemagne (« Unifiés, les Allemands sont plus démunis que jamais ») s'applique largement à l'Europe : intégrée, elle est plus divisée que jamais[3].

Le débat américain sur l'identité nationale, le multiculturalisme et le canon qui, il y a seulement quelques années, paraissait aussi ésotérique que savent l'être les débats américains, attire tout à coup l'attention internationale[4]. Quelle est exactement sa pertinence ? Les Européens et les prétendues démocraties multiculturelles hors d'Europe peuvent-elles apprendre quelque chose de l'expérience américaine du pluralisme ?

La foi constitutionnelle américaine

Il faut peut-être tout d'abord se demander si l'histoire de l'identité multiculturelle américaine a vraiment des points communs avec les tribalismes qui resurgissent un peu partout. La thèse de l'exceptionnalité a toujours placé l'Amérique à l'écart des courants mondiaux, et certains pourraient arguer que l'expérience américaine du multiculturalisme, comme l'expérience américaine tout court, ne peut servir de modèle à personne.

Pourtant, derrière le paradoxe multiculturel américain, se cache un dilemme tocquevillien qui est, lui, universel. Tocqueville pensait que les sociétés libérales allaient entretenir une diversité qui pourrait miner la cohésion sociale nécessaire à leur stabilité. L'alliance, au XIXe siècle, du nationalisme et du libéralisme, fut celle de deux principes qui œuvraient dans des directions opposées : un nationalisme qui poussait à l'uniformité, une liberté qui encourageait la diversité. Dans la mesure où les sociétés étaient définies par un nationalisme

---

3. Günter Grass cité par Marla Stone, "Nationalism and Identity in (Former) East Germany", *Tikkun*, vol. 7, n° 6, novembre-décembre 1992.
4. Dès le printemps 1992, *le Débat* réunissait plusieurs analyses (dont un article de François Furet) sur l'expérience américaine en matière de multiculturalisme, de *political correctness*, d'égalité des sexes, etc.

intégrateur, elles devinrent hostiles à la liberté. Pourtant, en même temps, ce sont les sociétés libres qui ont plus que les autres besoin de l'unité et de la cohésion que leur liberté tend à leur nier.

Les États-Unis ont affronté ce dilemme très tôt et ont cherché un substitut à la religion dans une nouvelle croyance civique, que le juge à la Cour suprême Hugo Black appela plus tard la « foi constitutionnelle », *constitutional faith* (Habermas parle de *Verfassungspatriotismus*). Parce que, comme de nombreux autres « peuples » d'aujourd'hui, les Américains étaient alors divisés par la foi religieuse privée, par la race et le sexe, par la classe et l'origine ethnique, ils ne pouvaient avoir d'autre foi en commun que la foi dans le peuple, la fidélité à la constitution en tant qu'ensemble de principes larges qui les unifiait selon un processus identique pour tous, démocratique et légal. Alors que, en ex-Yougoslavie par exemple, la foi privée est devenue une identité publique soumise à répression publique, la foi constitutionnelle américaine est une foi dans la société civile qui, précisément en séparant le public du privé, permet aux différences et aux libertés privées de se développer sans mettre en danger le fonctionnement de la sphère publique.

Il est vrai que l'histoire réelle des États-Unis ne s'est pas toujours hissée au niveau de leurs aspirations constitutionnelles, et même les a bien souvent contredites. Comme l'écrit Judith N. Shklar, « depuis le début, les déclarations les plus radicales de liberté et d'égalité politique étaient proférées concurremment à la pratique de l'esclavage, forme la plus extrême de la servitude[5] ». Pourtant, même lorsque la foi constitutionnelle n'était que de la mauvaise foi, elle offrait la promesse de l'unité dans une république vaste et diversifiée à l'échelle d'un continent. Les querelles sur le multiculturalisme d'aujourd'hui ne sont pas vraiment nouvelles : lorsque Arthur Schlesinger s'inquiète de ce que la célébration des différences puisse nuire à une unité fragile, il ne fait que retrouver les craintes du XIXe siècle sur la capacité des États-Unis à absorber vague après vague les immigrants non anglo-saxons.

Se peut-il alors que la foi constitutionnelle américaine offre une solution aux récidives du tribalisme en Europe ? Y a-t-il un équivalent de la foi constitutionnelle pour l'Inde ou le Nigeria, la Yougoslavie ou la Somalie, qui séparerait les tribus combattantes et donnerait naissance à un cadre d'unité politique ? Aux États-Unis, la foi constitutionnelle a perdu son aspect neuf, artificiel : elle est devenue banale, confortable comme une vieille paire de chaussures dont le propriétaire n'a pas trop besoin de se demander comment elle fut taillée ou si ses origines sont légitimes. Mais, ailleurs, elle doit être

---

5. Judith N. Shklar, *American Citizenship: the Quest for Inclusion*, Cambridge, Harvard University Press, 1991, p. 1. Trad. française : *la Citoyenneté américaine*, Calmann-Lévy, 1993.

refabriquée chaque fois qu'un État-nation en situation de désintégration veut dissuader ses parties constituantes de partir dans tous les sens. Lorsque l'histoire d'un tel pays ne comporte pas de pratique civique commune, une foi aussi froidement séculière a peu de chances d'attirer un large courant de fidèles. Car quelle sera sa substance ? Qui sera le « nous » en Europe, en Inde ou en Russie, lorsqu'on dira « Nous, le peuple » ? Les principes partagés ne peuvent-ils être que commerciaux ou technologiques ? Ou bien y a-t-il aussi, potentiellement, un élément civique ? Par exemple, la démocratie ?

La retribalisation du monde

Les États-Unis ont cinquante États et une ou deux douzaines de subcultures ethniques, raciales ou religieuses vivaces. La liste des membres des Nations unies approche les deux centaines, dont une poignée seulement, on l'a dit, sont culturellement homogènes. Si l'on compte les guerres civiles auxquelles s'intéresse le département d'État, la réalité est encore plus complexe. Dans ce monde tumultueux, les véritables acteurs ne sont pas les nations mais des tribus de toutes sortes ; on entrevoit un monde dans lequel les effectifs des Nations unies pourraient atteindre un millier de « nations » fondées sur l'ethnie. Il n'est pas trop difficile d'imaginer une foi constitutionnelle qui conviendrait aux Français ou aux Allemands. Mais *quid* des Basques, des Normands, des Alsaciens, des Bavarois, des Prussiens ? Et *quid* des Kurdes, Porto-Ricains, Ossètes, Est-Timoriens, Québécois, Abkhazes, Catalans, Tamouls, Slovaques, Zoulous de l'Inkatha, Palestiniens, Japonais des îles Kouriles – tous peuples sans État vivant dans des pays qu'ils ne peuvent appeler leurs, essayant de se tenir à l'écart non seulement des autres mais de la modernité et de toutes ses forces d'intégration ? Et quant aux peuples qui se définissent eux-mêmes en massacrant leurs voisins tribaux, comment les persuader de souscrire à une foi artificielle et fragile organisée autour d'idéaux civiques abstraits ou de marchés commerciaux ? Le modèle américain est-il d'une pertinence quelconque ?

Il y a une ironie particulière dans ce regain du nationalisme dans un monde postnationaliste. Car le nationalisme était initialement une force d'unification en Europe, réunissant clans et tribus rivaux autour de la fiction d'une nation territoriale plus vaste liée par la langue et la culture sinon par le sang et la parenté. Mais, après avoir remporté cette victoire de l'intégration, le nationalisme a changé sa stratégie, est devenu une force de division dans les territoires qu'il avait contribué à cimenter naguère. Dans les années 1920, dans sa *Révolte des masses*, Ortega y Gasset observait que, durant les périodes de consolidation, le nationalisme tendait à unifier et portait une « valeur positive », tandis que dans des périodes de moindre cohérence il devenait factieux et négatif, une sorte de « manie » de l'identité.

Aux États-Unis, les politiques fondées sur l'identité (*identity politics*) servent à définir la moitié d'une personnalité double : on parle d'« Italien-Américain » ou d'« Africain-Américain ». Le préfixe (distinctif) définit l'assimilation de l'immigrant dans le suffixe (commun). Les seuls « Américains-Américains » sont les Indiens... Ainsi, être un Américain c'est avoir une autre identité « avant » son identité américaine ; avoir un trait d'union, c'est être véritablement américain ! Mais ailleurs, la particularité ethnique suscite l'isolement et l'hostilité. Et, à mesure que les vieux États-nations multiculturels sont déstabilisés, les mouvements infranationalistes ont une tendance cauchemardesque à se multiplier comme des cellules cancéreuses, chaque fragment menaçant de détruire les formations plus grandes dont il fait théoriquement partie. Les États-Unis ont connu une guerre civile dans laquelle une grande partie du pays prétendait faire sécession. Une fois que celle-ci est commencée, il est difficile de l'arrêter. C'est pourquoi des Américains s'inquiètent de ce que la politique fondée sur l'identité aille trop loin, même dans notre culture assimilationniste.

Ce qui se passe ailleurs n'est pas encourageant. La Russie avait à peine achevé sa sécession de l'URSS que l'Ossétie du Nord devenait un problème intérieur russe. Depuis, la minorité ingouche (moins de 10 % de la population de l'Ossétie du Nord, qui elle-même ne compte que 650 000 habitants) s'est insurgée contre les Ossètes, les troupes russes cherchant à la fois à empêcher les uns et les autres de s'étriper et à préserver la mère Russie de leurs penchants sécessionnistes. Selon le représentant d'Eltsine à Vladikavkaz, « Ce qu'il faut, c'est faire que l'homme oublie ses souvenirs[6] »... tâche aussi prometteuse que celle de rechercher la paix universelle en espérant que les hommes abandonneront leur volonté d'agression.

Vieilles idéologies et nouvelle foi constitutionnelle

En vérité, les souvenirs sont toujours là, empoisonnant chaque tentative d'établir de nouvelles formes d'unité artificielle. Il y avait autrefois, en l'absence de foi constitutionnelle, la possibilité de recourir à des solutions coloniales et néocoloniales (coûteux, mais efficaces antidotes au factionalisme ethnique) mais leur temps est révolu. Le nationalisme ethnique fut fréquemment mis en échec et les politiques de la différence contrebalancées par l'impérialisme,

---

6. Cité dans *Newsweek*, 7 décembre 1992.

tant dans ses variantes capitaliste-colonialiste que communiste et néocolonialiste. Curieusement, ces deux versions de la foi constitutionnelle ont elles-mêmes été des rivales idéologiques pendant tout le dernier siècle, et pas seulement pendant la guerre froide. Pourtant, le communisme et le capitalisme espéraient unifier les peuples qu'ils cherchaient à dominer en leur imposant un sécularisme économique radical, que ce soit sous la forme des marchés capitalistes internationaux ou de la norme prolétarienne internationale. Le cri « Travailleurs de tous les pays, unissez-vous ! », comme l'appel au libre commerce et au marché, est toujours une menace contre l'identité ethnique. Les stratégies économiques impérialistes (étatiques ou de marché), aussi odieuses qu'elles aient pu être, ont tenu en échec les factions ethniques. Les grands empires du XIXe siècle, fondés sur la suzeraineté économique plutôt qu'ethnique, ont fait tenir ensemble d'étonnantes coalitions de peuples qui spontanément ne s'entendaient guère entre eux. Les Empires ottoman et russe furent les associations de peuples les plus larges que le monde ait connues depuis l'empire romain. Quels qu'aient été leurs méfaits en matière de liberté, de droits et d'autodétermination, ils parvinrent à inhiber les instincts centrifuges des multiples tribus et factions qu'ils réunissaient, en combinant coercition et intérêt économique ; ils dotèrent le XIXe siècle d'une certaine immunité vis-à-vis de la guerre (sinon de la révolution) que peut leur envier l'irascible XXe.

Les communistes jouèrent un rôle analogue après la chute du vieil empire russe, comprimant les sentiments sécessionnistes des diverses nations sous la chape de plomb d'une idéologie séculière collectiviste. En Union soviétique, le communisme bloqua la révolution intérieure pendant plus de soixante-dix ans, et même en Europe de l'Est et dans les États Baltes, où il était imposé de l'extérieur et par la force, il empêcha les peuples rivaux de s'entre-égorger pendant au moins quarante ans.

La désintégration rapide de ce qui existait d'unité dans les pays baltes, l'Europe de l'Est, la Yougoslavie et l'URSS révèle à la fois l'importance de la victoire de l'impérialisme communiste et son caractère de victoire à la Pyrrhus. Que reste-t-il alors pour cimenter les sociétés pluriethniques et plurireligieuses ? Ni les libéraux, qui s'intéressent aux droits de l'individu et au règne de la loi, ni les communautaristes, qui veulent la démocratie locale, ne sont satisfaits. Les uns et les autres semblent, de crainte de donner libre cours à une balkanisation mondiale, refuser de soutenir le principe classique du XIXe siècle libéral, celui de l'autodétermination, qui atteignit son point culminant à la fin de la Première Guerre mondiale avec le rêve du président Wilson : celui d'une planète faite de nations qui auraient choisi leur sort. Le secrétaire d'État lui-même, à l'époque, Robert L. Lansing, ne partageait guère l'enthousiasme de son Président et se demandait si l'autodétermination ne « ferait pas naître le mécontentement, le désordre et la rébellion ? Cette expression elle-même est chargée de dynamite. Elle soulèvera des espoirs irréalisables. Elle coûtera, je le crains, des milliers de vies. Quel désastre que le mot ait jamais été prononcé ! Quelles souffrances ne causera-t-il pas[7] ! ». On ne s'étonne pas que même Amitai Etzioni, ardent partisan américain du communautarisme, s'inquiète des « méfaits de l'autodétermination[8] », tandis que Joseph S. Nye signe dans le *Washington Post* un éditorial sur « le piège de l'autodétermination[9]... »

Le marché capitaliste reste une sorte de porte de sortie ; j'en ai parlé ailleurs sous le nom de « McMonde » : « Des forces économiques et écologiques qui exigent l'intégration et l'uniformité et qui hypnotisent le monde à coup de *hard rock*, d'ordinateurs surpuissants, de *fast food*, de *MTV*, *Macintosh* et *MacDonald*, enserrant les pays dans un réseau mondial commercialement homogène : un McMonde relié par la technologie, l'écologie, les communications et le commerce[10] ». Le McMonde reste certainement le plus formidable rival du Jihad[11], et à terme peut même atténuer la force des tribalismes résurgents. Mais à court terme, il n'adoucira pas les passions ethniques. On a vu des miliciens croates, un pied posé sur le corps d'innocents civils qu'ils venaient de tuer, fumant des cigarettes américaines, chaussés d'Adidas et vêtus de blue jeans, portant en somme tous les insignes du marché mondial tout en suivant leur politique de nettoyage ethnique. De même que certains courants de musique *rap* américaine et caraïbe sont antisémites et anti-homosexuels, certaines variétés de rock allemand véhiculent un virulent fanatisme *skinhead*. Le rêve des années soixante, la *pop music* comme harmonisateur mondial, s'est évanoui. « Nous sommes le monde », chantent les naïfs pleins de bons sentiments à Memphis et à Hollywood, mais il est clair qu'ils ne le sont pas !

Ce n'est que dans le monde ésotérique de la théorie du choix rationnel que le calcul économique peut paraître peser plus lourd que la passion ethnique. Et même si le McMonde parvient finalement à intégrer le monde commercialement, rien ne garantit qu'il le rendra plus démocratique ou respectueux des droits. C'est pourquoi nous

---

7. Cité par David Binder dans "Ethnic Wars Multiply", *The New York Time*, 7 février 1993, p. 1. Il est vrai que Lansing n'adhérait pas aux points de vue de Wilson, et même qu'il s'efforça de saper certains aspects de sa politique.
8. Amitai Etzioni, "The Evils of Self-Determination", *Foreign Policy*, n° 89, hiver 1992-1993.
9. *The Washington Post, National Weekly Edition*, 21-27 décembre 1992, p. 28.
10. Benjamin R. Barber, « Djihad vs. McWorld : mondialisation, tribalisme et démocratie », *Futuribles*, n° 170, novembre 1992.
11. Voir Benjamin R. Barber, "Participation and Swiss Democracy", *Government and Opposition*, vol. 23, n° 1, hiver 1988.

revenons à la question par laquelle nous avons commencé : peut-on imaginer qu'une variante de la foi constitutionnelle américaine puisse apporter un remède à des sociétés multiculturelles en proie au tribalisme et tout près de sombrer dans l'anarchie ?

La foi constitutionnelle démocratique
comme antidote au tribalisme

S'il existe une forme de foi constitutionnelle capable de faire pièce aux nouveaux tribalismes, ce ne sera pas une foi importée clés-en-mains des États-Unis, de Suisse ou d'ailleurs. La solidité de la foi civique dépend précisément beaucoup de sa capacité d'adaptation aux circonstances et aux conditions de tel peuple à tel moment particulier. Il y a toutes sortes de différences, il y a diverses versions du multiculturalisme, même en Amérique où, par exemple, les difficultés des descendants d'esclaves (les Africains-Américains) sont très différentes de celles des immigrants noirs des Caraïbes, qui réussissent bien mieux leur assimilation.

Essayer de colmater les fissures de l'ex-Yougoslavie en important une idéologie civique américaine n'a pas plus de chances de réussir que tenter d'y promouvoir la démocratie en important son système de partis. Le transfert de technologie réussit quelquefois ; les transferts institutionnels presque jamais. Les institutions démocratiques réussissent parce qu'elles sont moulées sur le paysage dans lequel elles doivent s'insérer et enracinées dans une société civile bien établie. Telle est la leçon de toutes les théories politiques, de Montesquieu et Rousseau à Madison et Tocqueville, qui demandaient l'un et l'autre une *nouvelle* science politique pour une nouvelle société.

On peut toutefois énoncer quelques principes formels nécessaires à l'établissement d'une société civile. Une foi constitutionnelle convenant aux nations composées de fragments ethniques rivaux exige une idéologie civique dans laquelle la différence elle-même est reconnue et respectée. C'est le secret du remarquable succès multiculturel et multiconfessionnel de la Suisse : l'italien, bien que n'étant la langue que d'une petite minorité de Suisses, reste langue nationale ; le rhéto-romand, qui n'est parlé que de quelques dizaines de milliers de personnes du canton de Graubünden, est langue officielle dans ce canton.

Ensuite, le respect des différences peut s'accompagner d'une certaine expression territoriale ou géographique, idéalement par des institutions fédérales ou confédérales. La partition détruit une société civile ; la fédération la préserve tout en reconnaissant la relative autonomie des parties. Le plan Vance-Owen pour la Bosnie tentait de trouver une voie entre partition et fédéralisme, dans le pire cas de figure : des groupes ethniques hostiles entremêlés en une population continue, qu'il n'est possible de démêler que par le déplacement (en clair, l'expulsion). Le plan multipliait le nombre et réduisait la taille des unités confédérales au point que chaque quartier ethnique disposait de quelque autonomie, mais en toute logique il aurait alors fallu découper la société en unités de la taille d'une rue ou de deux ou trois maisons ou appartements ! Pareille solution, qui n'ambitionne que de séparer les groupes rivaux les uns des autres, loin de s'en prendre au fanatisme et à la haine, ne fait que leur céder. Aussi sanglante que fut la guerre civile américaine, elle se fit au nom de l'union et pas de la dissolution. La plupart des guerres civiles modernes sont conduites par toutes les parties au nom de la partition, la question étant seulement de savoir qui arrachera quoi.

En Amérique, la séparation a toujours été une tactique à court terme à l'intérieur d'une stratégie à long terme d'intégration : on reconnaît la différence afin de renforcer le lien des différentes parties avec le tout et de faire la démonstration que l'idéologie du tout représente non pas l'hégémonie d'un groupe mais une possibilité d'inclusion authentique. Si une partie ne comprend pas que la coopération est essentielle à sa survie, elle se considérera inévitablement comme diaspora de quelque autre nation de sang, fût-elle invisible, dont la reconstruction sera alors vue comme la seule voie de préservation. Malheureusement, l'attitude hostile d'un groupe peut réellement faire surgir une identité séparatiste dans un autre groupe qui se considérait jusque-là comme assimilé. Ainsi, les musulmans de Bosnie et de Croatie, sécularisés et assimilés dans la vie yougoslave, ne sont devenus islamiques et séparatistes que par suite de l'agression systématique de leurs ex-concitoyens et voisins. De même, une minorité grecque orthodoxe qui n'est pas respectée à l'intérieur de la Croatie devient une force non seulement favorable à l'indépendance de la Macédoine, mais aussi une raison possible d'intervention grecque (puis turque) dans les affaires croates.

Le fédéralisme est probablement une solution trop agressive et centraliste pour des pays aussi fracturés que la Croatie ou l'Afghanistan. Le confédéralisme pourrait être plus prometteur. Les *Federalist Papers* sont la lecture obligée, depuis longtemps déjà, des étrangers à la recherche d'une solution à l'américaine pour leurs difficultés multiculturelles, mais je trouve les articles de la Confédération bien plus pertinents. L'article III ne fournit-il pas un cadre relativement modeste pour maintenir les liens entre la République tchèque et la Slovaquie ou entre la Serbie et la Croatie ? Il prévoit la pleine autonomie des États membres et reconnaît leur indépendance, mais déclare aussi :

> Ces États forment entre eux une solide ligue d'amitié pour leur défense
> commune, la garantie de leurs libertés, et leur bien-être mutuel et
> général, s'engageant à s'assister réciproquement contre toute menace
> ou toute attaque, qu'elle soit dirigée contre l'ensemble des États ou
> seulement l'un d'entre eux, qu'elle concerne la religion, la souverai-
> neté, le commerce ou tout autre motif.

L'article IV stipule que :

> Les résidents libres de chacun d'entre eux [...] auront droit aux pri-
> vilèges et à l'immunité des citoyens libres dans la totalité des États,
> et les habitants de chacun d'entre eux pourront librement aller et venir
> dans chaque État et y bénéficieront de tous les privilèges du
> commerce.

· Des clauses analogues ont lié les membres de la Confédération
helvétique de 1291 à 1800, lorsque Napoléon tenta en vain d'imposer une constitution unitaire aux cantons récalcitrants. Les fragments de bien des nations éclatées pourraient faire pis que de se
concevoir comme une « ferme ligue d'amitié »...

Reste le problème des minorités à l'intérieur de chaque région
confédérée. Au début, dans les régions les plus compliquées, comme
la Bosnie, il faudra probablement recourir à une intervention extérieure qui constituerait un bouclier pour empêcher le fratricide tandis que les groupes hostiles s'efforceraient d'établir une société
civile. Il n'est pas nécessaire que ce bouclier soit fourni par les
Nations unies, dont les résultats en matière de maintien de la paix
ne sont pas toujours excellents. Une coalition de forces telle que
l'Otan ou le Marché commun, ou un puissant voisin (la Russie en
Serbie, les États-Unis à Haïti par exemple) peuvent aussi constituer
une autorité extérieure. Il paraît improbable que toute carte, aussi
torturée soit-elle, puisse apporter la paix à l'Arménie, à la Yougoslavie ou au Soudan en l'absence de forces qui imposeraient son
application. Pas de paix durable sans guerre, ou sans menace de
guerre. Même l'Amérique n'a pas réussi à enchâsser son multiculturalisme dans la tolérance avant d'avoir connu un conflit civil sanglant.

Pourtant, la présence de troupes extérieures de maintien de la
paix, même si elle est efficace à court terme (et bien souvent elle
ne l'est pas), ne peut ambitionner que de gagner du temps et d'instaurer un cadre provisoire dans lequel rechercher des solutions internes durables. La guerre civile américaine posa les bases d'une
reconstruction qui ne sut pas, par la suite, tenir ses promesses de
justice. Dans quelle mesure Lincoln a-t-il gagné sa bataille pour
l'âme américaine ? La preuve décisive, c'est l'accord interne, non
coercitif.

Certains placent, là encore, leurs espoirs dans l'économie, mais
comme le suggère notre discussion sur le McMonde, les marchés,

s'ils peuvent émousser la fureur de l'extermination réciproque, ne sont pas d'un grand secours pour réduire la haine et le fanatisme profonds qui conduisent à la guerre tribale, au nettoyage ethnique ou au génocide. Le miracle économique allemand et la position dominante de l'Allemagne dans la Communauté européenne ne l'ont pas protégée de la violence intérieure et de la rage xénophobe. Les forces d'intégration du McMonde opèrent mieux dans la relative tranquillité et l'ordre social. Elles ne peuvent se substituer à la réconciliation intérieure.

Il n'y a pas d'autre recours que dans la religion civile des droits réciproques et du respect mutuel. Une telle foi civique ne s'improvise pas, elle doit émerger des institutions civiles telles que les écoles publiques, les usages communs et une conscience civique partagée, c'est-à-dire des institutions qui ne se sont jamais enracinées ou ont échoué dans de si nombreux États en désintégration de l'Europe de l'Est. De telles institutions créent la base de multiples identités : elles suscitent des clivages transverses qui permettent aux habitants de percevoir leurs voisins ethniquement ou religieusement différents comme partageant d'autres objectifs et d'autres fins ; les valeurs communes naissant, par exemple, dans les syndicats, les associations de parents d'élèves ou les partis. Les différences non seulement doivent être contrebalancées par les appartenances communes, mais comprises comme une revendication de cette appartenance : « En tant qu'Africains-Américains, nous avons droit à l'égalité devant la loi et le même respect que les autres citoyens ! » plutôt qu'en un argument pour la séparation tel que : « En tant que Croates, nous avons droit à un pays à nous ! » En Amérique, la différence a servi à légitimer l'inclusion, en Europe elle a également servi à rationaliser l'exclusion. Le succès de l'Amérique doit beaucoup à notre foi dans la formule « Nous le peuple » comme mode d'inclusion.

Mais le plus important pour établir une foi constitutionnelle viable, c'est la démocratie. Les institutions démocratiques donnent chair à l'identité civique. Elles transforment le respect mutuel en un ensemble de pratiques politiques nécessaires. Plus que toute autre chose, c'est l'absence d'institutions démocratiques en Russie, Yougoslavie, Afghanistan, Somalie, Libéria, Tchécoslovaquie et toutes les autres nations multiculturelles en désintégration qui a poussé à la fragmentation ethnique et à la dissolution nationale. Inversement, ce sont les pratiques démocratiques des États-Unis, du Canada, de la Belgique et de la Suisse qui ont maintenu ensemble des peuples et des cultures civiques qui ont été moins sensibles aux sirènes de l'ethnicité que les Yougoslaves et les Afghans. Comme stratégie, cela suggère la nécessité de redéfinir les priorités : placez la démocratie d'abord comme fondement de la société civile, et la résistance à la fragmentation suivra peut-être. L'ethnicité ne créera jamais une forme de démocratie capable de la contenir dans certaines limites ; la démocratie, elle, peut créer une forme d'ethnicité qui sache s'autolimiter. Lorsque les droits sont pris au sérieux et perçus comme définissant les individus et les groupes, il est plus facile de les attacher à des groupes ethniques minoritaires et de persuader les groupes majoritaires que leur propre identité, si elle s'exprime comme une exclusion, viole leur foi civile. Mettre la démocratie d'abord, c'est la traiter comme une manière de vivre et pas seulement comme un ensemble d'institutions. Lorsque la pratique démocratique est enracinée dans l'appartenance à une communauté et englobe les membres de cette communauté dans un corps social plus large, les traits ethniques et religieux deviennent moins importants pour forger l'identité publique. La séparation de l'Église et de l'État, aux États-Unis, non seulement a protégé l'État de la religion, mais a protégé la religion de l'État, et chaque religion de l'hostilité des autres. Lorsque la démocratie libérale sépare sphère publique et sphère privée, elle élargit l'espace de l'exercice de la religion et de l'ethnicité privées tout en les isolant de leurs conséquences publiques potentielles, par exemple l'intolérance.

L'ethnicité est une saine expression d'identité qui, comme une cellule saine, est susceptible de pathologies qui retournent contre elle-même sa capacité de croissance. Le cancer qui en résulte détruit non seulement le corps autour de lui (la nation) mais la cellule elle-même (l'entité ethnique). La démocratie semble être la clé immunologique de l'ethnicité : le fondement de sa normalité, de sa capacité à contrôler sa propre croissance de manière qu'elle reste compatible avec celle des autres cellules ; et donc aussi de sa capacité à participer à la construction d'un corps politique stable. Le temps est peut-être venu, pour ces États tombant en morceaux et s'entredéchirant, de cesser de se préoccuper de faire tenir les morceaux ensemble et de commencer à se demander comment chaque morceau peut être rendu démocratique ; de reconnaître que la vraie source de la réussite, certes limitée et partielle, mais significative, de l'Amérique comme société multiculturelle est sa foi civique démocratique.

Benjamin Barber

Un multiculturalisme à la française ?

Joël Roman

L'ÉPOUVANTAIL du multiculturalisme américain est périodiquement brandi en France à chaque nouveau débat de société. Nous serions ainsi menacés d'un avenir fait de communautés fermées sur elles-mêmes, ne partageant plus aucune valeur commune, et qui seraient autant de prisons pour les individus. Bien entendu, c'est l'islam comme religion, les immigrés maghrébins ou leurs enfants comme population et les banlieues comme ghetto futur ou déjà présent qui focalisent ces craintes. C'est ainsi que les conflits raciaux aux États-Unis, le « politiquement correct » dans les campus, les inquiétudes ou les cris d'alarme poussés aux États-Unis mêmes[1] sont brandis ici à l'occasion de l'affaire des foulards, dans les discussions autour de la réforme du code de la nationalité, à propos de l'affaire Rushdie, dans les rumeurs qui évoquent l'emprise du FIS algérien sur les jeunes de banlieue, et par extension, quand on évoque la guerre qui sévit en Algérie. On accrédite ainsi la thèse d'une vaste conflit mondial, qui oppose d'un côté les visions universalistes, les valeurs de la laïcité et des droits de l'homme, la référence à une culture nécessairement émancipatrice, et d'un autre des particularismes rétrogrades, un nouvel obscurantisme, l'emprise totale du groupe et des traditions sur l'individu, la confusion permanente du religieux et du politique. Cette hypothèse a d'ailleurs été formalisée comme telle par Samuel Huntington, en parlant d'un conflit de civilisations qui viendrait selon lui

---

1. *Cf.* l'accueil réservé ici aux visions qui dramatisent l'importance du *politically correct* sur les campus américains, que ce soit celles qu'en donne Arthur Schlesinger Jr. dans *la Désunion de l'Amérique* (Liana Levi, 1993), ou Dinesh D'Souza dans *l'Éducation contre les libertés* (Gallimard, 1993), et bien entendu par l'accueil triomphal qui fut réservé au livre de Allan Bloom, *l'Ame désarmée* (Julliard, 1995).

structurer l'affrontement mondial, après les conflits idéologiques ou de puissance[2].

Or cette vision des choses pose à bien des égards problème : on peut en effet contester autant la pertinence du diagnostic porté sur la France que la validité des analyses du multiculturalisme américain, pour enfin questionner le bien-fondé de la comparaison ainsi conduite, ainsi que son extension planétaire.

Une France morcelée ?

En ce qui concerne la France, les descriptions catastrophistes ou apocalyptiques de la situation d'un pays menacé de libanisation ou de balkanisation pèchent de différents côtés. D'abord, elles sous-estiment largement les dynamiques d'intégration à l'œuvre dans la société française. La récente enquête de l'Ined[3] a de ce point de vue confirmé tant les témoignages et récits individuels, que les enquêtes plus partielles qui avaient été conduites ici ou là. Mais en même temps, elles surestiment la portée et les ressources d'un modèle normatif, porté par le droit, le politique et la culture scolaire. Enfin, elles érigent l'universel en monopole d'une posture singulière, faisant ainsi de l'exception française le seul lieu qui serait par miracle dépourvu de tout ancrage et de toute adhérence.

C'est le cumul de ces erreurs de perspective qui rend à ce point erroné le diagnostic porté sur la société française : celle-ci est sans doute aujourd'hui moins que jamais en proie aux traditions, aux pesanteurs culturelles héritées, sous l'emprise de religions. C'est au contraire une société éclatée, déliée, travaillée en profondeur par les forces centrifuges de l'individualisme. Quand on invoque avec grandiloquence le modèle républicain, on oublie que celui-ci a connu ses beaux jours dans une France aux trois-quarts rurale, sous emprise catholique encore très majoritaire, malgré les progrès de la déchristianisation, où les occasions de mobilité sociale ou géographique étaient encore très faibles (bien souvent, le service militaire était la première, et la seule, occasion de sortie de la petite région d'origine et de rencontre d'autres milieux sociaux), où les solidarités de voisinage, familiales ou professionnelles structuraient en profondeur les relations sociales. Et c'est en prenant appui sur ces multiples attachements que la culture républicaine a pu s'ancrer durablement, plus qu'en les combattant frontalement. Il est vrai que la culture scolaire était porteuse à la fois d'un individualisme ra-

---

2. *Cf.* Samuel Huntington, « Un conflit de civilisations », *in Commentaire*, été 1994.
3. *Cf.* Michèle Tribalat, *Faire France*, La Découverte, 1995.

tionaliste et d'un appel à l'universel, qu'elle s'efforçait d'élargir l'horizon des enfants qui lui étaient confiés. Mais là encore, il faut se garder de toute erreur de perspective historique : ce travail s'est effectué dans une tension constante entre l'exaltation des petites particularités, valorisées quand elles dessinaient le tableau d'une France harmonieuse composée de traditions diverses et équilibrée dans ses différences (voir le Tour de France par deux enfants), et la répression, parfois brutale, de certaines de ces particularités, notamment les langues régionales. Il faut ajouter que cette acculturation a su s'adosser à une demande sociale extrêmement forte, qui reconnaissait dans cette perspective une voie d'accès privilégiée à la modernité, et qu'elle était portée par une dynamique qui pouvait associer sans états d'âme progrès scientifique et technique et progrès moral, universalisme des valeurs et nationalisme farouche, promesse d'émancipation individuelle et de promotion collective et clivages de classes extrêmement rigoureux.

Ces conditions ne sont pas aujourd'hui réunies, à la fois sans doute parce que ces objectifs ont été pour partie atteints (l'émancipation individuelle), et que les conditions sociales se sont profondément transformées[4]. La société française contemporaine est en proie à des inquiétudes et des tensions d'une tout autre nature, qui tiennent non à un défaut d'individuation et d'autonomie, mais à un excès d'individualisme (avec les difficultés psychologiques et sociales que cela entraîne : individus déliés, désaffiliés pour parler comme Castel, à la recherche d'éléments de références identitaires et de ressources sociales), non à une perte de confiance dans les valeurs d'universalité, mais au contraire à leur extension et à leur banalisation, qui les conduit à valider une forme de relativisme déstabilisateur. Les quelques rares tendances au repli communautaire que l'on observe, dont effectivement certains événements comme le port de foulards par des adolescentes à l'école sont le signe, ne relèvent pas la plupart du temps de la persistance de traditions culturelles réfractaires à la modernité, mais attestent de conduites de repli ou de refuge vers des identités imaginaires, qui sont le fait des plus démunis en terme de références culturelles. Et certes, l'émoi soulevé par la première affaire des foulards, la focalisation sur ce problème et le sentiment de fragilité des institutions qu'on pouvait en retirer n'ont pu qu'inciter des mouvements islamistes à manipuler certaines attitudes, comme on l'a vu à l'automne 1994. Mais cela n'implique pas nécessairement, dans la plupart des cas, un rejet des valeurs universalistes, mais plutôt une manière de les prendre au sérieux (ainsi par exemple du discours sur la tolérance et le respect de l'au-

---

4. Cf. mon article « La fin du modèle républicain », Esprit, septembre 1990.

tre, quoiqu'on en pense), en cherchant ainsi à valider une conduite individuelle.

Si la modernité signifie consécration de l'individu et de sa capacité à se déterminer seul en toute autonomie, affirmation des droits de l'homme et perception de la commune humanité de tous, référence à l'universel et non à des traditions singulières, alors nous sommes tous dans cette modernité, et c'est bien au contraire son emprise qui fait problème : la vision d'un individu délié, en état d'apesanteur, l'affirmation de droits abstraits et le relativisme engendré par l'universel sont des effets de la modernité, une manifestation de ses contradictions internes. Cela ne veut pas dire qu'il n'y ait pas de problème d'intégration sociale : mais précisément, ce qui fait défaut, ce n'est pas l'universalisme juridique, mais les voies concrètes d'insertion sociale, notamment par le travail, mais aussi au niveau des voisinages ou des liens familiaux, ou encore à partir de références partagées par de petits groupes, culturelles ou religieuses ; au plan des valeurs et de la citoyenneté, ce n'est pas d'un trop plein d'identités que nous souffrons, qui viendrait morceler l'unité nationale, mais d'un déficit dans la consistance de cette identité nationale, trop délestée de son contenu affectif ou particulariste. C'est même dans cette brèche que s'engouffrent des discours populistes et nationalistes comme celui du Front national.

La question de l'islam

C'est sans doute l'islam qui mobilise le plus fortement les pourfendeurs du multiculturalisme. Il faut dire qu'ils trouvent dans l'intolérance de l'islamisme radical de quoi alimenter copieusement leur querelle. La question de l'islam déborde pourtant largement le contexte de cet islamisme militant, qui, même s'il est présent sur le territoire français, n'y joue qu'un rôle marginal. En fait, elle focalise et réactive de nombreux points aveugles du républicanisme. A la fois religion et matrice culturelle, l'islam vient figurer une étrangeté d'autant plus bienvenue que le catholicisme ne parvient plus à faire figure de repoussoir, sans pourtant avoir été totalement réduit aux yeux des laïques les plus convaincus. Invoqué – déjà – comme référence identitaire par les mouvements de libération nationale des pays du Maghreb, au premier chef par le FLN algérien, il est étroitement associé à la défaite historique de l'universalisme républicain dans sa version coloniale. Associé enfin à l'immigration et aux enfants issus de l'immigration, il manifeste la persistance d'un clivage irréductible à l'assimilation classique, et prend en défaut les promesses d'égalité sociale du républicanisme. Tous les éléments sont donc en place pour, d'un côté, une diabolisation de l'islam, comme menaçant radicalement l'identité républicaine et les valeurs politiques qu'elle porte, et d'un autre, une revendication identitaire d'autant plus forte, qu'elle est sans racines et apparaît à de nombreux jeunes qui se sentent rejetés comme la ligne de fracture la plus sensible de la société française. Ajoutons à cela l'impact qu'a, de part et d'autre, la renaissance d'une identité islamique à l'échelle internationale : aux uns, elle fournit des adversaires susceptibles de prendre enfin la place de « l'ennemi », vacante depuis le forfait de l'Union soviétique, et opportunément occupée par l'Iran des ayatollahs ; aux autres, des héros de l'anti-Occident, capables d'être de nouveaux ferments révolutionnaires dans le monde qui vient : Saddam Hussein étant venu naturellement prendre la suite de la guerre des pierres palestinienne. Peu importe que dans un cas on ait affaire à un cléricalisme chiite tout à fait singulier dans l'univers musulman, et dans l'autre, aux débris d'un baasisme laïque et nationaliste peu sensible aux thèmes de l'identité culturelle : celle-ci fait feu de tout bois.

Il ne s'agit pas ici de verser dans un irénisme de la cohabitation ou de la coopération des cultures : celles-ci peuvent être fortement conflictuelles le cas échéant, et les dynamiques d'acculturation sont rarement paisibles. Mais on voudrait s'élever contre la manière insidieuse dont s'installe, y compris parmi les voix les plus autorisées de la politique ou de l'intelligence françaises, une image de la guerre des cultures qui tend à devenir le filtre obsidional au travers duquel sont lus une série d'événements sans commune mesure les uns avec les autres. Cette situation a plusieurs conséquences fâcheuses, dont la moindre n'est pas de progressivement laisser accroire que certaines matrices culturelles, et donc notamment l'islam, seraient intrinsèquement incompatibles avec les valeurs d'universalité et de la démocratie, et donc de sans cesse sommer les individus qui en sont tributaires de choisir entre ces valeurs et les traditions, même partielles, dont ils se soutiennent. Nul ne peut évidemment consentir à un tel choix, et tout porte à croire que dans ce cas, ce sont les valeurs et les traditions considérées, à tort ou à raison, comme porteuses d'identité, qui nécessairement l'emportent dans les arbitrages individuels. Mais en même temps, cette représentation du conflit culturel tend subrepticement à identifier, aux yeux de ses défenseurs comme à ceux de ses détracteurs, l'idéal républicain universaliste à une aire culturelle donnée, et d'une certaine manière le « culturalise » à nouveau. Comme si tout l'effort de cet idéal n'avait pas été de s'arracher à son terreau culturel d'origine pour n'être qu'une idéalité sans racines, ce qui veut dire aussi disponible pour tous, quelle que soit la culture dont ils se réclament.

Le risque est alors considérable que de la culture universaliste, ne demeurent que les éléments les plus aisément transposables, ceux qui ne prêtent guère à contestation culturelle : ce sont essentiellement deux choses, la technique moderne et le marché, qui sont en passe de devenir, loin devant les idéaux des droits de l'homme et de la démocratie, le véritable universel de référence de nos sociétés. En un sens d'ailleurs, il y a quelque légitimité à cela : par leurs formalismes respectifs, l'un et l'autre n'exigent en effet aucun engagement en faveur de valeurs, ou du moins restreignent cette dimension au maximum. Mais d'un autre côté, ils s'avèrent aussi radicalement destructeurs, abandonnés à eux-mêmes, de toute perspective d'un vouloir vivre commun.

L'erreur de la démarche qui conclut à l'irréductibilité de la confrontation des cultures ne se mesure pas seulement aux conséquences néfastes qu'on peut en attendre, ou qu'on constate déjà. Elle porte aussi sur le diagnostic qu'elle prétend établir, en ignorant les causes profondes de la revendication à l'identité culturelle. Celle-ci peut avoir plusieurs motifs : mais dans le cas qui nous intéresse, celui de l'islam, les principaux sont aisés à mettre en évidence. Ils sont issus d'un côté de la perpétuation de l'humiliation coloniale, continuée sous des formes diverses par les conditions de l'immigration, le racisme ordinaire et les ségrégations sociales à l'œuvre dans la société française, le refus de faire une place aux contributions des coloniaux (Monte Cassino) ou aux blessures des insurgés (le 8 mai 1945 à Sétif, le 17 octobre 1961 à Paris) dans la mémoire collective, et la condescendance empressée avec laquelle sont successivement courtisés ou rabroués les pays anciennement colonisés, à la seule mesure de leur intérêt commercial, industriel ou stratégique. Ceux qui disposent d'une identité forte, capable en outre de se donner sans coup férir la posture de l'universalité et la légitimité d'un point de vue de surplomb incontestable, ne peuvent évidemment pas prendre la mesure de la somme d'humiliations vaincues qu'il faut parvenir à dépasser pour ne pas s'enfermer dans une contre-posture orgueilleuse de repli, ou tout simplement défensive. Mais il en va des postures culturelles comme des conduites individuelles : les rôles que nous pouvons endosser ne traînent pas devant nous comme autant de costumes de scène dans une garde-robe à l'abandon, où chacun pourrait essayer tour à tour celui qui lui plaît, au gré de sa fantaisie individuelle. Ou plutôt, cette disponibilité suprême, si elle est parfois possible, est l'apanage de quelques-uns qui ont en général un costume de ville fort seyant une fois leurs essayages terminés.

France-États-Unis en miroir

Ces rappels étaient nécessaires pour comprendre ce que nous pouvons emprunter au meilleur de la tradition multiculturelle américaine, à condition de ne pas en faire un épouvantail destiné à nous conforter dans nos préjugés. Bien évidemment, la société française est très différente de la société américaine, et les deux cultures politiques sont divergentes. Il serait donc absurde de vouloir transposer les débats de l'une dans l'autre, ou prétendre importer on ne sait quel modèle. Sur cette question toutefois, on sent bien que le défi est analogue, et touche à la question de l'organisation d'une référence commune dans une société profondément divisée. Il n'est d'ailleurs pas anodin que ce débat concerne au premier chef les deux grandes cultures politiques universalistes rivales, l'américaine et la française. Car si les modes d'articulation de cet universalisme diffèrent, il ne faut pas oublier que les deux pays ont longtemps proposé deux modèles dont les ambitions étaient voisines : dans les deux cas, une société issue d'une révolution se donnait comme code de référence une déclaration des droits de l'homme, dans les deux cas l'idée de république venait nommer cet idéal d'une politique d'émancipation, dans les deux cas, un universalisme était proposé en modèle au monde. En même temps, tandis que la société française a été marquée par l'empreinte unitaire de la tradition républicaine, c'est plutôt la tradition multiculturelle qui est l'apanage de la société américaine. L'universalisme français arase les différences tandis que l'universalisme américain les consacre. On voudrait faire ici l'hypothèse suivante : peut-être serait-il possible de corriger quelque peu les tendances centripètes de la société française en lui injectant quelques doses de multiculturalisme, tandis que la société américaine souffrirait d'un tropisme centrifuge inverse, et gagnerait peut-être à s'inspirer de notre propre tradition républicaine. Sans préjuger de la réponse que des Américains seraient tentés de donner à cette seconde partie de l'hypothèse, on voudrait ici tenter de justifier la première[5].

Deux raisons principales militent en faveur de cette tentative de greffe : la première est celle du relatif épuisement du modèle répu-

---

5. Il ne s'agit pour autant pas de prôner une apologie des différences closes sur elles-mêmes, comme le risquent parfois certains apologistes français du multiculturalisme américain, comme Alain de Benoist (*cf.* le dossier, par ailleurs très intéressant, rassemblé par lui dans *Krisis*, n° 16, juin 1994, et un récent ensemble de la revue américaine *Telos* auquel il a contribué). Ma position serait plus proche de celle de Pierre Birnbaum qui, malgré une critique serrée du multiculturalisme, conclut son étude (« Du multiculturalisme au nationalisme », *La pensée politique*, n° 3) par cette interrogation : « N'est-il pas urgent d'imaginer une interprétation foncièrement libérale du multiculturalisme capable de nous prémunir contre toute forme de nationalisme dont pourrait se prévaloir une quelconque idéologie identitaire remise au goût du jour ? »

blicain français, du moins dans sa version conquérante et assurée d'elle-même ; la seconde tient à la nature même du débat américain, et à ce que son étude peut nous révéler sur nos propres synthèses, mais aussi nos propres contradictions.

Il est en effet erroné de croire que le débat sur le multiculturalisme aux États-Unis (ou plus largement dans l'aire culturelle nord-américaine, incluant notamment le Canada et le Québec, puisque un auteur comme Charles Taylor est l'un des acteurs principaux de ce débat) opposerait frontalement deux attitudes, l'une favorable à une libre expression et organisation de « cultures » et de « communautés » minoritaires, et ne concevant la démocratie que comme le lieu géométrique de cette confrontation, et l'autre qui lui serait hostile, faisant valoir à la fois ce que le communautarisme a d'aliénant pour les individus et de dissolvant pour la nation. C'est en fait moins d'un débat à deux que d'un débat à trois qu'il s'agit : s'y affrontent, mais aussi s'y allient trois postures, les conflits et les alliances variant selon qu'on se situe sur le terrain politique ou au contraire philosophique. Pour simplifier, appelons la première position « libérale ». Elle est individualiste, profondément ancrée dans la culture politique américaine, et s'attache avant tout à définir des droits pour les individus, en visant à les soustraire au maximum à l'emprise de l'État, ou de toute forme de coercition supra-individuelle. Elle propose une vision de la société constituée par des liens contractuels et juridiques et, si l'on veut l'indexer sur des références théoriques, ce sont les noms de Rawls et de Dworkin qui viennent à l'esprit (bien que, semble-t-il, Rawls ait quelque peu modulé cette position dans ses plus récentes contributions). La seconde posture est « communautaire », et a été défendue par des auteurs comme Michael Sandel ou Alasdair MacIntyre. Elle s'inquiète des effets dissolvants de l'individualisme libéral et prône la recherche d'un bien commun de nature plutôt aristotélicienne, supérieur aux individus et capable de leur enjoindre des devoirs. Ce bien commun serait à rechercher dans une tradition propre à chaque communauté politico-culturelle. Enfin, nous aurions la posture « multiculturaliste », qui prône la nécessité pour l'individu de se référer à une sous-culture donnée, qui l'institue dans sa différence : qu'elle soit ethnique, culturelle, sexuée, d'orientation sexuelle, ou pourquoi pas, d'âge. N'importe laquelle des différences individuelles socialement pertinentes peut ici servir de catalyseur à une revendication de ce genre.

Or il est clair qu'à ce compte, chacune des positions ainsi définies se retrouve avec l'une des deux autres contre la troisième : le multiculturalisme fait front commun avec le libéralisme pour s'opposer à la définition trop restrictive à ses yeux d'une identité commune ou d'un bien commun nécessairement réducteurs pour les différences individuelles, tandis qu'en revanche il se retrouve avec les communautariens contre les libéraux pour dénoncer l'abstraction et le formalisme de la seule convention juridique pour lier les individus. Sommairement, car on pourrait trouver de nombreuses exceptions à cette classification, les multiculturalistes seraient philosophiquement d'accord avec les communautariens tandis qu'ils seraient politiquement plus proches des libéraux. C'est aussi pourquoi certains auteurs comme Michael Walzer ou Charles Taylor cherchent à dégager un espace commun multiculturaliste et libéral, sans se priver toutefois des ressources philosophiques du communautarisme.

Le républicanisme à la française : un libéralisme communautaire

Cette matrice permet de « déconstruire » le républicanisme français : celui-ci, à la différence des configurations observées aux États-Unis, serait une conjonction de libéralisme et de communautarisme – d'où d'ailleurs son hostilité viscérale au multiculturalisme, où il ne sait ni reconnaître la composante libérale, ni la composante communautaire. Libéral, le républicanisme français l'est dans la mesure où il valorise plus que tout l'autonomie de l'individu, en tant que celui-ci est censé obéir à la seule raison. Mais il n'est pas moins communautaire, puisqu'il fait de l'inscription de cet individu dans une singularité historique (l'exception française) et de sa prise en charge par l'État la condition de son émancipation. Quand on parle maintenant d'introduire le multiculturalisme dans la tradition française, c'est d'abord à une mise en perspective de cette synthèse opérée par le républicanisme que l'on songe. Que celui-ci cesse d'être une chauve-souris conceptuelle, tantôt oiseau universaliste, tantôt souris exceptionnelle. Ou encore : qu'on cesse de confondre l'accès à l'universel avec la nécessité de se conformer au modèle français dominant, ce qui revient à naïvement conférer une *aura* d'universalité à toutes nos singularités nationales, des plus évidentes (la Révolution française et sa tradition, la pensée des Lumières), aux plus contestables (nos grands écrivains d'exportation, notre langue, notre idiosyncrasie politique), en passant par les plus superficielles (notre cuisine ou notre haute couture). L'exaltation de la dignité culturelle des moindres traits de la vie quotidienne, qui est le lot du culturalisme contre lequel nos grandes consciences sont si vigilantes, n'est pas seulement le fait de pédagogues érigeant le couscous en clé-de-voûte de la pédagogie interculturelle : elle est aussi le fait de l'ethnocentrisme naïf de notre « grande tradition ».

Les multiples recours néorépublicains qui sont proposés ici ou là font tous allègrement l'impasse sur cette difficulté, en croyant, ou feignant de croire, qu'il serait possible aujourd'hui de reprendre tout bonnement le mythe de la bonne nation universaliste, accordant providentiellement valeurs universelles et référence identitaire singulière. Dire cela, c'est prendre acte de l'impossibilité où se trouve aujourd'hui le discours sur la nation de tenir lieu de cette conjonction désormais défaite. Cela ne veut pas dire qu'aucun discours sur la nation ne soit possible, ni qu'il ne faille pas en tenir un. Rien n'est plus dommageable de ce point de vue que de laisser s'installer une alternative entre un discours européiste purement abstrait, qui ne peut être entendu que comme une menace pour la nation, et la restauration d'un modèle qui n'a au demeurant jamais eu le caractère de simplicité qu'on lui prête. La nation a clairement une fonction intégratrice, au plan politique et social : elle est le lieu privilégié de l'exercice de la citoyenneté et de la solidarité. Mais cela ne fait pas d'elle le vecteur obligé des valeurs universelles. Celles-ci ne sont pas incompatibles avec l'appartenance nationale, ne la contredisent pas, mais lui sont supérieures. A vouloir dissocier totalement le plan du droit et du politique de celui de la nation, les européistes rabattent celle-ci vers une dimension purement culturelle et identitaire, ce qui la fige et surtout ôte toute perspective de médiation concrète vers l'universel (dont en outre on ne voit pas pourquoi il serait européen plutôt que mondial ; d'ailleurs, l'autre universel, non pas celui des valeurs, mais celui du marché, l'a bien compris). Mais, à rebours, en faisant mine de croire que la nation seule unifie l'universel et la singularité, les néorépublicains risquent soit de tirer la nation vers l'abstraction, et contribuer ainsi à la dissoudre, soit de donner l'impression qu'ils baptisent universelle leur propre singularité, dans un geste éthnocentrique aussitôt dénoncé par tous les autres.

C'est d'ailleurs bien là la difficulté de nos universalistes français, toujours enclins à faire de la France le phare des nations et le maître à penser du monde. On l'a bien vu lors du fameux débat sur l'exception culturelle et l'exception française, comme si culture (au sens de haute culture) et francité étaient synonymes. Il peut y avoir une exception culturelle pour les productions culturelles de qualité (mais il n'est pas sûr que les séries télévisées françaises, pour ne rien dire de certains films de cinéma, ou de certains aspects de la chanson française, en fassent partie). Il y a aussi une exception française légitime, qui s'appelle d'ailleurs plus classiquement protectionnisme (et qui trouve sa justification dans la nécessité de préserver des emplois), mais faire passer l'une pour l'autre et entretenir la confusion des deux est un tour de passe-passe. D'une manière générale, nos universalistes seraient plus convaincants s'ils savaient parfois se montrer un peu plus curieux des autres, et de leurs richesses culturelles. La francophonie est d'ailleurs en permanence le lieu d'une escroquerie de ce type, puisqu'on l'exalte quand il s'agit de mettre en avant la conjonction des valeurs universelles et de l'identité française, et qu'on la méprise quand par malheur l'un de ces francophones, qui ne sont jamais considérés que comme des Français approximatifs, cherche à s'en réclamer[6].

Le même travers, c'est-à-dire le même mélange d'arrogance naïve et d'autosatisfaction béate se retrouve dans la manière dont nos élites se rapportent au peuple, et font de la révérence aux valeurs de la haute culture la pierre de touche de l'émancipation. Or, l'émancipation politique n'a jamais nulle part dépendu de la culture (mais en revanche, comme l'a souvent rappelé Hannah Arendt et comme le souligne ici-même Michael Walzer, on a vu le contraire : le nazisme a été plébiscité par une partie des élites cultivées allemandes, ignoré et sous-estimé par les autres). D'un côté, il s'agit d'une attitude de mépris, qui, déniant aux formes de culture populaires ou aux pratiques culturelles populaires toute légitimité, vaut à ceux qui s'y adonnent une condamnation sans appel et les voue à rester aux portes de la cité, contredisant ainsi dans la pratique les discours universalistes que l'on prétend tenir. D'un autre, on est ainsi tenté en permanence d'instrumenter la haute culture, et cherchant à s'opposer au politiquement correct, on s'en fait les plus fidèles supports. Ni Sade ni Céline ne sont particulièrement recommandables à des fins de cohésion sociale, de partage démocratique des valeurs, ou de communion dans l'égalité des hommes. Ils n'en font pas moins partie du « corpus » des grands écrivains. Ce qui donne lieu chez nos universalistes à deux types de réactions : tantôt on épure le corpus, trouvant l'un trop immoral, l'autre peu recommandable, le troisième insuffisamment universaliste : selon les humeurs et les jours, on se verra ainsi interdire de fréquenter non seulement les deux auteurs cités, mais encore Rousseau, ou Aragon, ou Brecht, ou Baudelaire, ou Péguy, ou Mounier, pour ne citer que quelques-uns de ceux qui ont parfois le privilège de s'attirer ainsi les foudres de nos censeurs. A y bien regarder, qui restera-t-il de fréquentable à part Renouvier et Fouillée (Alain était trop pacifiste) ? Tantôt on met en exergue sa grande tolérance, et on exalte au contraire le non-conformisme de ces maudits : là, Sade et Céline tiennent le pompon. Et la pointe extrême de la culture, sa fine fleur, consiste alors à tenir

---

6. Il n'y a qu'à voir la considération dans laquelle sont tenus les romanciers africains par leurs homologues parisiens, la manière dont est envisagée la coopération scientifique et technique, ou l'abandon politique et diplomatique d'Haïti, pour ne prendre que trois exemples dans trois domaines différents.

pour résolument sans effet ni signification tout ce que, à tort ou à raison, les dits auteurs ont écrit. L'art ne transfigure pas seulement : il vaccine. La bêtise de nos contemporains serait alors de croire à quelque chose, de chercher un sens aux mots, bref de faire mine de prendre au sérieux nos défenseurs des valeurs (on a ainsi pu voir défendre Rushdie au nom de la liberté de création et du caractère fictif de son œuvre, ce qui sous-entendait que celle-ci ne pouvait avoir aucune signification propre, était pur jeu gratuit : voilà une tolérance qui se paye au prix de l'insignifiance).

Or, ou bien on pense que la haute culture n'a strictement aucune signification morale et politique : dans ce cas, laissons là être un objet de jouissance individuelle et n'en faisons pas un vecteur d'émancipation. Ou bien elle est le principal vecteur d'émancipation et alors il faut trancher. Sauf à faire comme nos universalistes qui jouent sur les deux tableaux et sont tour à tour tellement moraux et tellement nihilistes.

On peut ainsi être politiquement correct et profondément subversif : c'est d'ailleurs le cas du politiquement correct à la française, quand il se baptise antifascisme. Aprement vigilant quand il s'agit de traquer la moindre ambiguïté (surtout dans le passé – c'est plus facile, cela requiert moins d'efforts, et de plus on ne risque guère d'être contredit – , ou dans le peuple : celui-ci a le mauvais goût de mêler les difficultés sociales et les valeurs), il est suprêmement libre quand il faut exalter la création, la langue, et surtout le moi (d'où sa fascination pour Céline). Mais à prendre cette oscillation permanente pour la manifestation de l'universel, on se leurre profondément.

C'est donc bien le même jeu de miroirs et aussi de dupes qui se joue du « cultivé » au « populaire » et de l'« universel » au « singulier ». Dans les deux cas, le geste consistant à récuser l'autre au nom de valeurs fait fi de la manière dont l'autre perçoit cette posture de supériorité arrogante, et décrédibilise les valeurs dans le même temps qu'on les brandit. Dire cela, ce n'est pas souscrire à un relativisme généralisé : mais c'est s'interdire de considérer la « culture » ou « l'universel » comme un territoire conquis, d'en faire le lieu où l'on s'installe et une cause dont on serait propriétaire, pour reconnaître qu'ils sont plutôt l'horizon vers lequel, l'autre comme moi-même, nous avançons.

Identités et appartenances

Une fois cette prise de conscience opérée, il est loisible de s'interroger sur la meilleure manière dont peuvent s'articuler identités et appartenances, singularité et universel. Un multiculturalisme à la française, ce serait la possibilité de mettre à contribution en vue du bien commun des identités singulières localement configurées, qu'elles aient pour ciment des pratiques professionnelles, une origine ethnique, des convictions religieuses, des particularismes régionaux, des singularités sexuelles, etc. Ce serait reconnaître la diversité de la société et des groupes qui la composent, reconnaître aussi la nécessité pour les individus de se constituer et de se construire personnellement en prenant appui sur tel ou tel groupe, quitte à faire valoir qu'une identité achevée ne se limite pas à un seul groupe d'appartenance, mais consiste à pouvoir en revendiquer plusieurs[7]. Seule la dénégation de cet enracinement identitaire permet à certains de se croire quitte vis-à-vis de toute communauté primaire, ou de toute forme d'appartenance, alors que la véritable déliaison s'éprouve au contraire dans un douloureux défaut d'identité. Mais cela veut dire aussi travailler à une coexistence de ces différences, non pas seulement sur le mode d'une coexistence pacifique analogue à celle de la Guerre froide, mais sur le mode d'une reconnaissance mutuelle[8]. Pour exister, cette reconnaissance doit d'abord franchir un premier pas qui est celui de la visibilité mutuelle de ces différences : osons leur donner droit de cité, c'est-à-dire reconnaître d'abord à ceux qui en sont porteurs le droit d'être là, d'être là où ils sont et d'être ce qu'ils sont, sans avoir à se cacher ou à acquitter on ne sait quel droit d'entrée. On peut prendre l'exemple des banlieues où, parfois avec les meilleurs intentions, un certain nombre d'actions se résument à des injonctions de conformité, et délégitiment radicalement le cadre et les modes de vie des habitants : « la mise à la norme de quartiers hors normes », pour valide que soit cette ambition, peut aussi vouloir dire que ceux qui y vivent n'ont pas à être là où ils sont, ni ce qu'ils sont.

Cela veut dire encore donner à notre espace public, notamment médiatique, la plasticité nécessaire pour opérer cette visualisation mutuelle au sein de la société. Encore une fois, la société française n'est pas au bord de l'éclatement, mais elle est diverse. Ce qui la menace, c'est le refus d'accorder une place à ces différences, c'est

---

7. Sur une manière de concilier singularité et élan vers l'universalité, différence de genre et autonomie individuelle, on peut se reporter au dernier chapitre du livre de Mona Ozouf, *les Mots des femmes* (Fayard, 1995), qui porte le juste sous-titre : « Essai sur la singularité française ».
8. *Cf.* Charles Taylor, *Multiculturalisme*, Aubier, 1994.

l'homogénéisation forcée : de ce point de vue, les médias sont un rouleau compresseur fantastique, qui témoigne d'une profonde répugnance à laisser voir un peu de la diversité sociale ou culturelle, si ce n'est sur le seul mode des singularités individuelles émouvantes.

L'autre nécessité, c'est d'organiser la dynamique de la confrontation entre ces groupes et ces différences : afin précisément de leur interdire d'être des différences closes sur elles-mêmes, et de leur permettre de s'engager dans la voie d'une stimulation réciproque. Cela passe par la définition de règles du jeu, d'un cadre formel de cette confrontation, qui serait bien entendu un jeu démocratique rénové. Mais cela peut aussi vouloir dire qu'on relève les contiguïtés et les continuités, les permanences en deçà des césures, bref l'ensemble des traits qui ont configuré ces différences pour être parties prenantes de cette société. Il y a là matière à une approche renouvelée de la nation, qui serait d'abord le cadre contraignant de notre coexistence non désirée, mais aussi la marque d'un héritage dans lequel il est loisible de faire l'inventaire, à la condition de l'avoir d'abord accepté en bloc. Je peux me reconnaître dans tel événement ou dans telle tradition qui composent l'héritage national ; je peux aussi récuser comme infamants d'autres événements ou d'autres traditions : mais je ne peux les passer sous silence, et ignorer qu'ils existent. C'est aussi le chemin d'une nouvelle laïcité, qui ne soit plus d'abord laïcité d'abstention, traquant toute spécification ou toute affirmation identitaire comme autant de menées factieuses, mais au contraire laïcité de confrontation, apte à introduire à des mises en perspectives, à inciter à des itinéraires.

Loin des conflits sur le *politically correct*, un tel « multiculturalisme » à la française permettrait d'impulser une dynamique nouvelle aux relations entre la société et l'État. Il ne se confond pas avec les rêveries d'isolats culturels autogérés, mais emprunte en revanche à l'idée de discrimination positive ce qu'elle a de meilleur : prévoir des dispositifs inégalitaires afin de corriger les inégalités de fait et d'induire des dynamiques égalitaires. C'est d'ailleurs ce qui s'est timidement esquissé dans les problématiques des services publics dans le cadre de la politique de la ville. Cette discrimination positive à la française ne cible pas des groupes, mais favorise une action différenciée de l'État. Elle pourrait devenir un des principes de ce multiculturalisme tempéré.

L'autre pourrait être d'inventer une pluralité de façons d'être français : d'une certaine manière, la nécessité nous y a déjà contraints. A la suite de la guerre des six jours, on a vu peu à peu la communauté juive de France sortir de la seule volonté d'assimilation qui l'avait jusque-là caractérisée, proclamer la part propre de sa mémoire, y compris dans ce que cela pouvait avoir d'infamant pour la mémoire nationale idéalisée, et petit à petit se doter de ressources culturelles spécifiques, afin d'instaurer une identité singulière : celle des Juifs de France. Nul n'est en droit pourtant de suspecter leur loyauté ou leur attachement à la nation française. Pourquoi demain n'en irait-il pas de même pour d'autres, à commencer par les enfants de l'immigration maghrébine ?

Contre la guerre des cultures

Le multiculturalisme pourrait enfin offrir de nouvelles ressources aux dilemmes de l'action internationale, tiraillée entre le respect des spécificités culturelles et nationales (et la non-ingérence qui s'en déduit) et l'affirmation de principes universels de la démocratie et des droits de l'homme (qui justifient à rebours un droit d'ingérence). D'abord, en invitant à aiguiser son regard, et en interdisant les globalisations qui juxtaposent des aires culturelles disjointes, bientôt hiérarchisées en ères successives. Amalgamer dans une même aire islamique les pays du Maghreb, ceux du Machrek, les États du Golfe, le Soudan, la Turquie, l'Iran, le Pakistan, l'Indonésie, les républiques anciennement soviétiques d'Asie centrale, etc., c'est précisément verser dans le culturalisme qu'on prétend combattre. C'est aussi oublier que les chemins vers la démocratie sont aussi nombreux qu'il existe de nations, que chacun est un *Sonderweg* (« chemin d'exception »), y compris le nôtre, et qu'il n'y a pas d'étapes obligées ou de parcours balisé d'avance. C'est d'ailleurs la raison pour laquelle la démocratie se propose à tous, et même qu'elle travaille sourdement la totalité des sociétés contemporaines. Il n'y a pas des peuples ou des cultures qui seraient inaptes à la démocratie, d'autres qui manqueraient de la maturité nécessaire, mais il y a au contraire une exigence démocratique qui se manifeste partout et qui rencontre ici ou là des écueils et des difficultés de nature différente. Parmi ceux-ci, bien entendu, il faut compter l'existence de mouvements politiques ouvertement antidémocratiques, et qui enrobent souvent cette hostilité dans une phraséologie identitaire, comme c'est le cas de l'islamisme politique. Raison de plus pour ne pas leur accorder le privilège d'être les fidèles garants de cette identité revendiquée.

En revanche, comme l'a bien montré Michael Walzer[9], les expériences accomplies au sein de chaque culture ne sont pas closes sur elles-mêmes et incompréhensibles aux autres, mais au contraire elles peuvent acquérir une signification, et parfois résonner d'une

9. *Cf.* M. Walzer, « Les deux universalismes », *Esprit*, décembre 1992.

culture à l'autre. L'expérience de la libération, celle de la révolution, peuvent être éprouvées dans des contextes culturels très différents, chacun refaisant pour son propre compte une expérience faite autrement par d'autres. C'est davantage cette capacité d'entrer en résonance, plus que des règles juridiques ou formelles, qui permet d'espérer en des avancées démocratiques à l'échelle de la planète. Il y a bien entendu des règles intangibles, dont le respect s'impose à tous : mais elles ne prescrivent aucun vivre ensemble collectif, se bornant à interdire le mal. Les droits de l'homme sont indispensables mais ils ne sont la loi d'aucune communauté singulière et permettent ainsi que chaque communauté historique puisse, s'il le faut, être déférée devant leur tribunal.

Cela implique aussi que l'on continue à faire la différence entre les États et les sociétés, non pas pour maudire les États et encenser les sociétés, mais pour savoir garder des contacts de société à société, pour réintroduire, surtout là où c'est le plus difficile et le plus nécessaire, des marges de manœuvre et de contestation : nul n'a jamais confondu la culture latino-américaine avec les dictatures qui ensanglantaient l'Amérique latine, ni oublié de conjuguer dénonciation des totalitarismes et aide active aux dissidents. Gardons-nous donc de diaboliser des sociétés tout entières, au motif que leurs cultures nous sont plus opaques et qu'elles n'ont pour l'instant pas vu éclore de printemps démocratique. C'est aussi en jouant sur cette dialectique de la reconnaissance de l'égale dignité des cultures et de l'inégal accomplissement démocratique, de la spécificité de chaque histoire et de l'universalité des droits de l'homme, que ces valeurs peuvent cesser d'être nos valeurs pour acquérir leur portée universelle vraie.

Joël Roman

JOURNAL

L'EUROPE CONTRE LA CORRUPTION ?

En ces temps d'âpres débats à propos des affaires et de la lutte contre la corruption en France, il semblerait nécessaire de s'extraire du cadre hexagonal, pour s'interroger sur les véritables origines de la législation anti-corruption que le Parlement tarde à faire triompher définitivement.

La législation sur le financement reconnu et officiel des campagnes électorales, si elle a vu le jour en 1988, en période de cohabitation, sous Monsieur Chirac, a pris un départ définitif avec les textes votés sous le gouvernement Rocard (quelles que soient l'insuffisance et l'ambiguïté des dispositifs d'alors).

Le principe de transparence de la vie politique étant dès lors admis, d'autres textes ont suivi, notamment la loi Sapin du 29 janvier 1993, qui fut votée non sans d'âpres luttes au Parlement, où députés et sénateurs de tous horizons ont souvent tenté d'édulcorer, non sans quelques résultats, le projet gouvernemental qui voulait cerner l'essentiel des points sensibles de la vie administrative et politique se prêtant à la corruption.

L'ampleur du débat et les enjeux évoqués ne doivent pas nous faire ignorer que cette loi imposée au Parlement par la nécessité de prévenir la dérive de la moralité publique en France, doit beaucoup à la refonte, intervenue quelque temps auparavant, de la législation des marchés publics de l'État et des collectivités locales par transposition en droit français des directives européennes élaborées à Bruxelles par la Commission puis adoptées par les conseils européens de 1989 à 1993 à la faveur de la mise au point du marché unique.

Si ces directives qui réglementaient aussi bien les marchés publics de travaux, de fournitures, de délégations de services publics, que des secteurs autrefois « exclus » comme l'énergie, les télécommunications, les transports, l'eau, en exigeant, au-delà d'un seuil d'importance, un appel à la concurrence internationale, il faut souligner qu'elles introduisaient également une refonte importante des procédures d'appels d'offres en donnant des garanties juridictionnelles importantes et accélérées aux candidats évincés des marchés (conséquence de la directive « défense et recours »). Ce dispositif visait à casser au-delà d'une certaine importance les « préférences nationales » imposées quasi automatiquement par des situations oligopolistiques, dans chaque pays du Marché commun (les exemples actuels dans le domaine de la distribution de l'eau en France sont suffisamment démonstratifs). La transposition en droit interne, qui devait s'effectuer aussi bien dans le domaine législatif que réglementaire, n'a guère posé de problèmes au Parlement comme au gouvernement de l'époque. Le droit européen, qui n'autorise aucune variante à ce sujet, n'a fait qu'entériner la volonté commune des États comme de la Commission d'améliorer la concurrence dans l'instauration du marché unique en matière de commandes publiques.

Le ministère des Finances du gouvernement Bérégovoy, qui donna encore une fois son nom à la première véritable loi anticorruption d'ampleur (loi Sapin), a repris nombre des innovations apportées dans la législation européenne des marchés publics, après que celles-ci eurent été incluses dans les travaux de la commission Bouchery.

En construisant une déontologie globale de la commande publique applicable à tous les secteurs, public et semi-public, local et national, incluant aussi bien les marchés publics ou privés de ces secteurs que les délégations de gestion des services publics comprises d'une manière extensive ; ainsi qu'en insistant particulièrement sur la transparence des procédures d'appels d'offres comme des garanties offertes en cas de recours juridictionnels accélérés devant les tribunaux administratifs ou judiciaires, le ministre Sapin a permis de déborder le cadre jusqu'ici limité au seul droit administratif du Code des marchés publics en s'appuyant sur les bases juridiques contenues dans les directives bruxelloises et réservées par elles-mêmes aux commandes d'une certaine importance.

Sans nier les retouches (certaines techniques, d'autres plus politiques) données dans un premier temps à ce texte par le Parlement de cohabitation et concédées à une classe politique souvent réticente, il est primordial de souligner combien l'Europe, dont la mission n'est pas de se substituer aux États en matière de lutte pour la moralité publique, a pu apporter de solides fondements à une remise en ordre que les parlements nationaux étaient bien réticents à imposer par eux-mêmes.

Toujours en ce domaine des directives, alors qu'il est habituel de souligner que celles-ci ne sont que la synthèse des apports nationaux faits à Bruxelles par les services spécialisés étatiques, il faut préciser ici que les principales innovations (« directive défense et recours » notamment) ont été le fruit d'un travail spécifique autonome de la Commission et que même des services très compétents comme la « Commission centrale des marchés publics » en France n'y ont préalablement apporté qu'un point de vue subsidiaire.

Cela suffirait à démontrer que l'innovation constitutionnelle française prise à propos du traité de Maastricht, qui exige désormais que les textes nationaux de compétence législative soient filtrés par le Parlement avant transmission à Bruxelles pour l'élaboration des directives, ne lierait pas pour autant la Commission, quant à la mise au point définitive des textes destinés à être retranscrits en retour, sans amendement possible alors, en droit national interne.

En effet, en matière de réglementation de la libre concurrence et de la mise au point du marché unique, les services de la Commission ont eu prépondérance sur les propositions nationales dans l'élaboration des directives. En l'occurrence, c'est un fonctionnement dérogatoire du mécanisme antérieur d'élaboration des directives, inauguré par l'acte unique, qui a consacré la suprématie des services de la Commission là précisément où les propositions nationales n'auraient guère pu offrir des solutions tangibles et efficaces.

En sortant du cadre de la législation de la concurrence et des marchés publics, il est nécessaire de signaler que des publications récentes, notamment le livre de François D'Aubert *Main basse sur l'Europe* (Plon), tentent de mettre en évidence (*a contrario* des thèses exposées ci-dessus) que l'activité de la Commission, notamment par les aides et subsides européens à l'industrie, l'agriculture et aux régions en retard de développement, aurait induit de gigantesques détournements de fonds communautaires que la Commission serait bien incapable de réprimer. Cet énorme racket aux dépens des aides bruxelloises aux sociétés industrielles ou agro-alimentaires italiennes, françaises, espagnoles, grecques ou d'Europe du Nord risque de faire croire au lecteur que la Commission européenne fonctionnerait comme une machine à dilapider de l'argent public, et favoriserait la corruption sous couvert d'interventions économiques qui en l'occurrence se révéleraient constituer la dernière aberration du dirigisme économique.

S'il faut bien constater que si les faits dénoncés par Monsieur D'Aubert se révèlent fondés, le procès politique qui pourrait être fait aux responsables européens relève au contraire d'une conception inexacte de la responsabilité partagée de la Commission et des États nationaux.

En effet, alors que les fonds bruxellois sont pour l'essentiel distribués par les soins des administrations nationales, très peu de pays (sauf l'Allemagne fédérale) ont prévu dans leur législation interne des dispositions répressives pour les fraudes sur leur territoire à l'octroi des subsides européens. Le racket des fonds européens, dont le montant avoisine 10 % du budget de la Communauté, est favorisé par une conception irresponsable du fameux principe de subsidiarité qui devrait au contraire inciter les États nationaux à lutter plus activement contre toutes les formes de corruptions. Le procès qui pourrait être fait à cette occasion à l'interventionnisme économique européen lors d'une lecture trop rapide relèverait donc d'une bien mauvaise querelle idéologique.

Comment ne pas souligner, à travers les deux thèses évoquées ci-dessus, que si l'Europe a permis de conforter les législations nationales anti-corruption (en matière de marchés publics pour la France notamment), c'est donc bien, en retour, que les États devraient contribuer à la lutte contre la dilapidation des fonds européens ?

Comment ne pas rappeler qu'au début des années 90, au lendemain d'une amnistie douteuse concédée au Parlement par le gouvernement de Michel Rocard (ce dernier l'ayant après coup déplorée), et alors que surgissaient de nouvelles « affaires », il apparaissait que le pouvoir législatif, trop compromis pour la mise au point de vastes et profondes mesures permettant de moraliser durablement et valablement la vie politique, ne pouvait guère être relayé par un pouvoir exécutif lui-même non exempt de reproches quand on touchait au financement de la vie politique.

C'est donc bien la médiation de fait du droit européen, source salutaire d'inspiration, qui a permis de sortir du verrou hexagonal d'une société politique bloquée.

Les textes votés à l'hiver 1994 par le Parlement de cohabitation, à l'initiative de Philippe Séguin (qui reconnaissait l'impact des textes Sapin), n'ont pas bouleversé l'architecture des mesures votées sous la précédente législature.

Nos parlementaires et gouvernants passés, présents et futurs auront-ils le courage d'admettre que c'est bien la crédibilité de la classe politique française qui a pu être préservée de la gangrène par une bonne utilisation des transferts de souveraineté juridique européens ?

Verra-t-on enfin en retour des parlements nationaux voter des lois répressives efficaces, pour empêcher la dilapidation des fonds communautaires ?

Pour conclure, on peut affirmer que « plus d'Europe » ne veut pas pour autant dire « moins d'État nation ». Mais le simplisme des débats électoraux permet-il de le dire ?

Alain Guhur

MISSION IMPOSSIBLE ?

Il faut rendre justice à la lucidité des électeurs : la grande majorité d'entre eux ne s'attend pas vraiment à ce que Jacques Chirac tienne ses multiples promesses. Et pourtant, la rhétorique du changement semble avoir fonctionné, notamment auprès des jeunes, ce qui ne laisse pas d'inquiéter sur la suite des événements (comment réagiront-ils au vu des résultats ?) Concrètement en effet, le contenu du programme du candidat de droite apparaît singulièrement pauvre. Le « Contrat initiative emploi », principale innovation en matière de politique spécifique de lutte contre le chômage, ressemble fort à la quintessence de tout ce qui a été tenté depuis quinze ans (aide financière à l'embauche ciblée sur les jeunes et les chômeurs en difficultés). Pour le reste, la synthèse entre les idées de Séguin et celles de Madelin laisse rêveur : d'un côté l'éloge de la solidarité sociale et de l'État républicain, de l'autre l'appel à l'initiative économique individuelle dans le plus pur style libéral. En pratique, il faudra bien choisir (quelle politique fiscale ? quelles politiques de maîtrise des dépenses sociales, etc.). Le tout sur fond de déficits publics galopants et de mécontentement social. On serait inquiet à moins.

Indépendamment des promesses faites et des incohérences idéologiques, le pilotage de la politique économique au cours des prochains mois s'annonce en effet particulièrement délicat. Si l'on veut savoir ce que sera la politique économique du prochain gouvernement, mieux vaut ne pas accorder grand crédit aux intentions et prendre en considération les chiffres de l'économie française. A dire vrai, ceux-ci sont porteurs de signaux contradictoires, ce qui ne facilitera pas la tâche du futur gouvernement. Sur le versant rose, la croissance retrouvée (peut-être

3,5 % en 1995), des entreprises qui ont, pour beaucoup d'entre elles, retrouvé des marges confortables, un excédent record du commerce extérieur. Du côté gris, le pouvoir d'achat des salaires qui stagne, la consommation qui redémarre mollement, le chômage qui diminue lentement. Sans oublier l'exécrable, l'exclusion (on se rapproche inexorablement du million de bénéficiaires du RMI) et les déficits publics (6 % du PIB en 1994).

Ce tableau de bord suggère assez naturellement une stratégie en deux mouvements : inciter les entreprises à lâcher du lest sur les salaires pour pousser les feux de la croissance et, simultanément, réduire les dépenses publiques. Il semble bien que ce soit celle du nouveau pouvoir. Sur le papier cela pourrait marcher, la croissance générant de nouvelles recettes fiscales, mais il faut craindre que les deux moments de la manœuvre ne se contrarient : les distributions de revenu dans le secteur privé inciteront forcément les salariés du secteur public à réclamer leur part de gâteau, ce qui rendra encore plus difficile la réduction des déficits.

Reste ensuite à savoir si une relance par les salaires augmenterait sensiblement le taux de croissance, ferait baisser le chômage et, par voie de conséquence, améliorerait la situation des exclus. Beaucoup dépendra de la conjoncture mondiale : si celle-ci reste durablement porteuse, on pourrait voir s'amorcer un cercle vertueux, avec une forte reprise des investissements et des embauches. Mais on peut craindre, en sens inverse, que les hausses de salaire poussent les entreprises à intensifier leurs efforts de productivité. Pour augmenter le pouvoir d'achat sans dérapage des coûts salariaux, on essaiera de réduire les charges, mais l'état des finances sociales ne permettra pas d'aller très loin dans cette voie. Autant que de la hausse des salaires moyens, il faudra en outre tenir compte de l'évolution des bas salaires, dont le niveau passe pour être l'une des causes du chômage des travailleurs les moins qualifiés. En cette matière, l'échéance du 1er juillet (date de la décision annuelle concernant l'évolution du SMIC) sera très attendue.

Avant toute chose, les partenaires européens de la France (et les marchés) attendent une prise de position claire sur la politique monétaire et le respect des critères de convergence du traité de Maastricht. Le fait de repousser la monnaie unique de 1997 à 1999 ne trompera personne : si l'on ne profite pas de la reprise de la croissance pour réduire massivement les déficits publics, ce n'est pas dans deux ans, avec une croissance vraisemblablement plus faible, que l'on y parviendra. Mission impossible ?

Louis Bouret

COMMENT COMBATTRE LE FRONT NATIONAL*

Malgré tous les efforts des médias, Jean-Marie Le Pen n'aura pas été l'arbitre du second tour de l'élection présidentielle. Il fut absent du débat entre les deux candidats, qui refusèrent de prendre position en fonction de lui (les deux aspects de leurs programmes respectifs qui pouvaient séduire le dirigeant du Front national, la proportionnelle pour Jospin, le maintien des lois Pasqua pour Chirac faisaient déjà partie de leurs programmes du premier tour et n'ont pas fait l'objet de surenchères entre les deux tours). Ils ont échappé au suspense entretenu avec complaisance et complicité par Le Pen et les médias (je prendrai position le 1er mai, puis à l'issue du débat, etc.).

* Une version légèrement modifiée de ce texte a été publiée dans *Libération* du 15 mai 1995.

Certes, dira-t-on, mais ses électeurs ont été arbitres. Bien sûr, mais ni plus ni moins que les électeurs qui se sont portés au premier tour sur d'autres candidats que ceux restés en lice pour le second, que les abstentionnistes du premier tour, ou encore que ceux qui ayant voté Jospin ou Chirac au premier tour n'ont pas renouvelé ce choix au second.

Cela ne veut pas dire qu'il ne faille pas prendre au sérieux le nouveau score de Jean-Marie Le Pen à l'élection présidentielle, sa lente mais constante progression, ni les menaces que représente pour la démocratie un discours qui induit des passages à l'acte criminels et qui refuse de les condamner. Mais cela pose la question de la manière dont on mène le combat contre le Front national. Plusieurs stratégies ont été successivement ou concurremment essayées. Il importe de s'interroger sur le bien fondé de ces diverses stratégies, et sur leurs capacités à endiguer le Front national. On peut schématiquement en distinguer cinq : l'ignorance, la diabolisation, le mimétisme, la banalisation et l'affrontement. Elles ne sont pas toutes incompatibles, mais plusieurs le sont, et l'on peut d'ores et déjà faire l'hypothèse que l'une des raisons de la montée du Front national tient aux incohérences entre ces diverses stratégies.

L'ignorance

Ce fut d'abord la première stratégie suivie. Elle consiste à refuser au maximum au Front national l'accès à la visibilité, à commencer par l'accès aux médias, mais aussi l'accès à la crédibilité politique. Il faut donc ne jamais en parler, ne pas lui répondre, bref, ne rien faire qui puisse venir accréditer l'idée qu'il existe. L'hypothèse est alors que le Front national et ses militants s'épuiseraient dans le désert. Cette stratégie a sans doute pour elle d'être l'une des plus efficaces. Mais elle suppose une discipline sans faille de tous les acteurs concernés, médias et classe politique. A partir du moment où l'un quelconque rompt le pacte, comme ce fut le cas au milieu des années 80, cette stratégie n'a plus de pertinence ni d'espoir de réussite. Ceux qui la poursuivent s'exposent même à des effets pervers : accréditer la thèse de Le Pen selon laquelle il est victime d'un complot ourdi par les médias et les autres forces politiques, et lui permettre de se poser en martyr.

La diabolisation

A certains égards, la diabolisation est la stratégie exactement opposée : au lieu de faire silence sur le Front national, elle consiste à en parler beaucoup, en maximisant à chaque fois le danger qu'il représente. Mais elle peut aussi servir de ligne de repli à certains de ceux qui ont constaté que la première stratégie a échoué, faute d'unanimité. Quoi qu'il en soit, cette stratégie part du principe qu'on ne saurait surestimer le péril que représente le Front national. Elle recourt à plusieurs arguments : le parallèle historique, notamment avec le nazisme ; le refus de tout accommodement, thématique ou institutionnel ; l'idée que le Front national est aujourd'hui le principal, voire le seul défi que la démocratie aurait à affronter. On trouve un bel exemple de cette stratégie dans l'argumentaire développé par Bernard-Henri Lévy dans *Libération* du 29 avril 1995, mais elle sous-tendait peu ou prou tous les discours qui faisaient précisément du Front national l'arbitre des élections présidentielles.

Sans mettre en cause la détermination et la sincérité de ceux qui épousent cette stratégie, on peut cependant faire les remarques suivantes. A l'évidence, en surestimant le Front national, elle contribue à en renforcer le poids sur la vie politique

et l'audience. Elle est son meilleur agent publicitaire. Ainsi de divers arguments développés par Bernard-Henri Lévy, mais aussi par bien d'autres : en additionnant les scores de Le Pen et de Villiers, on valide l'argumentaire de Le Pen selon lequel l'opération Villiers est une diversion destinée à lui prendre des voix et à lui interdire l'accès au second tour. De même, en insistant sur l'homogénéité de l'électorat du Front, on souligne sa cohérence idéologique, et on conclut en en faisant le noyau dur d'une droite beaucoup plus large, ce qui est aussi le fond de l'argumentation et de la stratégie de Le Pen. Bref, on est vite conduit à penser que la France est aujourd'hui potentiellement majoritairement fasciste. Or l'électorat de Villiers est plutôt celui d'une frange traditionaliste de la majorité parlementaire, comme le confirme son désistement. Les voix qu'il a recueillies ont plutôt davantage manqué à Chirac ou à Balladur qu'à Le Pen, toutes les enquêtes le montrent. Et les considérations sur la diversité de l'électorat de Le Pen sont issues du souci de traiter aussi ce vote comme un symptôme, et donc de se pencher sur les causes qui conduisent à voter ainsi. De ce point de vue, le rapprochement à faire serait de nature plus sociologique, et conduit à retrouver des parentés entre les électorats de Le Pen, de Tapie et de Laguiller, ce qui infirme la thèse d'une détermination idéologique forte. Enfin cette opposition purement idéologique au Front, à partir d'une dénonciation morale, donne le sentiment qu'il s'agit parfois de conforter la bonne conscience des bien-pensants, tandis qu'ils se désintéressent des raisons sociales (chômage, insécurité, conditions de vie) qui conduisent une partie de leurs concitoyens à de telles extrémités. Et là encore, on nourrit l'argumentaire de Le Pen.

Le mimétisme

Le mimétisme est la stratégie exactement inverse, et elle a été au mieux illustrée par Charles Pasqua. Elle consiste à « couper l'herbe sous le pied » de Le Pen en reprenant sa thématique, en agissant dans son sens, notamment à l'égard des immigrés. A l'évidence, cette stratégie a montré son échec : le vote Le Pen n'en a pas été diminué, mais augmenté. On aurait pu s'épargner cette vérification expérimentale : cette stratégie aboutit en effet, malgré ses intentions républicaines avouées, à valider les thèmes que Le Pen met en avant en leur conférant une dignité et une légitimité qu'ils n'auraient pas eues autrement. Son discours n'en prend que plus de poids, et son influence est accrue.

La banalisation

Ni ignorance, ni mimétisme, la stratégie de banalisation consiste à tenter de priver Le Pen de son principal argument : la marginalité dans laquelle il serait tenu par les forces politiques en place et les institutions. Il s'agit d'intégrer le Front national au jeu politique, à la représentation et aux alliances, en espérant ainsi le conduire à amender un discours de rupture et neutraliser sa capacité de nuire. C'est au fond la thèse du compromis institutionnel et non plus thématique avec le Front national. Certains développent cette idée en soulignant qu'il s'agissait au fond à droite de faire ce que François Mitterrand a fait à gauche avec les communistes. D'ailleurs, la présentation du Front national comme une force extrémiste de droite symétrique du parti communiste obéit à la même stratégie de banalisation. La controverse sur la représentation proportionnelle relève en partie aussi du débat sur cette stratégie : indépendamment des arguments de fond qui peuvent plaider en faveur d'une re-présentation proportionnelle, partielle ou intégrale, ou au contraire contre elle, certains estiment qu'il est dangereux de tenir 10 à 15 % du corps électoral en dehors du jeu institutionnel et plaident pour une intégration de ce courant au jeu politique. L'argument pourrait avoir un certain poids, s'il n'y avait pas le précédent de 1986. En instaurant alors la proportionnelle (contre l'avis de Michel Rocard qui démissionna alors avec éclat de son poste de ministre de l'Agriculture), François Mitterrand fit entrer plusieurs députés du Front national à la Chambre. Les effets ne furent cependant pas ceux escomptés : on n'assista à aucune inflexion du discours du Front national, et en fait d'intégration au jeu politique, il fut instrumenté pour semer la discorde à droite. Il reste que la question de la proportionnelle doit aussi être prise avec précaution : faut-il punir d'autres forces politiques minoritaires (les écologistes, notamment) de la présence du Front national dans le paysage politique ? A condition de récuser la proportionnelle intégrale, ainsi que toute forme d'alliance politique, à droite ou à gauche, avec le Front national, nos institutions ne pourraient-elles pas supporter quelques députés FN ? La véritable banalisation réside en fait dans les alliances et les compromis, ou dans l'instrumentation, pas nécessairement dans la représentation.

L'affrontement

Au terme de ce parcours des différentes stratégies qui ont été essayées contre le FN, seule celle de l'affrontement paraît en réalité devoir être retenue. Elle suppose que soient déployés des efforts sur trois fronts : idéologique, politique et social. Idéologiquement, il s'agit de combattre sans relâche les thèses du Front national : de ce point de vue, l'attitude des médias à l'égard de Jean-Marie Le Pen est des plus ambiguë. Oscillant entre une dénonciation de principe et des tentatives de diabolisation (lui donner la parole pour en faire un épouvantail), ils négligent souvent de tout simplement récuser les mensonges (sur l'immigration notamment), les contradictions, les failles du discours de Le Pen. Or la seule disqualification morale ne suffit pas : il faut encore montrer que les arguments utilisés sont fallacieux. Par ailleurs, il faut refuser la stratégie d'intimidation idéologique du Front national et assumer un discours sur les valeurs d'accueil et sur le droit, notamment en ce qui concerne l'asile ou le regroupement des étrangers, ou encore sur la question de la nation et de l'Europe.

Politique ensuite : cela passe bien entendu par la constitution d'un front démocratique ou républicain, s'engageant à ne passer aucune alliance avec le Front national. Mais cela veut dire aussi s'attacher à une véritable démocratisation des institutions afin de priver Le Pen d'un de ses arguments favoris. La dénonciation de la confiscation du pouvoir par une élite restreinte a de beaux jours devant elle, tant que chacun pourra constater qu'elle correspond assez largement à la vérité.

Social enfin : on sait que le vote en faveur du Front national progresse à la faveur du sentiment d'abandon dans lequel se retrouvent des populations en difficulté sociale. La mise en œuvre d'une politique résolue en faveur de la cohésion sociale, de la reconnaissance de droits à la citoyenneté sociale, l'engagement des services publics en faveur des plus défavorisés sont à la fois des objectifs de justice sociale en eux-mêmes, mais aussi le plus sûr moyen de priver le Front national de ses électeurs. Il ne sert à rien de se répandre en considérations plus ou moins savantes sur la nature de l'électorat protestataire, si l'on n'est pas capable d'entendre cette protestation et

son bien-fondé, même si son expression se fourvoie.

Toute tentative de couplage entre cette stratégie et les autres, en particulier des tentatives de compromis soit institutionnel (la banalisation), soit thématique (le mimétisme) la brouille et la rend inefficace. Mais la pire des dérives consiste à opérer une diabolisation permanente du Front national, sur fond de dénonciation morale, lui assurant ainsi une formidable caisse de résonance et lui apportant sans cesse de nouvelles preuves de la validité de son discours sur les élites. A entendre Jacques Chirac et Lionel Jospin, ainsi que leurs principaux lieutenants, il semble que les politiques l'aient compris. Il serait bon que les acteurs des médias et les intellectuels fassent de même.

Joël Roman

DE LA DÉMOCRATIE AU QUOTIDIEN, EN AMÉRIQUE ET EN FRANCE*

La France ne veut pas ressembler à l'Amérique. Une société qui tolère le crime, accepte des inégalités scandaleuses, refuse la Sécurité sociale à la majorité de ses citoyens, ne peut servir de modèle à la patrie des droits de l'homme. Il est vrai que l'on trouve en Amérique, alliée à la puissance économique et technologique, le genre de misère que l'on associe au tiers monde. Mais comment se fait-il alors que, chaque fois que je retrouve l'Hexagone après un séjour de plusieurs mois outre-Atlantique, j'ai l'impression de revenir dans un pays de barbares ?

---

* Paru dans la rubrique « Rebonds » de *Libération*, le 19 avril 1995.

Les choses commencent en général à l'aéroport. Scène vécue récemment. Les passagers attendent leurs bagages autour du carrousel, un peu hébétés après treize heures de voyage. Surgissent en trombe deux employés de l'aérogare, poussant devant eux un serpent de chariots qu'ils balancent dans les jambes de quelques voyageurs, lesquels n'ont apparemment pas compris que les nécessités du service passent avant toutes choses — et, en particulier, avant le respect dû à ceux à qui ce service est censé bénéficier. Puis vient l'expérience de la queue bidimensionnelle, en forme de patatoïde, cette spécialité bien française et bien peu cartésienne. L'angoisse que l'autre vous passe devant est cause de ce que chacun « prenne les devants », comme disait Hobbes, décrivant la guerre de tous contre tous propre à l'« état de nature ».

C'est ensuite le tour de la circulation automobile. Ce jour-là, les feux dits tricolores clignotent bêtement à l'orange, à un croisement majeur. L'embouteillage est inénarrable. Au milieu du chaos général chacun se rue vers l'avant pour gagner le moindre pouce de terrain, contribuant ainsi au chaos. Comportement individuellement rationnel et collectivement imbécile. Pendant trois mois, hier encore, j'ai vécu dans un autre monde. Dans le petit coin de Californie où je séjourne, il n'y a pas de feux aux intersections — ni, bien sûr, d'agent de police. Les automobilistes respectent scrupuleusement une règle non écrite. En arrivant au carrefour on marque un court temps d'arrêt. Cela vous permet d'apprécier d'un coup d'œil l'ordre dans lequel chacun se présente. La priorité, c'est que le premier arrivé est le premier reparti. C'est simple comme bonjour, agréable et très efficace. Qu'on ne s'y trompe pas : cette sagesse collective est la conquête d'une grande civilisation, un arrachement à l'état de nature qui s'exprime jusque dans les plus petites choses de la vie quotidienne.

Le 25 janvier dernier s'est éteint à l'âge de quatre-vingt-neuf ans un grand mathématicien, qui fut le président du département de mathématiques de l'université de Princeton dans les années cinquante et soixante : Albert W. Tucker. La presse a rendu dignement hommage à sa mémoire. Qui, en France, connaît seulement son nom ? En 1950, Tucker, ayant à initier les étudiants de psychologie de l'université Stanford aux complexités de la nouvelle-née théorie des jeux, inventa une parabole. La fortune de celle-ci aura été considérable, puisqu'il n'est pas une branche des sciences de l'homme ou de la philosophie d'outre-Atlantique qui n'en ait été affectée. Le nom sous lequel elle est connue, « dilemme du prisonnier », renvoie à l'histoire que Tucker inventa pour donner chair à ce qui est avant tout une structure d'interactions entre entités qui sont en conflit tout en ayant des intérêts communs. Peu importe ici l'histoire, puisque la structure est précisément celle de l'état de nature selon Hobbes. Chacun a le choix entre deux stratégies, l'agressivité ou la coopération. Il se trouve que quoi que fassent les autres, chacun a intérêt à se montrer agressif : s'ils le sont eux aussi, pour ne pas se laisser marcher sur les pieds ; s'ils se montrent coopératifs, pour leur passer devant. Donc, chacun se montre agressif. Mais, ce faisant, tout le monde se retrouve dans une situation pire que si tous avaient coopéré. Encore une fois, un comportement individuel cohérent mène à un résultat désastreux pour tous. L'incapacité de gérer le conflit empêche les acteurs de bénéficier de ce qu'il y a de commun ou de convergent dans leurs intérêts.

La pensée politique française ne s'est jamais intéressée à ce qu'elle prend pour des fariboles ou des robinsonnades. Il y a, juge-t-elle dans ses moments d'indulgence, une conception mécanique de l'homme derrière ces exercices de théorie des jeux appliqués aux réalités politiques et sociales. Certes, mais *quid* si ce que nous appelons le mal avait précisément sa source dans ce qu'il y a de mécanique en l'homme ? Aurait-on déjà oublié les leçons du structuralisme (qui sut faire un usage judicieux de la théorie des jeux) ? Le paradoxe, c'est que la France, dont l'intelligentsia méprise ce type de pensée, est incapable de gérer les dilemmes du prisonnier de la vie quotidienne, alors que l'Amérique, qui a su concevoir cette structure, sait aussi, dans ses files d'attente, ses carrefours, sa gestion de la vie collective et de l'environnement, s'arracher à son emprise. Le moyen ? Ici comme ailleurs, Tocqueville a tout dit, ou presque. Le fait générateur, c'est l'« égalité des conditions », ce *sentiment* que l'autre est fondamentalement semblable à moi. Dans le dilemme du prisonnier cela donne : quoi que je fasse, l'autre fera la même chose (ce que nous appelons, avec condescendance, le conformisme américain). Il n'y a donc que deux cas à considérer : ou nous coopérons, ou nous choisissons l'agressivité. La première option est évidemment la meilleure, et c'est celle que nous prenons.

On dira que je ne m'intéresse qu'aux gens qui ont les moyens de prendre l'avion ou de se déplacer en voiture. Erreur : je suggère à nos sociologues une étude comparative sur les comportements d'attente dans deux parcs d'attraction, le Disneyland de Los Angeles et l'Eurodisney de Marne-la-Vallée. Les Américains qui peuplent le premier, ce sont des *Chicanos*, des Asiatiques, des Noirs, venus là en autobus et dont les moyens sont des plus réduits. Le respect, la gentillesse et la patience qu'ils manifestent les uns envers les autres sont aux antipodes des conduites de hargne et de resquille qui condamnent le second à un échec trop facilement prévisible.

Dans le petit coin de Californie où je séjourne, les supermarchés appartiennent à une espèce autre que ce que nous mettons ici sous ce nom. Chaque caissière, et il y en a beaucoup, se trouve flanquée d'un assistant qui emballe prestement vos articles, non sans vous avoir demandé si vous souhaitez un sac en papier ou en plastique, et s'être enquis de votre santé d'un « Comment allez-vous *aujourd'hui* ? » La comparaison avec la supérette de mon quartier de Paris serait trop cruelle. Des caissières qui vous font la gueule tout en vous imposant de faire très vite deux choses à la fois, les payer et tenter de faire entrer vos emplettes dans des sachets qui ne s'ouvrent pas, et alors que la marée des autres clients menace de déferler sur vous, c'est une définition quotidienne de l'enfer. Les Français de passage en Amérique, et qui voient bien la différence de qualité dans ces relations dites de « service », la passent aussitôt par profits et pertes en disant : « Ce sont des relations superficielles, et de toute façon guidées par une logique marchande ». Si c'est la vérité, alors à bas la profondeur, et vive le marché !

Entre cette démocratie du quotidien et les variables macro-économiques, des rapports existent. En Californie, il n'y a guère de chômage autre que frictionnel. Oui, s'exclame le sceptique, mais la plupart des nouveaux jobs sont des activités de service. Comme si cela suffisait à les réduire à néant ! Le service est là-bas un vrai métier pour celui qui le pratique, et qui en est fier sans pour autant s'identifier à sa fonction ; et un vrai *service* pour celui qui en bénéficie. Le contact, en France, avec les prétendus préposés aux services fait trop souvent penser au mot de Nietzsche : « Craignons celui qui se hait lui-même, car nous serons les victimes de sa vengeance ». Mais, ici aussi, Tocqueville a déjà tout dit.

Je n'oublie pas que l'Amérique, c'est aussi la violence, l'exclusion, la misère. Il est des coins où, comme partout ailleurs, vous ne prenez aucun risque en traversant la chaussée, parce que les voitures vous laisseront passer à votre rythme, mais où vos chances d'être envoyé *ad patres* par un drogué en état de manque sont très hautes. Je ne vois cependant pas que cette violence soit fille de cette civilité, et que pour se garder de la première il faille déroger à la seconde. Il serait intéressant de se livrer ici à une analyse anthropologique comparative sur les formes de l'individualisme des deux côtés de l'Atlantique. La révolte rituelle, carnavalesque, contre la norme établie, cela existe très peu en Amérique. Il n'y a, par exemple, pas de chahut dans les classes. Le mot n'a même pas d'équivalent exact. Le professeur ne sera pas hué par ses élèves, mais il peut très bien être liquidé par l'un d'entre eux...

La France est un grand pays, répètent à l'envi nos hommes politiques. Elle l'est, c'est vrai, pour autant qu'elle réussit à se déprendre d'un vieux fond de petitesse et de ressentiment.

Jean-Pierre Dupuy

LES ZOMBIES DU MÉTRO

D'abord on les a regardés éberlués : des types qui faisaient la manche dans les rames et n'étaient pourtant pas défraîchis au point de passer pour des clodos professionnels. Un nouveau négoce ? La méfiance s'est installée. Des gaillards de cet âge, allons donc ! S'ils cherchaient vraiment, s'ils n'avaient pas peur de se lever tôt le matin pour aller décharger les cageots, c'est sûr qu'ils en trouveraient du boulot !

Bien avant que le RMI ne soit institué comme une obole concédée par la société à ses rebuts, l'ambiance avait changé. Les regards avaient perdu de leur dureté, la honte avait repoussé l'hostilité. C'est alors qu'ils commencèrent à donner 10 F pour *le Réverbère*. Seulement de l'asphalte gris poussèrent bientôt tant de titres affligés, *Macadam*, *la Rue* ou autre *Lampadaire*, que l'intérêt vint à s'émousser de fatigue.

Lentement l'indifférence s'installa. Ne plus voir, ne plus entendre – ou essayer ! – au détour de soupirs faisant un timide écho au souffle d'une trompette mal embouchée... Le spectacle glissait sur la vitre des lunettes et sur les barres d'acier poli.

Pièce après pièce, la foule des passagers atones engluait ceux qui, hier encore, avaient donné au Téléthon ou frémi aux images de la faim dans le monde. Il y en avait une, raidie sur son strapontin, qui se souvenait en songe des sentiments éprouvés à Calcutta à quinze ans de distance : répulsion pour la vie qui s'organisait en marge de la misère éclatée au grand jour, dégoût pour tous les riches et les gras calés sur la trajectoire de leur existence, imperturbables, imperméables. Qui l'eût dit ? Qui eût cru que ces témoins indignés pourraient aussi facilement ressembler à leurs cousins lointains ?

Rendus comme eux aveugles par l'habitude et le besoin de vivre en paix. Caparaçonnés. Blindés contre des images trop évocatrices de leur fragilité. Ou ne laissant filtrer que celles qui leur révélaient, telles un filtre, ou peut-être un poison, leur chance et leur mérite. Miroir, gentil miroir, dis-moi mon bonheur...

Ceux qui regardaient encore observaient la professionnalisation de la quête. Ils se surprenaient à ne plus donner de façon aléatoire mais en fonction des prestations. Arrière les discours trop ressassés ! Attention aux excès d'assurance ou à la surdétermination répulsive du sidaïque-orphelin-qui-sort-juste-de-prison. Un bon point au vieillard digne. Un autre au jeune homme à bout de patience emporté par la colère. Mais malheur au numéro vibrant de spontanéité surpris dans ses versions successives : il fait du tort à toute la corporation !

L'œil qui s'affine devient plus exigeant. Mais comment se résoudre à poser le regard du chaland sur ces produits d'un genre spécial ? On ne dira jamais assez, décidément, combien l'exclusion est traumatisante aussi pour les « inclus »...

Dominique Pélassy

LE RETOUR DE L'HOMME VOLANT

Jordan is back : à peine avait-il annoncé son retour que les jeunes des *play-grounds* parisiens ne parlaient plus que de lui. Malgré une première partie en demi-teinte contre Indiana, il faisait l'unanimité. Comment expliquer une telle fascination ? La durée de son éclipse (dix-sept mois) semble à elle seule insuffisante pour faire de ce retour un exploit. D'autres paris, comme celui de Tyson tenu hors des rings depuis trois ans, semblent bien plus risqués. L'âge du champion (32 ans) n'a lui non plus rien d'exceptionnel comparé à celui de Foreman en boxe ou de Stockton et Dakouri au basket. La « Jordanmania » ne semble pouvoir s'expliquer qu'en raison du manque qu'a causé son absence. En effet, quand le fameux numéro 23 des Bulls s'en va en 1993 après son troisième titre consécutif, la NBA, autant dire le basket pour les jeunes des *street-ball*, perd avec lui ce qui faisait son charme. On y voit trois raisons principales.

La première semble liée au jeu de Jordan qui avec la vivacité de l'ailier, la détente du smasheur et la dextérité du meneur de jeu paraît cumuler toutes les qualités. Incarnant le « sprint de l'artiste » et l'envol infatigable, lui seul semble à même de sortir vainqueur du combat au sol comme de l'affrontement dans les airs. La singularité de son jeu expliquerait donc, à un premier niveau, la singularité de l'attachement des jeunes. Son grand rival Shaq' O'Neal explosait pourtant dès 1993 les paniers et les statistiques (avec 270 *smashes* dans la saison). Mais, comme tous les pivots gigantesques, il lui suffit de sautiller pour s'accrocher au cercle ; du coup Shaq' ne semble ni vraiment mobile, ni bondissant. Wilt Chamberlain, plus grand marqueur de tous les temps, expliquait dans les années soixante-dix son manque de popularité en soulignant que « personne n'aime Goliath ». Alors que Jordan (mesurant moins de deux mètres) joue de bas en haut et lutte contre la pesanteur, Shaq', lui, joue de haut en bas en se servant de son poids et de la pesanteur pour faire céder l'arceau. Leurs sponsors respectifs ne s'y sont pas trompés. Reebok a retenu chez O'Neal l'arrachement du panier (la « shaq'attaque ») comme symbole de force. Pour Pepsi, Shaq' plie même un poteau. De son côté, Nike choisit le bondissement de Jordan comme support de sa campagne. Le *leader* des Bulls invite à venir « s'envoler avec lui » en chaussant des Nike-air (*come fly with me*). Ses deux mètres seize et ses cent quarante kilos font de Shaq' un héros hors d'atteinte, décidément trop puissant et trop grand pour que les jeunes puissent le prendre comme modèle technique. Ils *jouent à Shaq'* (en se portant sur les épaules pour se suspendre au panier), alors qu'ils aimeraient *jouer comme Jordan*.

La seconde raison pour expliquer le gouffre laissé par Jordan est liée au poids des images et des retransmissions sportives. Son succès serait alors celui d'un produit lancé par les médias.

D'une part, les commentateurs ont transformé le basket, sport collectif, en un affrontement individuel. Le championnat NBA met en scène l'affrontement d'un héros par équipe : Barckley pour les Suns, Jordan pour les Bulls, O'Neal pour les Magics ou Olajuwon pour les Rockets... Du coup la force des coéquipiers de Jordan comme Pippen, Grant ou Cartwright a été passée sous silence. Quand l'idole arrête, ceux qui furent présentés jusque-là comme ses faire-valoir ne peuvent prendre le relais et servir de vedettes crédibles. Toute la structure théâtralisée du championnat NBA s'en est trouvée bouleversée. Jordan incarnait le « gentil courageux » face à Barckley « le méchant ». Il a laissé cette place vacante. Shaq O'Neal postulant au rôle n'a pu véritablement convaincre avec son sourire de Bambi et son corps de King-Kong.

D'autre part, la télévision et plus encore les vidéocassettes opèrent des montages où ne sont retenus que des exploits brévissimes mais répétés offrant l'impression trompeuse que le héros est infaillible et infatigable. Jamais Jordan ne semble souffrir, ni dans ses sprints, ni dans ses sauts. L'image en gommant les efforts accentue le côté ludique de l'activité. D'où l'attrait pour un modèle qui incarne le jeu et la facilité.

Plus profondément, une troisième raison concerne l'exclusion et les processus d'inscription sociale. L'effet Jordan a permis de retrouver sur les mêmes play-grounds les jeunes des « quartiers difficiles » comme ceux des centres villes. Il a symbolisé cette convergence. Déjouant sur ce point les rapports les plus alarmistes présentant les exclus comme toujours plus exclus, le street-ball fournit un bon contre-exemple d'inscription sociale montrant que les frontières (relationnelles) ne sont pas étanches et peuvent se franchir dans les deux sens. Grâce à Jordan, le

street-ball est bien plus qu'une passerelle à sens unique allant de la rue au club sportif, il amène aussi la jeunesse traditionnelle à adopter le comportement des jeunes des « quartiers ». Le street-ball a déteint sur le basket. Avec Jordan les play-grounds retrouvent leur ciment unificateur. Angélisme, naïveté ? peut-être, mais qui semblent confirmés par les échanges et le brassage des réseaux affectifs de sociabilité qui s'opèrent sur des play-grounds parisiens comme Glacière, Moreu, ou Luxembourg.

Pascal Duret

LUCIA ET ARTHUR SUR LES SCÈNES DE PARIS

Lucia di Lamermoor

C'est Emma Bovary qui était subjuguée par *Lucia di Lamermoor* de Donizetti ; elle s'imaginait qu'Edgar, l'amant malheureux de la malheureuse Lucia, un ténor, lui offrait, à elle, la passion éperdue qu'il chantait : « Il la regardait c'est sûr ! – Elle eut envie de courir dans ses bras... et de lui dire, enlève-moi, emmène-moi ! Le rideau se baissa ».

Et nous, à Bastille, qu'éprouvons-nous devant l'ambitieuse mise en scène d'Andreï Serban, une réalisation qui n'a pas plu à tous les spectateurs malgré d'unanimes applaudissements pour son trio de solistes, trois chanteurs de rêve comme on n'en a pas entendu à Paris, depuis des lustres : June Anderson dans le rôle-titre, Roberto Alagna le ténor et Gino Quilico le méchant frère de Lucia.

Oui, qu'éprouvons-nous lorsque après plus de trente ans cet opéra emblématique est repris ? Dans les années 1960, Joan Sutherland avait ravivé la flamme à la grande surprise du directeur du Palais Garnier de l'époque qui poursuivit avec Mady Mesplé[1]. Ce n'est pourtant pas à l'Opéra de Paris que fut créé, en France, l'exceptionnel chef-d'œuvre de Gaetano Donizetti, son 46e titre ; mais en 1837, au Théâtre des Italiens, alors sans rival. De 1807 à 1878 l'histoire de ce théâtre jalonne celle de l'art lyrique en France, une histoire passablement compliquée, nullement linéaire, ni rationnelle. Domination de l'opéra italien, battue en brèche par l'opéra romantique tout court dont *Lucia* constitue l'une des incarnations les plus réussies ; opéra qui, lui-même, se métamorphose, par la suite, en grand opéra à la française (Meyerbeer, Halévy, etc.), dont Verdi sera un illustrateur, du moins pour ses moutures françaises (il existe, du reste, une version française de *Lucia di Lamermoor*). Ce sont ces tournants successifs auxquels ne pourra (ne voudra ?) pas s'adapter Berlioz, inventant son propre et génial code sans jamais beaucoup de succès (Gounod, Bizet, Massenet, etc. s'inscriront plus dans la continuité, une continuité, cependant, très bouleversée et adaptée à un autre temps). Wagner, pas plus, ne saura se couler dans ce moule (même si *Lucia* le fascinait) ; il cherchait à façonner l'opéra allemand dans la descendance de Mozart, Weber, Marschner, Beethoven...

Mais revenons à *Lucia di Lammermoor* dont le livret est tiré d'une pièce de théâtre, elle-même adaptée d'un roman célèbre de Walter Scott[2], l'initiateur du roman historique, central pour les romantiques mais aussi pour la musique : 16 de ses titres (dont *Ivanhoë*, *Quentin Durward*) inspirent 46 opéras (au moins) de divers compositeurs dont certains bien oubliés. C'est dire l'impact, un impact que l'on ne saurait imaginer en 1995. L'Angleterre, l'Écosse (Haydn, Beethoven écrivent des mélodies écossaises) sont très prisées et c'est *Anna Boléna*, en 1830, qui inaugure cette veine chez Donizetti, juste après l'ultime chef-d'œuvre de Rossini, *Guillaume Tell*. Jusque-là Donizetti a surtout travaillé en Italie, à Naples notamment, où il compose de l'*opera buffa* comme le fit avant lui Rossini. Duel entre deux genres (l'*opera seria* est une autre branche, plus ancienne, qui date du XVIIIe siècle) dont découle la nouvelle esthétique de l'« opéra romantique », née, en somme, dans le sillage du Théâtre des Italiens, en fonction de *divas* et *divi*, héros d'un nouveau *bel canto*, qui en sont les inspirateurs plus ou moins directs et qui sont entrés dans la légende : les Pasta, Sontag, Grisi, Malibran, Persiani (créatrice de *Lucia*) et pour les hommes, Rubini, Lablache, Duprez, Nourrit etc. Le ténor moderne tel que nous le connaissons est apparu dans ce contexte ainsi que d'autres tessitures...

Lucia n'a d'ailleurs jamais vraiment disparu du répertoire, chantée à la fin du XIXe siècle par Nelly Melba, dans les années 1930 par Lily Pons, ressuscitée après-guerre par Maria Callas[3], Beverly Sills, Joan Sutherland, Renata Scotto, Lelya Gencer, etc. Avec *Lucia* nous sommes face à un amour romantique, par essence tragique : obligée à un mariage contre son cœur, Lucia assassine son époux la nuit de noces, devient folle puis meurt tandis, que, désolé de

---

1. On peut entendre des extraits de *Lucia* chantés par Mady Mesplé dans un coffret de 2 CD EMI Classics (1993) *Airs et duos d'opéra*. On peut voir et entendre Joan Sutherland dans une vidéo-K7 (Polygram Vidéo) présentant une production de *Lucia* par l'Opéra de Sydney sous la direction de Richard Bonynge.

2. Stock (1993) a republié en livre de poche, coll. « Bibliothèque cosmopolite », *la Fiancée de Lammermoo*r de W. Scott.

3. Il faut absolument écouter la fantastique version dirigée par Herbert von Karajan avec l'orchestre Rias de Berlin en 1955 ; aux côtés de Maria Callas il y a Rolando Panerai et Giuseppe di Strefano ; un coffret 2 CD Hunt. Des analyses très complètes et très argumentées des enregistrements discographiques de *Lucia* sont fournies dans le passionnant programme de Bastille et dans *Opéra international*, janvier 1995.

s'être cru trahi, Edgar (l'« âme sœur ») se suicide. La référence à Shakespeare est présente dans cette tragédie (Berlioz, Stendhal, Hugo et bien d'autres en ont été les initiateurs) : dans *Lucia* on retrouve les deux familles rivales, les Ashton et les Ravenswood qui se déchirent comme les Capulet et les Montaigu ; on retrouve aussi la folie d'Ophélie.

Même si l'on ne compte pas assister à une stricte reconstitution qui nous mettrait dans le climat de l'héroïne de Flaubert, il nous faut voir et entendre *Lucia* en ayant ce contexte présent à l'esprit. A. Serban, qui est un homme de théâtre et d'opéra, s'interroge : « Faut-il un beau décor pour cet opéra romantique ? » Et d'adopter une solution différente en opposant le romantisme de la musique à la froideur d'un décor représentant l'hôpital de la Salpêtrière et la caserne des cadets de Saumur tandis qu'un chœur (spectateurs de la Salpêtrière qui assistent à l'auscultation des hystériques par le Dr Charcot, spectacle dans le spectacle) s'anime à l'intérieur d'une arène qui épouse les gigantesques proportions du plateau de Bastille (un peu à la façon Lavelli dans les années 1970, avec son *Faust*, souvent repris depuis lors, en particulier à Bastille).

Serban et son décorateur, William Dudley, installent dans leur arène tout un attirail de passerelles, de portiques, d'échelles, de balançoires, d'objet en bois et cordes, sans âge, enchevêtrés, et obligent les chanteurs-acteurs à les escalader, à les parcourir, à les affronter dans un équilibre souvent précaire, comme s'ils avaient voulu proposer un équivalent physique (gymnique ?) aux défis vocaux du *bel canto* romantique ; comme si les prouesses des corps figuraient ce dernier : gravir le Mont-Blanc équivaut à réussir un contre-ut ! Enrico et Edgardo s'affrontent dans un duel de tessitures, de notes d'une difficulté insensée en s'accrochant aux sangles d'un portique comme à autant de lianes qu'emprunteraient, tour à tour, des athlètes du chant. Mouvement brownien d'autant plus saisissant qu'il se heurte à un enfermement généralisé, idée centrale pour cette *Lucia* et sa folie.

Il est difficile de ne pas ressentir une impression d'excès dans cette illustration sadique de sentiments humains étouffés par des familles ambitieuses et rivales. Mais en même temps, ces sentiments, nous les ressentons physiquement, au sens immédiat et premier du terme et nous rencontrons Lucia, comme directement dans son malheur, son désarroi, sa déraison, d'autant mieux qu'en ces instants de chant pur et sublime, Serban joue le dépouillement des personnages, de leurs gestes, de leurs déplacements à l'écart des accessoires de la scène (quelques bougies au sol, des bottes de foin, un coin de table où la servante Lucia mime un repas offert au fantôme de son époux, etc.).

Comme cela se produit souvent avec de grands chanteurs américains, June Anderson anime peu son personnage mais la voix d'une homogénéité jamais prise en défaut quelles que soient les lignes de chant ou les complexités techniques, à elle seule, incarne une présence fantastique. Roberto Alagna, jeune espoir français, au timbre peu caractérisé initialement, prend, progressivement, une couleur sombre et fatale. Gino Quilico, interprète chevronné, est d'une vaillance toujours soutenue dans la vilenie et le calcul. Les seconds rôles paraissent plus effacés. L'orchestre de l'Opéra Bastille dirigé par Maurizio Benini se coule parfaitement dans ce type si particulier d'écriture, relativement seconde par rapport au *bel canto* impétueux des voix humaines. La salle respire cette fusion, souvent remarquable, qui donne le sentiment d'exprimer une musique assez étrangère à nos habitudes. Et il nous semble que Serban n'a rien trahi, que rien n'est gratuit et que l'imagination vertigineuse de sa scénographie restitue le sens universel de cette œuvre d'essence romantique. On peut parler de restitution obtenue par les détours que la scène d'opéra, aujourd'hui, sait parfois incarner !

King Arthur

Ce qui n'est pas le cas de ce *King Arthur* d'Henry Purcell écrit au moment où se déroule l'action de *Lucia*. Avec Purcell, héros de la musique britannique, disparu il y a trois siècle, à 36 ans, nous sommes également dans l'histoire de l'art lyrique, ou plus exactement dans celle de ses balbutiements. Car *King Arthur* (1690) que l'on entend souvent en version concert[4] est qualifié de « semi-opéra » par William Christie, le directeur musical des Arts Florissants, et Graham Vick, le metteur en scène. C'est-à-dire que sur un total de quatre heures de spectacle, deux, au moins, appartiennent au seul théâtre dont nous lisons les répliques sur les sur-titres nichés au-dessus de la scène et qui nous racontent la victoire du roi Arthur sur les Saxons, la sauvegarde d'Emmeline (fiancée d'Arthur) par delà des épisodes de démons et de fées ; le tout marquant l'avènement de l'Angleterre. John Dryden était le librettiste attitré du compositeur, dans le programme du Châtelet le poète T.S. Eliot en fait l'éloge ; Purcell travailla également sur des textes de Shakespeare[5]. Avec *King Arthur*, fidèles au « masque », les Anglais ne basculent pas dans

l'opéra intégral à la différence de ce qui se passait, à peu près à la même époque, en Italie ou en France (avec la tragédie lyrique de Lully, encore que *Didon et Enée* du même Purcell soit bien un opéra), en attendant Haendel quelques décennies plus tard et Britten, seulement au XXe siècle. Ils pratiquent un dualisme entre le chant et le texte parlé qui ne cessera de hanter nombre d'artisans de l'art lyrique. La machinerie et la magie (n'oublions pas la chorégraphie) qui s'en dégage constituent-elles le lien de l'ensemble ? G. Vick use abondamment de ces ingrédients et souvent fait mouche dans les décors réussis de Paul Brown (le surgissement des falaises de Douvres, le pont des sirènes tentatrices, etc.). Dans le final il pratique la parodie, une parodie amusante et fertile en clins d'œil. Là aussi pas de reconstitution fidèle à la lettre et à l'époque mais une équivalence actuelle, réalisation ambitieuse et qui a été peu tentée dans l'histoire des représentations de *King Arthur*, fût-ce en Angleterre !

Arthur et *Lucia*, au Châtelet et à Bastille, renouent avec des œuvres-clés du répertoire mais qui s'étaient comme évanouies à force d'être absentes de nos scènes. L'opéra d'aujourd'hui, souvent gratuit et faussement novateur, permet, ici, de retrouver la tradition par le biais d'une sensibilité contemporaine. Il y a là une réappropriation indispensable à l'articulation du goût dans la cité, à la poursuite vivante d'un genre attesté par son attrait sur pratiquement tous les compositeurs.

Claude Glayman

---

4. Par exemple au Festival international de musique baroque de Beaune (été 1994) interprété par le Gabrieli Consort de Paul Mc Creesh (versions concert). A signaler une fort vivante compilation d'œuvres de Purcell dans un coffret de 5 CD Harmonia Mundi (1995) signée W. Christie, Deller Consort, Philippe Herreweghe, etc.

5. Lire à ce sujet le numéro 163 de *l'Avant-scène-opéra* consacré à *King Arthur*. Cette revue-livre constitue un complément indispensable pour l'approche du répertoire opératique.

LES DEUX DERNIERS POÈMES DE DYLAN THOMAS

Édith Sitwell, qui avait découvert et publié Dylan Thomas (1914-1953), pouvait écrire : « c'est la nature qui parle à travers sa poésie ». On ne saurait mieux « situer » l'enjeu des deux derniers poèmes (inachevés) de Dylan Thomas : "In country Heaven" et "Elegy".

"In country Heaven" devait développer les thèmes de "In country sleep", "Over Sir John's hill" et "In the white giant thigh"[1], écrits à partir de 1947. Deux bribes d'époques différentes montrent l'évolution du poème. Lecteur exceptionnel, Dylan propose alors une série d'émissions consacrées au Paradis perdu de Milton (BBC). Les paysages de son enfance galloise « incarnent » (au sens propre) l'enfance saccagée et prodigieuse, le « Paradis » menacé et désormais sali : l'Holocauste a fait son apparition dans l'histoire des hommes. De plus, les pires angoisses naissent quant à la santé de son père[2] : la mémoire familiale aussi peut s'éteindre. Dans le premier manuscrit, la lumière est encore présente et la face du Créateur est « sel et soleil ». Dans la deuxième version (proposée ici), le Paradis est « aveugle et noir ». La pulsion de mort fait son chemin dans les âmes.

L'« Univers de la Nature, qui devait mener l'homme de la condition mortelle à l'Immortalité, qui baignait tous les Collected Poems, même les plus tourmentés, se referme, d'une version l'autre, sur les désastres de la Guerre mondiale et de l'histoire personnelle.

« Aveugle » : tel est aussi le sort du père du poète. L'appel désespéré, « N'entre pas sans violence dans cette bonne nuit », est devenu constat tra-

gique : la « nuit » emporte tout, forces et faiblesses, mémoire et oubli. Quel « Paradis » s'ouvrira pour le père quand la Nature refuse de redevenir un havre pour les humains, quand le poète lui-même, lutteur aveuglé comme le Samson de Milton, ne peut retenir sa main ? Dylan implore quelque « sein maternel », quelque sein universel (la Terre ?) au-delà de la Mort – ou peut-être un Père pour son père parvenu à la « colline crucifiée ».

Dylan Thomas sait-il que c'est de lui-même qu'il parle alors ? Ivre et solitaire, il meurt à New York en 1953, quelques mois après son père. Dans l'effervescence du « Nouveau monde » qui l'idolâtre et le célèbre, après des années de noire misère. Loin, très loin du « Paradis champêtre ».

A jamais au cœur du Paradis perdu de l'âge de l'atome et de la poésie universelle.

Alain Suied

---

1. *Cf. Vision et prière*, Gallimard, coll. « Poésie ».
2. *Cf.* "Elegy" et "Do not go gentle into that good night"...

POÈMES POSTHUMES

Élégie

Trop fier devant la mort, brisé et
    [aveugle, il est mort
De la plus noire façon, mais sans se
    [détourner
Brave homme froid dans son orgueil
    [de flammes
En sa plus noire journée. Oh puisse-
    [t-il à jamais
Reposer léger, enfin, sur l'ultime col
    [line
Sous l'herbe, dans l'amour, et là, rester
Jeune parmi les grands troupeaux,
    [jamais perdu
Ou calme au long des jours sans fin
    [de sa mort
Même si lui manque par-dessus tout
    [le sein maternel
Qui était repos et poussière, et dans
    [la douce terre

La plus noire justice de la mort,
          [aveugle et maudite.
Qu'il ne trouve pas le repos mais un
          [père, à nouveau,
Telle fut ma prière dans la chambre
          [recroquevillée,
Près de son lit aveugle, dans la cham
          [bre muette, une minute avant
Midi et la nuit et le jour. Les rivières
          [des morts
Coulaient dans sa pauvre main que
          [je tenais et je vis
A travers ses yeux fanés les racines
          [de la mer.
Monte en paix vers la colline crucifiée,
          [dis-je
A l'air qui se désenchaînait de lui.

Au paradis champêtre

Toujours quand il, au paradis cham
          [pêtre,
(Lui que mon cœur entend)
Croise la poitrine de l'Est glorifica-
          [teur et s'agenouille,
Humble sur toutes ses planètes,
Et pleure sur la colline d'humiliation,

Puis dans l'ultime refuge et joie des
          [animaux et des oiseaux
Et la vallée canonisée
Où chante tout ce qui fut créé et dé
          [truit,
Où les anges bruissent comme faisans
A travers les nefs des feuilles,
La Lumière et Ses larmes s'écoulent
          [ensemble
(O main dans la main !)
Des yeux percés et du ciel de cata
          [racte,
Il pleure son sang et les soleils
Se dissolvent et courent les ruisseaux
Rocailleux de son visage : le Paradis
          [est aveugle et obscur.

Dylan Thomas
Versions inédites traduites
*par Alain Suied**

* Références : *Collected Poems 1934-1953*, Everyman Editions ; *Vision et prière*, Gallimard, coll. « Poésie » (prix Nelly Sachs 1994). Alain Suied vient de publier un recueil de poèmes : *le Premier Regard*, Arfuyen, mars 1995.

REPÈRES

CONTROVERSE

DÉFENSE DU REVENU MINIMUM D'EXISTENCE*

Faute de place, nous n'avons pas pu répondre ici aux arguments d'Alain Caillé. Nous y reviendrons dans le prochain numéro.

Comme j'ai cru comprendre qu'*Esprit* ne répugnait pas à la polémique, je voudrais que vous m'accordiez l'hospitalité de vos colonnes pour en esquisser une sur la façon dont il y est rendu compte du débat capital, et qu'il convient de toute évidence d'approfondir, sur la montée du chômage, l'effritement de la société salariale et l'aggravation des multiples exclusions sociales qui en résultent. Avant tout, qu'il soit clair que je n'ai de critiques à adresser à *Esprit* sur la façon dont il traite de ces questions que parce que je suis très sincèrement et profondément admiratif du travail constant que vous menez pour donner la parole à tous ceux qui travaillent et réfléchissent de façon vivante sur notre histoire présente, et pour ouvrir des débats qu'on ne trouve nulle part ailleurs. En un mot *Esprit* me semble être un des seuls endroits où puissent se cô-

toyer, s'épauler ou s'affronter sur des analyses du temps présent – à la fois théoriques et empiriques comme il convient –, issues aussi bien de la philosophie ou de l'histoire que de la sociologie, de l'anthropologie ou de la science économique, etc. Regrettant pour ma part que la spécialisation et la fermeture outrancière des disciplines sur elles-mêmes, comme leur refus d'affronter l'histoire et le siècle, entraînent une stérilisation croissante de la plus grande part de la recherche universitaire, appelant de mes vœux la constitution de disciplines à vocation synthétique, susceptibles de faire naître et d'alimenter des *disputatio* qui ne seraient pas seulement scolastiques, je puise à chaque fois dans les livraisons d'*Esprit* la confirmation que cela est non seulement souhaitable mais aussi possible, puisque vous le démontrez chaque mois. Et, sur la question qui m'occupe ici et me pousse à vous écrire, il n'y a que dans *Esprit*, ou presque, que je trouve, depuis des années, des analyses qui soient à la fois informées, attachées à ne pas faire violence à la complexité des faits et soucieuses, au-delà du seul diagnostic, d'esquisser des propositions à la fois généreuses et raisonnables de politiques publiques alternatives. Le numéro d'août-septembre 1994, *la France et son chômage : crise économique ou crise culturelle ?*, était remarquable. Et la livraison de décembre 1994, *la*

---

* Alain Caillé, directeur du MAUSS, avait envoyé cette lettre à Olivier Mongin après la publication de notre numéro de décembre.

179

France politique condamnée à l'impuissance ?, est tout aussi éclairante.

Néanmoins la qualité même d'*Esprit*, la portée que celle-ci confère de plus en plus à vos choix éditoriaux, l'audience qui est désormais la vôtre, tout cela vous donne une sorte de responsabilité morale, comparable à celle qui incombait jadis au journal *le Monde*. La responsabilité, au-delà des choix que vous croyez devoir effectuer quant à vous, de donner leur chance à toutes les parties prenantes à la discussion, à toutes les positions que se font jour, pour autant que rien ne permette de supposer *a priori* que telle ou telle d'entre elles procède de la mésinformation, d'une faiblesse conceptuelle insigne ou d'une mauvaise foi patente. Or il y a au moins une position, une proposition de remède à la crise actuelle, que je n'ai jamais vue défendue et représentée dans *Esprit* depuis des années, sauf sous la forme d'insinuations et de condamnations elliptiques en quelques mots, c'est celle qui, sous une forme ou sous une autre, à un titre ou à un autre, plaide en faveur de l'institution d'un revenu minimum qui serait alloué, sans conditions *a priori*, soit à tout le monde (« allocation universelle », « revenu d'existence ») soit aux plus démunis (« revenu de citoyenneté », « impôt négatif »). Comme si cette thèse était diabolique ou méprisable, comme si elle émanait du cerveau enténébré de doux mais dangereux rêveurs, ou comme si elle reposait sur une telle ignorance des faits qu'elle ne mériterait même pas une discussion argumentée. J'exagère ? A tout le moins, vous m'accorderez qu'on voit mal comment le lecteur d'*Esprit* pourrait se faire une idée sur la question, et comment il pourrait accéder à une information raisonnée et minimale sur les arguments présentés par les défenseurs des diverses formules de revenu minimum inconditionnel que je viens de désigner entre parenthèses, puisqu'ils ne sont jamais nommés et les références à leurs textes jamais données. C'est que tout se passe comme si cette idée sentait le fagot et faisait figure de bouc émissaire théorique auprès des contributeurs d'*Esprit*, comme si elle était celle qu'il convient d'immoler par le silence ou l'allusion méprisante, pour ouvrir par le seul fait de son exclusion rituelle un espace de débat raisonnable et légitime entre personnes sérieuses et définies comme telles justement par leur répulsion envers l'idée.

Doit-on en déduire que ceux qui la partagent seraient derechef des irresponsables ? Aux yeux d'une certaine mentalité technocratique, qui est loin d'être seule représentée à *Esprit* mais qui y est peut-être surreprésentée, apparemment. Pour celle-ci, la meilleure preuve qu'il n'est pas possible d'envisager autre chose, d'autres solutions, que celle que met en œuvre l'administration... c'est que seules sont réalistes les solutions mises en œuvre par l'administration ! CQFD. Puisque seules l'économie de marché et l'économie étatique sont douées d'effectivité, il est inutile de chercher à donner corps à une tierce logique, complémentaire, qu'on la nomme économie sociale, solidaire, bénévole, réciprocitaire, etc., car le seul fait que celle-ci implique une mobilisation des personnes, du plus grand nombre et non pas seulement des experts, suffit à la discréditer. C'est que, au fond, par-delà les différences entre les uns et les autres, tous les acteurs légitimes du débat, au moins au sein d'*Esprit*, semblent persuadés qu'en dehors de l'emploi salarié, il n'est point de salut. Ce que dans le numéro d'*Esprit (op. cit.)*, Simon Wuhl exprime avec quelque candeur, dans une phrase étonnante, en écrivant qu'à son avis « l'emploi ordinaire demeure le mode d'intégration le plus approprié pour les chômeurs en situation de rupture professionnelle prolongée » (p. 36). Assurément, pour les personnes malades, la solution la plus appropriée est la santé normale ; et, ajoutons-le, le meilleur remède à la dépression économique est l'expansion et la prospérité ! Si j'ironise ainsi à bon compte, c'est parce que cette formulation de S. Wuhl me semble parfaitement refléter la conviction commune à tous les auteurs autorisés. Ou plutôt, l'espoir dont tous voudraient faire une conviction. Celle que le redémarrage de la croissance suffira, si on y adjoint quelque recette administrative dûment éprouvée, à régler l'essentiel du problème de l'exclusion et du chômage sans rien changer d'essentiel aux normes de la société salariale universelle. J'imagine que là réside le plus gros des raisons de l'hostilité des auteurs d'*Esprit* à l'idée d'une inconditionnalité même minime des revenus de base. Ce n'est pas au fond le contenu concret des arguments, d'ailleurs jamais discutés, qui les effraye. Car, dans la réalité, nous le savons tous, nombre d'aides sociales sont déjà largement inconditionnelles en fait à défaut de l'être en droit. Si bien qu'à peu de choses près, il suffirait de dire ce que l'on fait pour basculer de monde. Non, ce qui fait peur chez les tenants d'un revenu de base inconditionnel, sous une forme ou une autre, c'est qu'ils préfèrent ne pas se voiler la face et ne pas tenir pour nécessairement acquis qu'un jour la croissance reviendra à suffisance. « Faire l'impossible pour l'emploi », s'intitule au contraire le chapitre 6 du rapport Minc[1] au Premier ministre. L'impossible ! on ne saurait mieux dire tant les chiffres et les analyses réunis par ce même rapport font apparaître problématique que puisse survenir prochainement une reprise suffisante pour ne serait-ce que stabiliser le chômage à son taux actuel.

Comme le raisonnement des défenseurs d'une certaine inconditionnalité repose à l'inverse, au moins pour une part, sur l'hypothèse qu'il est illusoire de placer tous nos espoirs dans la perspective d'une reprise économique massive, comme cette hypothèse fait peur – et à bon droit, puisque les implications en sont en effet des plus inquiétantes –, plutôt que d'oser l'affronter, on préfère, semble-t-il, mettre en scène d'improbables pourfendeurs du travail en général et du travail salarié en particulier. Je n'en ai pas pour ma part rencontrés. Je ne vois personne qui méconnaisse le fait que l'avènement de la démocratie moderne est lié à l'extension du salariat, que l'accès des classes pauvres à la dignité et à l'égalité démocratiques, à la protection contre la maladie et la misère, ont résulté de la possibilité un temps donnée à tous d'obtenir un emploi salarié stable. Je ne connais personne qui ne souhaite que le travail soit mieux partagé et que tous ceux qui désirent travailler puissent le faire. L'exhortation feutrée à une mobilisation contre d'inexistants ennemis de la dignité des travailleurs me semble donc hors de propos. Ici aussi, comme toujours et partout, il faut prendre le soin de citer ses sources, de dire contre qui précisément on écrit, de résumer longuement les arguments de l'adversaire supposé et de mettre en œuvre le principe de charité en trouvant pour les thèses qu'on combat les meilleurs arguments possibles. A défaut de quoi on s'expose à ne combattre que des moulins à vent, à caricaturer, et, ce qui est plus grave, à faillir à son rôle d'intellectuel, qui est d'aider la société à accoucher des possibles qu'elle porte en elle.

La rédaction de la revue ne s'est guère exprimée sur ces questions, sauf en quelques phrases dans l'article liminaire du numéro d'*Esprit* de décembre 1994. Ce sont ces quelques phrases qui m'ont incité à vous écrire cette lettre. Non que vous y disiez rien de scandaleux ou d'indé-

---

1. Alain Minc, *la France de l'an 2000*, Paris, Odile Jacob, 1994 (Commissariat général au plan).

fendable à mes yeux. Mais, encore une fois, je trouve expédiée bien rapidement, comme si l'affaire était entendue et sans autre forme de procès, la question de l'inconditionnalité. Et, pour les raisons que je vous ai dites, en raison de ce qu'est *Esprit*, je crois que vous avez tort de fermer une discussion avant même de l'avoir ouverte. « Il faut être clair, écrivez-vous, dans le débat relatif à l'éventualité d'une allocation universelle » (p. 7). Il faut s'opposer, ajoutez-vous en vous appuyant sur l'autorité des livres de Pierre Rosanvallon et de Robert Castel, à « l'idée d'une exclusion "organisée", d'une ligne de partage entre *(in)siders* et *(out)siders* ». A vrai dire, je ne vois pas très bien à qui vous vous opposez. Puisque vous parlez « d'allocation universelle », il faut supposer que c'est à Philippe van Parijs, qui en est le principal héraut, et, au-delà de lui, à tous les chercheurs et militants regroupés au sein du BIEN (Basic Income European Network), qui mènent depuis des années, à l'échelle de toute l'Europe de l'Ouest, un important débat sur lequel il est totalement fait silence en France. Mais je n'ai pas le sentiment que P. Van Parijs ait jamais plaidé en faveur d'une « exclusion organisée », bien au contraire. Je ne vois rien de tel non plus dans les autres propositions défendues en France : dans celle du Revenu d'existence de Yoland Bresson et ses amis regroupés au sein de l'AIRE (Association internationale pour le revenu d'existence) ; rien de tel dans les projets, défendus par la revue *Transversales*[2] autour de Jac-

ques Robin et de l'économiste René Passet. Rien de tel, à coup sûr, dans la formule du revenu de citoyenneté[3]

2. Sur ces positions, le document le plus synthétique est le numéro spécial de la revue *Transversales* : « Garantir le revenu ; une des solutions à l'exclusion », GRIT, mai 1992, 160 p., 100 F (GRIT, 29, rue Marsoulan, 75012 Paris), avec des textes de G. Aznar, Y. Bresson, A. Caillé, M.-L. Duboin, C. Euzéby, G. Gantelet, A. Gorz, A. Insel, P. Lavagne, D. Lenoir, J.-P. Maréchal, F. Naud, R. Passet, J. Robin et P. van Parijs.

3. Cette formule a été présentée et défendue pour la première fois dans le n° 23 du *Bulletin du MAUSS*, « Du revenu social ; au-delà de l'aide, la citoyenneté ? » (septembre 1987) par Ahmet Insel et par moi-même. Ce numéro, jamais cité mais depuis longtemps épuisé (en réimpression), ce qui prouve au moins qu'il a intéressé malgré tout, reproduisait les positions du cercle Charles-Fourier sur l'allocation universelle et les premiers débats (*cf.* notamment la critique d'André Gorz) auxquels l'exposé de ces positions avait donné lieu. Nous plaidions pour un revenu de citoyenneté, c'est-à-dire qu'il nous semblait nécessaire de mettre l'accent sur les raisons politiques et symboliques d'introduire une part d'inconditionnalité dans l'aide aux plus démunis. Ce n'est pas ici le lieu de défendre cette idée. Qu'il suffise de dire en quelques mots qu'il me semble souhaitable d'accorder à toute personne de plus de 25 ans ne disposant pas pour vivre d'au moins la moitié du SMIC (ou, pour faire rond, 2 500 F par mois) un revenu inconditionnel, non révocable et cumulable avec d'autres ressources. Celles-ci feraient l'objet, pour les titulaires de ce revenu, d'une taxation spéciale, à hauteur de 25 % pour une première tranche égale à un quart du SMIC (ou 1 250 F) et de 50 % au-delà. Cette mesure n'a de sens que couplée à une politique active de valorisation du « temps choisi ». Dans la lignée des judicieuses propositions émises, il y a longtemps déjà, par Michel Albert dans *le Pari français*, l'État devrait fournir une incitation financière à ceux qui décident d'abandonner le travail à temps plein pour le temps partiel, en garantissant que ce choix ne puisse pas être pénalisé par des retards de carrière anormaux et en finançant la moitié du manque à gagner. Ces mesures sont coûteuses mais tolérables. Elles ne présentent aucune difficulté technique particulière. Tout le problème est de savoir quel sens on leur accorde. Un revenu inconditionnel peut être la pire des choses s'il signifie désimplication de la part de l'État. Ou la meilleure s'il signifie un pari actif sur la citoyenneté et sur les capacités d'initiative d'une société civile animée par des travailleurs sociaux qui passeraient moins de temps à contrôler et plus à innover et faire innover. Je détaille ces positions dans une petite brochure, « Temps choisi et revenu de citoyenneté ; au-delà du salariat universel », *Démosthène/MAUSS*, mars 1994, 62 p. Disponible auprès du MAUSS, 3, av. du Maine, 75015 Paris (40 F franco).

pour laquelle nous sommes quelques-uns à plaider au sein de la *Revue du MAUSS*, à commencer par Ahmet Insel, économiste, vice-président de Paris-I, et votre serviteur. L'appellation même de revenu de citoyenneté indique que la mesure doit, dans notre esprit, s'inscrire dans le cadre d'une stratégie destinée à refonder la citoyenneté et à y inscrire le maximum de groupes et de personnes, non à en exclure un certain nombre, et surtout pas « de manière organisée ». Peut-être les uns et les autres se trompent-ils dans leurs analyses. Mais il faut le montrer, et ne pas présupposer qu'ils voudraient exclure là où eux pensent vouloir inclure. Pour être plus précis, je ne vois pas pourquoi il faudrait prêter aux uns et aux autres les motivations ultralibérales de Milton Friedmann, puisque tous s'en démarquent.

« Soutenir que les non-travailleurs doivent seulement être assistés et pris en charge financièrement, c'est renoncer au souci d'insertion sociale », ajoutez-vous. Ici encore, je ne comprends pas. Selon moi une des raisons principales qui militent en faveur de l'octroi d'un revenu minimum inconditionnel, c'est au contraire qu'en libérant les travailleurs sociaux de la tâche de négocier des contrats relatifs à une insertion souvent fantasmatique, en les dispensant de recourir au langage de la contrainte pour préférer celui de l'incitation, on les rend disponibles pour des tâches de recomposition effective du tissu social, économique et politique. On met en place les chances d'une insertion effective et non pas seulement simulée en vue d'obtenir la reconduction du RMI, comme c'est trop souvent le cas. Peut-être ai-je tort. Qui peut en la matière être certain d'avoir raison ? Mais il ne faut pas faire de procès d'intention.

Et vous poursuivez en écrivant qu'on ne saurait accepter l'idée « que la reconnaissance d'un individu, son identité, ne passent pas né-cessairement par un emploi, par le travail » (p. 8). Cette formulation me semble excéder votre pensée. Je ne discute pas ici, comme il faudrait pourtant le faire longuement, de la question de savoir ce qui demeure aujourd'hui de la valeur du travail. Et sur ce point je m'étonne qu'*Esprit* ne fasse pas davantage écho aux analyses de Joffre Dumazedier (qui ne devrait pourtant pas être suspect à ses yeux), de Rainer Zoll, de Roger Sue et de tant d'autres qui soutiennent que, contrairement à ce que vous écrivez, il y a longtemps que ce n'est plus du travail, mais de leur vie familiale et sociale, de leur capacité à maîtriser leurs loisirs, que les individus modernes retirent l'essentiel de leur identité. Et ceci, affirme J. Dumazedier, est surtout vrai des classes populaires, contrairement à nombre de clichés. Non, ce qui me gêne le plus dans votre formulation, c'est que si vous posez que la reconnaissance d'un individu et son identité passent nécessairement par le travail et par l'emploi, je ne vois pas quelle reconnaissance vous pourrez accorder à ceux qui n'en ont pas. Soit parce qu'ils ont choisi de ne pas en avoir comme, malgré tout et encore, bon nombre de femmes mariées et mères de famille ; soit parce qu'ils s'en sont vu exclure. Je ne doute pas un instant que, malgré votre déclaration, vous ne les considériez comme des personnes humaines et des citoyens à part entière. Mais ce seul fait n'indique-t-il pas assez que la reconnaissance des personnes humaines en tant qu'humaines et en tant que citoyennes précède et doit précéder leur reconnaissance comme personnes travailleuses ? Cette reconnaissance doit être inconditionnelle. C'est de cette prémisse majeure que procède le projet d'instituer un revenu minimum inconditionnel, qui selon moi doit être conçu en termes politiques, en termes de revenu de citoyenneté donc. Sa tâche, essentiellement symbolique, est d'affirmer la valeur inconditionnelle de la personne, du politique et de la démocratie.

J'aurais voulu aussi discuter votre idée selon laquelle la logique de l'inconditionnalité relative suppose une révolution culturelle qu'on ne voit même pas poindre à l'horizon. Mais je m'aperçois que j'ai déjà été beaucoup plus long que je ne comptais l'être. Et je dois donc m'apprêter à conclure puisque mon projet ici n'est pas d'entamer le débat sur le fond, mais de plaider pour qu'*Esprit* accepte de l'entamer. Il me semble que la qualité des divers défenseurs d'une formule ou d'une autre de revenu de base inconditionnel atteste assez que la discussion ne peut pas être écartée d'un revers de la main. Si je converge souvent avec ses conclusions, tout me sépare du style d'argumentation auquel recourt Philippe Van Parijs, le champion de la formule de l'allocation universelle, celui qui le premier, avec ses amis du cercle Charles-Fourier, il y a une dizaine d'années, a lancé la discussion en Europe sur ces thèmes. Mais personne ne doute, je crois, qu'il ne soit un des esprits les plus brillants de notre époque en matière à la fois de philosophie politique (d'inspiration analytique, hélas !) et de théorie économique. Je ne vois pas ce qui devrait disqualifier à l'avance les arguments de son ami, le philosophe Jean-Marc Ferry, et d'autant moins qu'il est aussi à ma connaissance un ami d'*Esprit*. Le prix Nobel d'économie James Meade ne me semble pas non plus pouvoir être *a priori* taxé d'incompétence. Pas plus que le sociologue Ralf Dahrendorf, le Raymond Aron allemand. Et bien d'autres, de droite ou de gauche, tant ce débat semble transversal par rapport à la plupart des frontières politiques établies. Ce qui atteste qu'il s'agit bien là d'un débat central auquel nous n'échapperons de toute façon pas et qui doit être mené au plus tôt, tant qu'il nous sera possible de garder un minimum de lucidité et de sérénité. Il ne nous reste guère de temps avant les tempêtes qui s'annoncent.

J'allais m'arrêter là. Mais puisque j'ai ébauché une polémique avec vous, permettez-moi de la compléter par une remarque d'importance peut-être mineure, mais qui n'est pas sans lien avec la discussion précédente. Je constate que depuis quelques temps vous croyez devoir combattre avec vigueur ce que vous appelez la démocratie directe. Par quoi vous entendez la tentation de faire décider des grandes options politiques, sur le modèle esquissé par Ross Perrot, en faisant réagir l'opinion publique au coup par coup à des émissions télévisées. Je n'ai pas ici avec vous de désaccord de fond. Je partage votre défiance vis-à-vis de toute forme de « démocratie télévisuelle ». Mais pourquoi la qualifier de « démocratie directe » ? La chose me gêne car jusqu'à présent l'expression faisait référence à la démocratie athénienne, dont il est clair que nous ne saurions la faire revivre telle quelle, mais dont je crois tout aussi clair que nous ne devons pas laisser mourir l'esprit. Nous ne saurions la faire revivre telle quelle puisque, pour de multiples raisons, notre démocratie doit être d'abord représentative. Mais doit-elle n'être que représentative ? Je ne le pense pas. Il me semble au contraire qu'elle est en train d'étouffer sous le poids de ses représentants, des représentant de représentants de représentants, etc., qui ne représentent plus qu'eux-mêmes. Et que le seul remède à l'inanition du politique qui en résulte, comme à la désaffection civique, est de faire revivre l'esprit et la pratique de la démocratie directe partout où cela est possible. Et je ne doute pas que cela ne soit possible dans infiniment plus de lieux et d'instances que ne sont prêts à l'admettre les représentants de la chose administrative. La tâche des intellectuels n'est-elle pas de contribuer à trouver les moyens de revivifier la démocratie et de lutter effectivement en faveur de l'insertion ? Mais d'une insertion qui ne soit pas seulement économique mais aussi, et effectivement, politique. C'est, je crois, à une telle reviviscence de l'esprit de la démocratie directe qu'appelle Jean-Pierre Worms, toujours dans le dernier numéro d'*Esprit*. Ce qui prouve bien, comme je le disais au début de ma lettre, qu'*Esprit* est à l'heure actuelle la plus riche et la plus vivante des revues. Bravo et merci. Continuez, mais faites encore mieux.

En toute polémique (pas stérile, j'espère), mais tout aussi amicalement.

Alain Caillé

COUP DE SONDE

Transformation de l'herméneutique

La décade de Cerisy « Herméneutique : textes, sciences » réunie par François Rastier, Jean-Michel Salanskis et Ruth Scheps (10-17 septembre 1994) a montré que le statut de la réflexion herméneutique était en train de se transformer. Ce changement d'orientation, s'il se confirme, est assez notable pour qu'on s'y arrête. Les organisateurs ont précisément conjugué leurs efforts pour faire apparaître l'importance nouvelle que prend l'herméneutique dans des secteurs d'où elle semblait devoir être bannie par nature. L'impression d'ensemble qui se dégage de ces journées est qu'elle n'est plus nécessairement dos-à-dos avec les sciences, que ce soit celles de la nature ou les sciences « humaines » formalisées, mais qu'elle peut dire la rencontre de leurs démarches, sur des points circonstanciés sans doute et dans la pleine conscience des incommensurabilités, mais enfin : Dilthey n'avait-il pas fait de l'herméneutique l'*organon* des « sciences de l'esprit » pour faire pièce à la méthode quantitative des « sciences de la nature », les opposant du même coup dans l'objet et dans l'approche ? Heidegger n'avait-il pas tiré parti de cette différence pour, en radicalisant l'historicité du monde de l'esprit appréhendé par Dilthey, dégager deux modalités ontologiques irréductibles ? Gadamer, bien que prenant davantage en compte les savoirs régionaux, n'a-t-il pas repris lui aussi cette différence essentielle entre « vérité » et « méthode », dont le caractère oppositif était nettement perceptible en premier lieu ? On pouvait alors soupçonner l'herméneutique de se faire le refuge des valeurs spiritualistes ou métaphysiques à l'heure même de leur disparition, le gardien actualisé d'une tradition dont elle détiendrait la clé de lecture, et par là, le pouvoir compensateur aux crises répétées de nos sociétés « avancées ». Un mutuel dédain semblait de mise, les herméneutes tentant trop rarement de saisir la portée des « explications » d'une science formelle, malgré les essais de quelques-uns comme Ricœur, les tenants d'une méthode formelle se montrant parfois trop enclins à un certain dogmatisme.

Cette situation est en passe de changer, non pour de mauvaises raisons comme la nécessité ambiante de « dialoguer » ou de mélanger diverses disciplines, mais parce que la démarche propre à plusieurs disciplines d'orientations divergentes les conduit à des constats critiques assez proches. Du côté de l'herméneutique philosophique, c'est la conscience, après la radicalisation heideggerienne, que le sens, non subsumable sous celui de « sens de l'être », s'inscrit dans un texte, qui porte avec lui des contraintes spécifiques ; sans retourner à une herméneutique simplement « philologique », on en est revenu de la légèreté certaine avec laquelle « l'entretien pensant » heideggerien traitait la lettre des textes de la tradition philosophique ou lyrique, pour considérer que le cercle herméneutique ne jouait pas seulement à un niveau fondamental, mais qu'il était impliqué de manière différenciée en tout acte de lecture. Prolongeant un mouvement de retour pointant chez Gadamer, c'est surtout Ricœur qui a amorcé cette « greffe » de l'herméneutique sur la phénoménologie. Mais la situation est bien plus intéressante du côté des sciences, même des plus « dures », qui reconnaissent « que l'herméneutique travaille en elles ». Dans les « sciences cognitives », on en est ainsi passé d'une critique extérieure, d'inspiration phénoménologique, envers le projet même d'une intelligence « artificielle », avec des arguments pris chez Heidegger (différence ontologique, cercle herméneutique, etc.), à une prise en compte interne de cette critique dans certaines des disciplines cognitives elles-mêmes, cherchant à reprendre à leur compte et à intégrer cette dimension réflexive. Dans les disciplines comme l'histoire des sciences (Popper, Kuhn), la psychologie depuis la *Gestalttheorie*, la philologie (avec J. Bollack) ou plus récemment la sémantique (les travaux de F. Rastier), la fécondité méthodique va de pair avec la mise en évidence du caractère herméneutique des problématiques – évacué dans une conception « positiviste » du savoir – et du caractère central et inévitable de la question du sens pour celles-ci. Au sein même des mathématiques, la réflexion constante sur quelques

« énigmes constituantes » comme l'infini, le continu et l'espace, signale le rôle du questionnement dans les avancées théoriques, ou encore la question de la réécriture du calcul et la reformulation de la preuve, qui sont l'indice d'une réassomption à l'œuvre dans l'opération même des procédures formelles. Les conditions d'une approche tranchant avec les passages en revue habituels des tendances de la philosophie herméneutique étaient ainsi réunies en ces journées.

Les premières reprenaient quelques jalons décisifs de l'herméneutique telle qu'elle s'est constituée au cours de son histoire : un regard plongeant sur la profondeur de cette tradition a d'abord pour fonction critique de relativiser les références les plus émergentes (Schleiermacher, Dilthey, Gadamer...), montrant la diversité d'une telle tradition, et la complexité des débats qui se jouent en elle. Les reprises de celle-ci au sein des disciplines actuelles sont autant de prises de position originales quant à l'histoire des herméneutiques ; souvent, c'est un motif, un tour d'esprit, l'insistance sur tel ou tel phénomène lié au sens qui fait l'objet d'une nouvelle thématisation dans les disciplines qui ne sont pas historiquement liées à l'herméneutique comme le droit, la théologie et la philologie. L'horizontalité ou la transversalité de l'interrogation herméneutique dans des secteurs de la connaissance très différents repose aussi bien sur une hétérogénéité de la tradition herméneutique elle-même, que la présentation de certains débats théoriques a nettement rappelée.

Jean Pépin (Paris) a montré, à partir d'un texte d'Augustin (*De Trin.* XV, ix, 15), l'intrication des disciplines du langage dans l'Antiquité. L'herméneutique sacrée élaborée par Augustin reprend ainsi les catégories de la rhétorique profane, tout en leur conférant un sens original. La codification y est extrêmement poussée, et seul le recours au savoir rhétorique permet de distinguer rigoureusement l'interprétation allégorique, commune dans l'Antiquité, de l'interprétation typologique, référée à une histoire factuelle, et non seulement à des renvois intra-langagiers. Mirela Saim (McGill, Montréal) a montré le creusement de la question herméneutique au Moyen Age, où le besoin se fait sentir de fixer le sens des Écritures sacrées, plutôt que de la déployer en confiance comme encore les Pères de l'Église. Abélard est à cet égard un témoin précieux, puisque devant la masse des gloses qui menacent d'épuiser le texte sacré, il propose des critères de sélection rationnels. Le genre du *Dialogus de fide* qu'il illustre permet à la fois de populariser la *disputatio* et d'évincer le recours à des autorités, puisqu'il s'agit de pouvoir convaincre un païen, un juif ou un musulman : l'ouverture de l'espace de discussion rationnelle est ainsi directement liée à la recherche d'une rationalité par le dialogue qui thématise les modes d'interpréter des protagonistes. Le reproche adressé généralement aux juifs dans ces dialogues est qu'ils se tiennent à l'interprétation littérale (=« *iudaisare* » en latin médiéval). L'ouverture de la question herméneutique est rendue possible chez Abélard par la distinction des registres de la *veritas* propre à Dieu et de la *ratio* humaine.

Françoise Douay (Aix-en-Provence) a présenté l'élargissement du champ herméneutique à l'époque des Lumières que l'on peut sans doute qualifier « d'âge de l'interprétation ». Préférant une analyse précise des conceptions du sens à des généralités, et serrant de plus près les concepts de l'*Essay* que la traduction française de Coste ne le faisait, elle a montré comment, à partir de la pensée de Locke, Clericus concevait son *Ars critica* dans sa lignée. Visant avant tout la clarté, Clericus condamne aussi bien la lecture figurée que l'emploi de la rhétorique : il

s'oriente vers une morale rationnelle et « anti-rhétorique ». Contre cette simplification du discours, les encyclopédistes vont reprendre autrement l'héritage lockien. Dès le programme de D'Alembert, mais surtout avec Dumarsais et Beauzée, l'attention se porte sur la variété des sens, l'héritage théologique étant non moins intégré que celui des grammairiens. L'article *Sens* rédigé par Beauzée, en proposant une distinction triple du sens en « sens » pris généralement, « signification » rapportée aux mots selon l'usage ordinaire, et « acception », réalisation particulière d'une signification en discours, présente la synthèse de cette réflexion sémantique. Revenant sur les réalisations de l'herméneutique post-kantienne, j'ai, quant à moi, cherché à faire apparaître une logique des positions interprétatives, en constatant que les possibilités ouvertes par la révolution kantienne pouvaient déboucher sur des options herméneutiques bien tranchées. C'est au sein de ce débat sur la structure et la visée de l'herméneutique elle-même qu'il convient d'apprécier la position *critique* de Schleiermacher, qui se distingue aussi bien de l'herméneutique *intégrative* de Friedrich Ast, adaptation à la question de l'interprétation de la systématicité idéaliste, que de l'herméneutique *destructive* de Friedrich Schlegel, qui en individualise radicalement les procédures, échappant difficilement du coup à un relativisme de principe. La fonction d'une telle reconstitution, loin de proposer une restauration de théories datées, est de préparer le regard pour un retour critique sur l'herméneutique contemporaine : ces reprises, aujourd'hui largement partagées, s'inscrivent dans l'une ou l'autre de ces traditions herméneutiques, ne serait-ce qu'en privilégiant une approche typique de la question.

C'est au sein des positions théoriques modernes que Heinz Wismann (Heidelberg) a présenté son option, voisine de la philosophie des formes symboliques de Ernst Cassirer, qu'il lit comme une herméneutique qui ne sacrifie pas la rationalité à l'attention à l'individualité et à l'altérité des phénomènes du sens. Retraçant les étapes de formation d'une telle logique du discours individuel depuis Schleiermacher et Dilthey, il fait valoir, contre la tentation nostalgique d'une herméneutique restauratrice de la tradition (Gadamer), la dimension émancipatoire d'une reconstitution singulière, qui privilégie la fonction, la signification, sur la substantialité des signifiés, les pures réalisations expressives. Confrontant également une approche qui, pas plus que celle de Cassirer, ne se conçoit explicitement comme herméneutique, avec la tradition ravivée par Dilthey, Wioletta Miskiewicz (Paris) a caractérisé la phénoménologie de Husserl comme science non-objectivante. S'il salue l'effort d'une « psychologie descriptive analytique » chez Dilthey, Husserl vise plutôt à fonder phénoménologiquement les sciences humaines, radicalisant sa tentative qui demeure insatisfaisante en plusieurs endroits (statut des mathématiques, problème du corps et de l'âme) : il s'agit de thématiser la diversité des modes selon lesquels la conscience se rapporte à l'être, et non pas seulement de découper deux régions de l'être comme objets de sciences de natures distinctes. Wioletta Miskiewicz montre ensuite comment une telle démarche s'inscrit dans ce qu'on peut nommer un cercle herméneutique, plus critique envers tout objectivisme que celui de Gadamer, qui conçoit le langage comme un milieu ontologique.

Une autre confrontation avec l'herméneutique, mais venant cette fois d'une science humaine, fut la réflexion de Jean Laplanche (Paris) sur la méthode psychanalytique, en particulier dans la *Traumdeutung* de Freud. Jusqu'à 1900, la démarche de Freud est de ne proposer que des reconstitutions partielles de séquences associatives, sans proposer d'interprétations synthétiques des rêves. Après 1900 et l'introduction de codes de lecture formels (symbolisme, typicité), il donne un tour mythique à certaines constructions, occultant pour Laplanche la fécondité première d'une démarche libre vis-à-vis de toute reconstitution intellectuelle d'ensemble. Ce dévoilement, il l'interprète comme un recouvrement de l'analyse par l'herméneutique, la transposition du récit de rêve dans un registre symbolique l'emportant sur la dissociation, la déliaison de la *Rückbildung*. Privilégiant des traductions partielles sans synthèse signifiante prématurée de l'inconscient fondamentalement hétérogène, Laplanche doit en fait opposer une herméneutique du détail, préalable à la traduction, à une herméneutique globale, ce qui relativise aussi bien la portée polémique de ses réserves.

C'est de manière moins nuancée que Jean Molino (Lausanne) a mené lui aussi la polémique, opposant classiquement l'herméneutique qui se protégerait dans une irréfutabilité suspecte autant qu'immobile, nonobstant la vitalité et la fécondité des conflits d'interprétation, et les sciences de la nature, en passe d'opérer une naturalisation de l'épistémologie, passage décisif hors de l'herméneutique constituée. Ce réalisme toutefois semblait plutôt prolonger une opposition traditionnelle, peu modifiée de celle de Dilthey, sans remarquer qu'elle a peut-être, comme le suggérait l'intitulé des rencontres, fait long feu. François Rastier (Paris) a pu ainsi faire valoir que le moment herméneutique, en tant que retour réflexif propre à l'analyse des phénomènes du sens, était constitutif d'une sémantique concrète, prétendant rendre compte des textes et non valoir seulement pour la « langue ». Il propose, conduisant l'affranchissement réflexif de la sémantique, d'y voir le lieu d'une réunion de l'herméneutique et de la philologie. La dimension du texte, qu'à négligé une linguistique fascinée par le signe, rappelle à la sémantique son insertion culturelle et historique. La démarche s'inscrit pleinement dans le renouveau de la problématique herméneutique au sein même des sciences humaines les mieux constituées, ici la sémantique comme partie de la linguistique ou mieux de la sémiotique, puisque c'est l'insuffisance des découpages ordinairement acceptés du champ linguistique en syntaxe, sémantique et pragmatique qui est mise en lumière depuis la seconde de ces disciplines. On ne peut guère négliger les contextes de sens en faisant de la sémantique, il convient plutôt d'en hiérarchiser les isotopies. Au lieu d'une sémantique vouée au formalisme veri-conditionnel, et d'une pragmatique plus sociologique que linguistique, il est fructueux d'articuler ces domaines qui répètent l'éloignement de l'esprit et de la lettre d'une tradition herméneutique oubliée et d'autant plus passivement reçue, et de les reprendre dans le cadre d'une sémantique interprétative. Une volonté de ne pas admettre comme inéluctable le partage entre une herméneutique radicalisée autour du thème de la différence ontologique d'un côté et des disciplines du langage vouées au formalisme ou au positivisme de l'autre, que ce soit la philologie ou la linguistique, rapprochait de cette tentative la réflexion sur la philologie de Jean Bollack (Lille). C'est pour l'horizon d'une herméneutique critique qui constitue la dimension sensée du travail philologique, tel qu'il le mène sur les cosmologies présocratiques ou sur la poésie de Paul Celan. Il convient principalement de se rendre attentif à l'interprétation des œuvres elles-mêmes, qui marquent par des écarts et des négations leur positions par rapport à la tradition à laquelle elles se rattachent, la défaisant et la constituant autrement. La visée d'une resémantisation du langage

anime l'œuvre, comme chez Héraclite, Epicure, ou dans la tradition orphique, mais aussi bien, sous une forme extrême, dans la poésie de Celan. Ce que l'on désigne ordinairement comme l'hermétisme d'une langue interprétée n'est en fait que le caractère herméneutique d'une langue interprétante singularisée dans une œuvre : c'est celle-ci qui définit les critères esthétiques de sa propre compréhension. Pour sa part, Georges Steiner (Cambridge), a plaidé pour le « bien lire » que l'on enseignait jadis sous l'appellation « d'explication de texte », polémiquant au nom de l'humanisme de l'homme européen cultivé contre les excès des lectures d'inspiration déconstructionniste. L'appel pathétique à la dimension éthique de la lecture ne permet cependant pas de passer sur les problèmes propres à la « lecture », ni ne suffit à définir les critères de la « bonne » lecture. A cet égard, la *captatio* inaugurale du discours de Steiner, mettant en scène parallèlement deux « lectures » du *Monde comme volonté et représentation* de Schopenhauer, celle de Thomas Mann (la « bonne ») et celle d'Adolf Hitler (la « mauvaise »), passait sans doute trop rapidement sur la spécificité du texte philosophique et sur la différence notable que l'on peut faire entre une lecture en vue de saisir le sens d'une œuvre et celle que l'on fait occasionnellement pour soi, même si elle « marque » son lecteur.

Une relative difficulté dans la précompréhension des termes-clés de l'interprétation pouvait gêner certains auditeurs du passionnant exposé tenu par Pierre Clément (Lyon), Ruth Scheps (Paris) et John Stewart (Compiègne) sur les apports d'une approche herméneutique en biologie. Reprenant à Uexküll sa notion d'*Umwelt* (monde ambiant ou milieu de comportement), ils ont d'abord indiqué comment le vivant « interprétait » nécessairement son milieu immédiat pour s'orienter dans l'espace-temps propre à chaque espèce, puis souligné la part prépondérante revenant à « l'interprétation » dans les théories actuelles de la vision. Le problème est alors de décider s'il convient de comprendre bien comme une « interprétation » ce qui relève essentiellement d'un réflexe, d'une réaction à un signal le plus souvent de nature chimique, et qui reste de toute façon en-deçà du niveau symbolique. On le peut, pour les intervenants, dès lors que l'on prend en compte des « cercles fonctionnels » plutôt que des « réflexes » isolés, et que l'on identifie la relation entre émetteur et récepteur de signaux aboutissant, chez certaines espèces, à une coordination des actions qui favorise leur viabilité commune. Le rapprochement effectué avec certains concepts développés par Merleau-Ponty, comme sa notion « d'être-au-monde », séduisante par certains aspects, suppose cependant une réflexion critique sur le statut métaphorique ou non de cette reprise.

Progressant vers la présence de l'herméneutique dans les sciences « dures », les réflexions de Bruno Bachimont (Paris) sur une Intelligence artificielle incorporant des « connaissances non-scientifiques », distinctes d'une construction mathématique se situent dans une problématique du signe. Bachimont peut recourir au concept d'interprétation en s'appuyant sur la sémiotique de Pierce, et travaille à intégrer cette dimension dans la programmation en IA. Yves-Marie Visetti (Paris) fait la critique de la notion de « représentation » acceptée trop souvent en IA et dans les sciences cognitives sans que la décision que suppose un tel concept soit analysée pour elle-même. Or, selon lui, la mise en évidence de l'interaction générale, qu'il interprète à l'aide de l'« être-au-monde » de Merleau-Ponty, rend caduc le schéma objectivant qu'entraîne le recours à la « représentation ». Non que l'on puisse sans

doute se passer de certaines simplifications, mais il convient, souligne Visetti, d'apprécier les modèles en sciences cognitives dans leur dimension herméneutique et heuristique. Ici encore, la légitimité d'une reprise réflexive inspirée de certains thèmes herméneutiques répond à la volonté de sortir de certaines impasses méthodologiques rencontrées par ces disciplines au cours de leur développement.

C'est avec la problématisation herméneutique de certains points des mathématiques que la continuité de l'interrogation menée en ces journées à partir de différents champs s'affirme comme stimulante. Travaillant en historien des mathématiques, Marco Panza (Nantes) a souligné, en se référant à Gadamer, la dimension herméneutique de l'activité mathématique, dans la mesure où il est toujours question pour celle-ci de constituer ses objets. Il prend pour exemple le modèle hilbertien des mathématiques, et la possibilité qu'il laisse d'avoir des objets non empiriques. Le tournant du formalisme tient ainsi à la dissociation qu'il opère entre les objets propres et la construction. Claude Lobry (Nice) a présenté sa recherche autour du phénomène du *retard à la bifurcation*. Cette recherche souligne dans un cas « historique » le rôle de la polysémie du discours non formel qui est partie prenante de la mathématique (on a fait comme si le paramètre était sujet à une variation du même ordre que les variables dynamiques), et fait ressortir la différence de l'activité mathématique d'avec une simple langue formelle, car cette activité joue en fait sur la capacité interprétative mutuelle de la langue formelle par la langue naturelle. Jean Petitot (Paris) s'est engagé à montrer en quel sens les mathématiques étaient bien une pensée à l'œuvre, leur place dans la culture contemporaine étant de plaider pour la conciliation de l'historicité et de l'universalité de la vérité.

Un bon exemple est à cet égard l'herméneutique intrinsèque de l'inter-théoricité, à savoir le travail de re-traduction des problèmes et objets mathématiques d'un contexte théorique en un autre, comme la récente « quasi-preuve » par Wiles du théorème de Fermat en souffrance depuis plus de trois siècles l'illustre de manière exemplaire. Jean-Michel Salanskis (Lille) est revenu pour sa part sur le surgissement du thème herméneutique dans ses travaux sur les mathématiques et les sciences cognitives, avant d'expliquer comment leur prise en compte l'oriente vers une philosophie du sens. Celle-ci rendrait son actualité à une philosophie transcendantale non formaliste, mais réinterprétant herméneutiquement ses propres catégories. La réflexion sur les grandes querelles mathématiques, comme à propos de l'espace, ne débouche pas sur quelque invalidation de la philosophie kantienne, mais permet bien plutôt de comprendre l'esthétique transcendantale sur un mode herméneutique. L'épistémologie contemporaine ayant révoqué toute démarche fondatrice close, l'interprétation de l'activité mathématique comme étant herméneutique se situe dans la lignée d'une philosophie du sens qui n'assimile pas la rigueur scientifique au modèle de la détermination, mais se fait surtout attentive aux modalités du sens, à ses reprises et réinterprétations par et pour quelqu'un[1].

Il faudrait entrer dans les détails : espérons qu'une prochaine publication des actes nous y aidera. Il faudrait pouvoir individuer chaque fois le type de référence de chaque discipline à la démarche herméneutique et à sa tradition, apercevoir sa légitimité ou son caractère importé, apprécier les conditions de la reprise de grands ensembles ontologiques comme ceux de Heidegger, de Merleau-Ponty ou de Gadamer au sein de questionnements parfois très techniques, faire la part de la fécondité d'une ouverture et celle des malentendus, des impasses. Pour beaucoup, il s'agit d'une thématisation explicite d'un geste critique à l'œuvre dans certains domaines : ainsi, un épistémologue comme Kuhn ne met guère en avant la tournure « herméneutique » de sa démarche, alors que celle-ci était sans doute évidente pour un historien des sciences comme Koyré, passé par Dilthey et la philosophie allemande. L'élucidation des propres présupposés d'une démarche est alors pleinement souhaitable, en laissant de côté ce qui ne serait qu'importation. Mais ce sont les conditions d'une telle élucidation que ces journées de Cerisy ont contribué à préparer.

Denis Thouard*

* Cnrs, Lille.
1. La recension des derniers exposés a bénéficié du conseil inappréciable de Jean-Michel Salanskis. Qu'il en soit remercié.

191

LIBRAIRIE

François Ost
LA NATURE HORS LA LOI
L'écologie à l'épreuve du droit
La Découverte, 1995, 375 p.,
175 F

La décision de la municipalité de Los Angeles de *planter* en 1972 neuf cents arbres en plastique le long des grands boulevards de la ville a contribué à lancer aux États-Unis un vif débat autour des droits de la nature. Le dépérissement des forêts (*Waldsterben*) outre-Rhin, observable en certains lieux par n'importe qui, a provoqué en Allemagne un effet analogue dans les années 1980. Le problème du statut juridique de la nature sera sans doute l'une des grandes questions débattues en France durant les années quatre-vingt-dix. Le livre de François Ost, *la Nature hors la loi*, constitue une contribution majeure à ce débat. C'est à ce jour l'ouvrage le mieux informé quant à la question du statut juridique des êtres naturels : on y trouve une présentation critique de tous les travaux antérieurs notables de langue anglaise, allemande ou française. Et surtout l'auteur, philosophe et juriste, professeur aux facultés universitaires Saint-Louis à Bruxelles, directeur du Centre d'étude du droit de l'environnement, y défend une approche originale, solidement argumentée. Il convient selon François Ost de rejeter tout autant la conception de la nature-objet, léguée par la modernité cartésienne, que la nature-sujet exaltée par la *deep ecology*. Il leur oppose une conception dialectique de la nature, la nature-projet, milieu entre les abstractions du pur objet. Une thèse qui l'amène à récuser l'institution d'un droit de la nature au profit de l'adoption d'un nouveau statut juridique de la nature, celui, repensé, du patrimoine dont nous sommes responsables devant l'humanité à venir.

François Ost voit dans le cartésianisme la matrice tant de la conception que des rapports modernes à la nature. Repartant de l'épisode des arbres en plastique, il nous montre en quoi l'œuvre de Descartes, plus encore que celle de Bacon, rejoignant en cela John Passmore, est à l'origine d'une sorte de « plastification des mentalités ». Le texte auquel il se réfère notamment est le *Traité du monde*, la *Fabula mundi*. Non seulement Descartes y réduit la nature à la seule matière, mais encore ne la considère-t-il qu'au titre de ce qui peut être mécaniquement produit ou engendré, selon des lois rationnelles et quantifiables. Dieu lui-même se voit au mieux concéder le rôle de garant. Il n'est plus alors de regard possible sur le monde que celui du géomètre, comme l'indique à sa manière la fameuse analyse de la perception d'un morceau de cire. Il n'est plus d'autre Dieu qu'un Dieu « froid comme une hypothèse, impersonnel comme un théorème », d'autre nature si ce n'est celle que donne à voir *la Leçon d'anatomie* de Rembrandt : un « cadavre raide et livide », en proie au scalpel savant.

Peut-être n'y a-t-il là qu'une des strates de l'œuvre de Descartes. Il n'en reste pas moins vrai qu'elle s'est bel et bien incarnée dans la conception moderne du droit et de la propriété. C'est ce que s'emploie à montrer F. Ost en prenant notamment appui sur le discours de présentation du nouveau Code civil de 1804 prononcé par Portalis devant le Parlement. « Entre la *Fabula mundi* de 1633, écrit F. Ost, et l'article 544 du Code civil, la filiation est directe, aussi droite que les chemins de la méthode. » L'entreprise spéculative moderne aboutit à la conception de la propriété comme « droit de jouir et de disposer des choses de la manière la plus absolue », selon les mots mêmes de Portalis. L'extension contemporaine maximale de la brevetabilité des êtres vivants, et donc de leur appropriation, en est le dernier avatar : plus rien ne lui échappe désormais, pas même les composants du corps humain. « D'un côté, un sujet désincarné, pur esprit ; de l'autre, un corps-objet taillable et corvéable à merci. »

F. Ost dresse ensuite un bilan à la fois nuancé et mitigé des vingt dernières années en matière de droit de l'environnement. En l'état, le droit n'est pas vraiment apte à faire barrage à cette « forme contemporaine de l'*ubris* », de la démesure qu'est « l'alliance moderne de l'artifice et du marché ». Le « renforcement des sanctions pénales et administratives, qui constitue un trait marquant de l'évolution du droit de l'environnement, ne doit pas faire illusion : ces sanctions sont rarement mises en œuvre, écrit en effet F. Ost, et, quand elles le sont, encore est-ce de manière très inégale ». L'auteur fait aussi le point sur le *droit environnemental négocié*, les *marchés des droits de pollution* et l'*écologie de marché*, c'est-à-dire le découpage de la nature en tranches pour en confier la protection à des myriades de propriétaires privés. Remarquons que la bêtise suscitée par une foi inébranlable en quelques principes unilatéraux fait aujourd'hui autant de ravages parmi les libéraux qu'autrefois chez les suppôts de l'avenir radieux.

François Ost renvoie dos à dos la nature-objet et la nature-sujet de la *deep ecology*, de l'écologie radicale. Le monisme de la seconde, qui fond dans une indifférence génératrice d'incohérence l'homme et la nature, n'est pas plus satisfaisant que le dualisme cartésien, qui rendait impensable la nécessaire appartenance de l'homme à la nature. Il leur préfère une approche résolument dialectique des relations entre l'homme et la nature. Après Luc Ferry et d'autres, F. Ost souligne l'importance de l'écologie radicale dans le monde anglo-saxon, et dans une moindre mesure germanique, et son caractère potentiellement dangereux. Notons au passage que le seul ouvrage notable de langue française qui relève de cette inspiration, est le baroque *Contrat naturel* de Michel Serres. La nocivité de l'écologie radicale procède des conséquences mêmes de son principe cardinal, à savoir l'*égalitarisme biocentrique et holiste*. La valeur suprême est la vie elle-même, non pas celle de tel ou tel individu, mais celle de n'importe quelle espèce, et mieux encore de la communauté biotique. La proposition de supprimer 90 % des effectifs de l'espèce humaine, au nom du droit moral de toutes les autres espèces à vivre, que nous sommes plusieurs à avoir faussement imputée à William Aiken, était à cet égard exemplaire. F. Ost ne répète pas cette erreur, mais livre au lecteur francophone d'autres déclarations non moins significatives. La « disparition complète de la race humaine, écrit par exemple P. W. Taylor, ne serait pas une catastrophe morale, mais plutôt un événement que le reste de la communauté de vie applaudirait de bon cœur ». On peut y ajouter l'affirmation de J. Baird Callicott selon laquelle « on peut mesurer le degré de biocentrisme de l'environnementalisme moderne par l'étendue de sa misanthropie[1] ». F. Ost poursuit son analyse sur le plan proprement juridique en montrant les absurdités auxquelles conduit la volonté de dépasser « l'humanisme pratique », d'étendre le statut de sujet de droit au-delà des

1. Cité par l'historien de l'écologie nord-américaine R. F. Nash, partisan de la *deep ecology, in The Rights of Nature*, U. of Wisconsin Press, 1989, p. 154.

limites de l'humanité. Le droit n'est pas seulement fait « par les hommes », mais encore « pour les hommes ». Le juriste Christopher Stone avait été le premier à défendre l'idée d'une extension du statut de sujet de droits aux êtres naturels, ce dans un long article publié en 1972 à l'occasion de l'affaire qui opposait le Sierra Club à la société Walt Disney, laquelle voulait installer une station de sport d'hiver dans la Mineral King Valley. Or, il est lui-même revenu sur sa position en 1985 en reconnaissant que l'essentiel n'est pas d'accorder des droits aux êtres naturels, mais de leur conférer une « considération juridique ». Telle est également la thèse défendue par F. Ost : le problème n'est pas celui des *droits* de la nature, mais celui de l'imposition aux hommes, par la loi, de *devoirs* envers la nature. Faute de quoi prévaudront toujours les intérêts économiques à court terme. L'auteur défend une position analogue vis-à-vis des animaux. Il nous avertit des conséquences que ne manquera pas de provoquer une véritable protection juridique de la nature : elle « entraînera de très sérieuses modifications de nos modes de production et de nos habitudes de consommation, sans doute aussi de nos rapports avec les pays les plus pauvres ».

La troisième et dernière partie de l'ouvrage est consacrée à la nature-projet, c'est-à-dire à la nature comme milieu. Ni l'homme hors nature, ni la pure nature n'existent. On ne saurait pas plus les « disjoindre » que les « identifier ». Il convient bien plutôt de penser ensemble l'enracinement de l'homme dans la nature et son arrachement, en tant que sujet, à cette même nature ; laquelle, comme suffirait à le montrer le paysage, n'est pas non plus réductible à une pure objectivité. Cette conception amène F. Ost à refuser de détacher de l'humanité une prétendue nature en soi, dotée d'une valeur absolument intrinsèque. Ce « qui est

bon pour les générations futures de l'humanité, écrit-il, est bon également pour la survie de la biosphère et l'intégrité de la planète ». F. Ost peut alors articuler les concepts de responsabilité, de générations futures, de patrimoine et d'humanité. Il s'attache à montrer que notre responsabilité vis-à-vis des générations futures n'exclut pas une certaine forme de réciprocité. Nous avons en effet reçu des générations précédentes « la nature qui nous entoure, comme la culture dont nous bénéficions ». Nous aurons également à les transmettre aux générations suivantes. On retrouve là un cas d'application de la règle d'or selon laquelle il ne faut pas faire à autrui ce qu'on ne voudrait pas qu'il nous fasse. Le caractère hybride de la notion de *patrimoine*, constitué à la fois de matière et de personne, le fait qu'il échappe à la conception purement privative de la propriété, son titulaire devant rendre des comptes quant à sa gestion, font du patrimoine un instrument propre à conférer à la nature un statut juridique et à lui assurer une protection effective. Le patrimoine peut alors être compris comme une institution transtemporelle, inséparable de la succession des générations, et translocale, propre par exemple à défendre telle ou telle espèce dont les membres sont par définition dispersés. Enfin, il est possible d'asseoir la notion élargie de la responsabilité sur le concept kantien d'humanité, lequel associe l'absence de détermination *a priori* de l'humanité de l'homme, qui se définit plutôt par sa capacité d'autodépassement, et d'affirmation d'une fin qui implique les générations futures : celle d'une « Cité universelle régie par un droit cosmopolitique ». *La Nature hors la loi* est, à n'en pas douter, un livre important.

Dominique Bourg

Mona Ozouf

LES MOTS DES FEMMES
Essai sur la singularité française
Fayard, 1995, 397 p., 150 F

Le livre de Mona Ozouf part d'un constat, la faiblesse du féminisme français relativement aux développements du féminisme nord américain : « Pourquoi le féminisme [...] a-t-il en France un air de tranquillité, de mesure ou de timidité selon qu'on en ait ? » (p. 11). Cette donnée visible, bien connue, massive, Mona Ozouf s'y attaque avec des armes tout sauf massives : l'observation subtile de l'esprit de finesse. *Essai sur la singularité française*, ce livre est aussi une saisie de la diversité humaine : dix portraits de femmes composent ce que l'auteur peut se permettre d'appeler « une guirlande » (p. 18), ou « un collier » (p. 17) : l'intelligence et le savoir, partout visibles, interdisent assez qu'on confonde l'œuvre avec un colifichet. N'ayant aucun besoin de faire de l'intimidation, Mona Ozouf se plaît à afficher, *cum grano salis*, une prétention modeste à la grâce : cette œuvre se donne pour un ouvrage de dame.

De Mme du Deffand à Simone de Beauvoir, en passant par Mme de Staël, Hubertine Auclert ou Simone Weil, chaque vie apparaît comme une proposition de sens. L'historienne fait ressortir – avec une extraordinaire équité – la multiplicité des possibilités et des partis pris à l'égard des représentations de la féminité. Chaque vie, on s'en doute, en prend et en laisse, ne serait-ce que parce que les accomplissements féminins sont contradictoires : entre la fidélité conjugale et les passions orageuses, il faut bien choisir. De même on peut choisir entre la vocation maternelle et la vocation d'amante – encore n'est-ce pas nécessairement le cas, comme en témoigne le portrait de Sand, amante maternelle s'il en fut. Tous ces choix qui s'effectuent dans l'ordre des accomplissements féminins, s'ordonnent à d'autres aspirations qui ne sont pas particulièrement féminines, comme celle d'écrire, de faire son salut, ou de militer.

Aucune des femmes du livre n'est étrangère à l'idée d'égalité des sexes, au sens où elle l'ignorerait purement et simplement. Même la très sage Mme de Rémuzat y a été exposée par une mère formée au siècle de Voltaire. Mona Ozouf met en place, avec discrétion, une série de repères – l'universalisme chrétien, le différentialisme rousseauiste, l'universalisme des droits de l'homme –, par rapport auxquels l'acceptation, voire la revendication de la subordination, ou tout au contraire son refus prennent sens. Chacune des femmes se distingue, traçant sa voie parmi la diversité des devoirs (c'est-à-dire, de manière purement descriptive, ce que chacune d'elles a reconnu comme ses devoirs), et pondérant, chacune à sa manière, devoir et plaisir. De ce point de vue encore, la diversité éclate, et Mona Ozouf cherche à la faire éclater, juxtaposant les portraits de l'hédoniste et de l'ascète : dans l'ordre du livre, Simone Weil suit Colette, mélange détonnant. Jamais Mona Ozouf ne donne une définition de la féminité : celle-ci chatoie, dans ces portraits de femmes illustres, mais ne se stabilise pas. Il est nécessaire que la notion bouge. D'une part, c'est un fait de nature, qui dépend de la division sexuelle. En ce sens, la féminité traverse nécessairement toute existence de femme, elle est imperdable et irréalisable, car ni la dénégation farouche, ni l'acceptation voluptueuse ne sauraient en venir à bout. Mais d'autre part, la féminité est un fait historique : il existe des représentations normatives du féminin, assez peu variables du XVIIIe siècle à nos jours. Ces représentations, les héroïnes du livre les épousent de diverses manières : franchement et sans réserve pour certaines (comme la jeune Mme Roland), moins naïvement pour d'autres, et non sans complexes de rééquilibrages – ainsi de Mme de Charrière, vouée à l'ironie et au détournement subreptice. La tâche de l'historienne consiste d'abord à retracer ces cheminements, à partir des propos des femmes étudiées. Ce choix de méthode est capital (il donne son titre au livre). Il correspond à l'intention de « rompre avec le violent préjugé qui disqualifie ce que les hommes et les femmes disent qu'ils font, comme s'ils étaient toujours et partout les moins bien placés pour les comprendre » (p. 10). Ici se joue une exigence de respect, qui détermine la méthode historique empruntée. Cette exigence comporte des implications politiques – notamment le rejet des versions dures du féminisme contemporain. Sous couvert d'interroger la singularité française, le dernier chapitre développe cet aspect politique. A la suite d'Annie Lebrun dans un pamphlet déjà ancien (*Lâchez tout !*), mais sur un mode tout différent (équanime, réfléchi), Mona Ozouf explore le risque inhérent à la position féministe différentialiste – celui « de fournir au marxisme, discrédité par les événements de ce siècle, une idéologie substitutive » (p. 396). Le trait commun avec le marxisme serait fourni par le thème de l'idéologie. C'est l'idéologie qui conduit à tenir pour nul et non avenu le témoignage que les sujets, supposés aliénés, donnent de leur vie. Cette notion a repris du service dans les écrits des féministes radicales, pour qui les femmes abusent dès qu'elles ne poussent pas des cris de victimes. Dans ces conditions, tout discours sur soi est frappé d'inanité, à moins qu'il ne suive le droit fil de la *doxa* politique. A nouveau les sujets n'ont aucunement voix au chapitre : sauf lorsqu'ils font état de leurs souffrances ou de leur révolte, leur discours est à inscrire au registre de la mystification, bourgeoise autrefois, et mâle aujourd'hui. La critique des courants agressifs du féminisme contemporain est menée de deux façons : au

fil des portraits, par l'affirmation tranquille du singulier contre le collectif, et de la diversité contre l'enrégimentement. Dans la conclusion, s'élevant au-dessus de ce qui pouvait apparaître comme un relativisme pur et simple, Mona Ozouf reprend frontalement la question expliquant la résistance française par l'attachement des femmes à l'universel des droits de l'homme, contre tous les communautarismes – et le féminisme différentialiste en est un, puisque l'appartenance au genre définit toute femme, malgré qu'elle en ait. Ce serait donc, ultimement, à la Révolution française que nous devrions la défiance envers cet extrémisme, et le choix de la modération. Si l'universel est mis en avant, le particularisme national travaille en sourdine, et dans le même sens pacificateur : l'auteur soutient aussi qu'il faut comprendre ce choix de la modération sur le fond d'une longue expérience de mixité courtoise, élaborée au temps de la monarchie.

Ce qui rend le livre si convaincant, c'est que le respect de la diversité n'est pas une leçon que l'auteur nous donne, mais d'abord une école à laquelle elle s'astreint. Le ressort du livre, c'est la tension vers l'impartialité, une tension qui demeure interne et cachée dans les portraits, puis s'affiche au grand jour dans la discussion finale. Au fond la seule faiblesse, le seul fléchissement dans cette parfaite tenue, c'est dans l'image de la France, pays de mixité et de douceur de vivre, qu'on est tenté de la rechercher. La seule partialité qu'on puisse soupçonner, c'est celle de l'attachement, patriotique et particulariste, à l'égard de la France, patrie de l'universalisme.

Quoi qu'il en soit, cet essai est un livre décisif dans le champ du féminisme français. Il y provoque déjà des effets de recomposition : on voit des ralliements surprenants (comme celui d'Élisabeth Badinter, dans l'émission d'Alain Finkielkraut), on sent des agacements mal réprimés (par exemple dans le compte rendu que Michèle Perrot en a donné dans *Libération*, qui ne respirait pas l'enthousiasme), voire une hostilité chez certaines historiennes qui réprouvent tantôt la thèse, tantôt la méthode. Il est vrai que Mona Ozouf s'avance sans bouclier. D'abord elle ne cite guère, péché des péchés dans l'espace universitaire. Lorsqu'elle analyse, c'est sans s'encombrer de l'appareil des preuves, et lorsqu'elle raconte, elle le fait sans fournir la liste de ses sources. Par ailleurs sa phrase est belle, délivrée de tout jargon : l'expression toujours sereine est d'une aisance aristocratique. Il n'est pas exclu qu'aux yeux de certaines, un tel agrément soit un tort de plus – d'autant plus que Mona Ozouf laisse percer son ironie à l'égard de la prose des féministes différentialistes françaises : « L'écriture qui se voulait "tout autre" l'était au point d'être tout opaque » (p. 387), note-t-elle. Bref, par ses charmes littéraires, le livre s'offre aux non spécialistes, et vise un public qui ne serait pas spécialement historien ou féministe, mais simplement curieux et cultivé. J'espère qu'il l'atteindra.

Claude Habib

Dominique Pagnier
LES VIES SIMULTANÉES. Poèmes
Gallimard, 1994, 107 p., 70 F

Depuis quelques années, Dominique Pagnier s'est imposé comme l'un des collaborateurs réguliers de la *N.R.F.* dirigée par Jacques Réda. Dans chacune de ses contributions, de *Claudications* à *des monuments invisibles*, il revisite un passé qui l'obsède : errances à Vienne, périple à Dresde, cheminements champenois, autant de tranches de vie voyageuse qui lui offrent l'occasion de conjuguer sa passion pour les pays germaniques et leur littérature (Kleist, Stifter, Hölderlin), son goût

des glissements et des superpositions nervaliennes, sa nostalgie des instants de grâce fugaces que l'écriture recrée à plaisir dans d'amples phrases d'une dense exigence.

Car Dominique Pagnier est surtout un poète. Dans *Faubourg des visionnaires* (Gallimard, 1990), il s'était ouvert l'horizon. *Les Vies simultanées*, son deuxième recueil, lui donne toutes les raisons d'aimer la terre.

Les poèmes en prose de Dominique Pagnier ont le calibre de la prière et chaque paragraphe y a le souffle du verset. Ils s'inscrivent dans la page blanche comme un homme à genoux dans la vaste harmonie tellurique. Ils saisissent des géométries de ville et de campagne, magnifient des fragments de mémoire, font revivre les bruits feutrés et familiers de l'enfance.

Il y a beaucoup de fenêtres dans ces poèmes. On voit s'y découper des visages de femmes à la pureté gothique. Compagnes des rêveries, elles invitent aux échappées belles et poussent le regard à quêter les sens multiples du monde. Au-delà des croisées et des portes, toujours les détails réalistes glissent vers des géographies intimes. Incomparable pouvoir du poème qui transfigure choses et gens :

Et sous les soirs pesants d'effets d'éclair théâtraux, entre les bandes grises et bleues qui composent les ciels, les toitures chaudes s'arrondissent en hanches de femmes ; et dans les cours où sonnent des heurts de vaisselles, les bronchioles pourpres des lilas se congestionnent donnant des idées de poèmes à Martine Rocher sortie après le dîner sur le pas de sa porte.

D'autres fenêtres en abyme s'ouvrent comme dans un théâtre magique inventé par Van Eyck. Elles disent l'allégeance au Très-Haut, les défaites en province, les campagnes soumises aux piétinements des chasseurs, ces maîtres de novembre « puant la frayeur des bêtes et la bouche toujours pleine d'insultes pour leurs cadavres raides ». Elles disent encore les apparitions d'une Marie charnelle qui « baise les timbres décollés dans un bol d'eau tiède ; d'un côté ce sont des vues sur les royaumes levantins ; de l'autre, l'espèce d'azyme amer que donne la salive d'un inconnu mêlée à la gomme arabique ». Elles disent surtout l'absence d'un père dont le fils a rattrapé l'âge, et qui écrit, dans le plus beau des mercis, la chanson de geste de celui dont sa main garde le souvenir moite des derniers instants :

> C'est le bel été quarante-cinq dont l'immense visage renaît souriant aux enfants nus sous les cascades lentes dans les forêts.
> A la table la plus claire, le grand gars à l'air bon et irréel, tenant un vieux livre de Goethe et vêtu d'un treillis qui le fait se confondre avec le fond du monde, c'est mon père.
> Il ne sait pas que l'Allemagne n'existe plus.
> A cause de la boisson d'orge, il entend les pieds nus d'une vierge blonde résonner sur le carrelage d'une église invisible.

C'est près d'une fenêtre que Dominique Pagnier écrit ses poèmes. Dans la solitude de la méditation, sage et pieux compagnon de Nerval, nourri de lectures bibliques et germaniques, il trouve dans les reflets de ses songes comme dans le prisme du souvenir et du monde les éclairs nourriciers de ses *vies simultanées*.

Jean-François Nivet

Laurent Gagnebin
NICOLAS BERDIAEFF, ou la destination créatrice de l'homme
Lausanne, l'Age d'homme, 1994

A l'heure où nous abandonnons les Russes au péril de leurs fantasmes, cette relecture superbe de Berdiaeff s'impose. Non que l'on se sente d'emblée sur la même longueur d'onde que cette œuvre, dont la publication commence un peu avant la Première Guerre mondiale et

s'achève un peu après la Seconde. Elle est de part en part traversée par un sentiment apocalyptique, par une *métaphysique eschatologique*, par l'onde de choc encore à venir d'un irréparable désastre ; et traversée du même mouvement par un élan tout à la fois existentiel, religieux, social et cosmique vers la beauté, qui serait la seule justification de notre destinée, sauverait le monde de la laideur de l'histoire, et restituerait la correspondance entre la création humaine et la rédemption divine. Cette esthétisation du politique, notamment cette dénonciation de la laideur démocratique, ou cette charge contre la civilisation technique qui nivelle l'humanité, sont des visages de cette œuvre qui la font contemporaine du fascisme et de ceux qui lui ont résisté. La gêne peut alors nous envahir, comme à entrer dans une mémoire qui nous touche douloureusement, et que nous ne comprenons plus. *Le Nouveau Moyen Age* dont il parle et qui l'a rendu célèbre est comme la remémoration d'un autre futur possible.

C'est précisément ici que je vois l'utilité de cet ouvrage. Il nous remet sur cette longueur d'onde perdue, l'intention qui anime la révolte de 1917, et la révolte contre l'illusion révolutionnaire elle-même. Car Berdiaeff, dressé dans le refus des orthodoxies totalitaires comme du conformisme démocratique, propose une apologie de l'esprit, qui est liberté insurgée contre toute nécessité. Pour lui, les évolutions comme les révolutions échappent à leurs initiateurs, et celles qui ont réussi sont celles qui « échouent » finalement le plus. Ce n'est pas un hasard si le réquisitoire contre la révolution russe de celui qui, banni en 1922, aussi mal à l'aise avec des émigrés amers qu'avec une révolution par lui considérée comme rien d'autre que la sanction quasi mécanique des injustices passées, est publiée dans le premier numéro d'*Esprit*, en 1932, sous le titre « Vérité et mensonge du communisme ». Comme Mounier, entre individualisme et collectivisme, il cherche un personnalisme social, avec peut-être une insistance particulière sur la dimension cosmique de la personne. Il n'est pas impossible d'en entendre l'écho dans un texte de Ricœur comme « L'image de Dieu et l'épopée humaine ». Bref, c'est une œuvre particulièrement « placée » dans la mémoire intellectuelle du XXᵉ siècle. On y trouve des notations qui seront développées par l'École de Francfort : cette idée, qu'en dépit de l'optimisme du premier et du pessimisme du second, le capitalisme ressemble au communisme en ce qu'il écrase les singularités ; qu'aucune justification ne permet de sacrifier le présent et le prochain au lointain et à l'abstrait ; que l'espérance n'est pas portée par une classe économique davantage que par un parti politique, mais par l'« aristocratie » spirituelle et marginale de tous ceux qui portent la vocation créatrice de l'humanité, etc. On y trouve aussi des notations plus religieuses : que le monde appartient à Dieu seul, et que la propriété privée c'est l'expropriation, qu'il y a comme dit Gogol « une grande tristesse à ne pas voir le bien dans le bien », que le mal par excellence c'est l'ennui, l'impuissance ou la résignation à une vie sans amour et sans création, qu'il faut penser indissociablement l'humanité de Dieu et la divination de l'homme, à la suite de Dostoïevski – et l'on peut comprendre la méditation de Berdiaeff comme un commentaire immense de l'aphorisme dostoïevskien : « C'est la beauté qui sauvera le monde. »

Au-delà de cette passerelle qu'en son temps Berdiaeff sut jeter pardessus le gouffre creusé entre le social et le religieux, montrant la dimension religieuse du marxisme et pointant la vocation sociale de la foi chrétienne, le lecteur devrait s'arrêter aux considérations finales sur l'eschatologie, l'histoire, et la Russie. L'auteur a eu raison de les placer à la fin, comme si après trente ans d'exil Berdiaeff avait pu revenir dans son pays. Ces pages rappellent *Histoire et utopie* de Cioran, le sentiment que pour un certain messianisme russe, le communisme soviétique n'est encore que la transformation du même rêve, un moment capital de cette histoire, et l'idée que la renaissance russe serait la synthèse entre un retour à la tradition et la quête d'une fraternité sociale.

Car justement, Berdiaeff n'y vient qu'en critiquant le penchant totalitaire de ce rêve et de ce populisme. On trouve dans ses livres et dans ses articles parus dans *le Christianisme social*, en 1938, une féroce critique de l'antisémitisme comme du nationalisme, et le fait que son livre sur *le Sens de l'histoire* ou celui sur *l'Esclavage et la liberté de l'homme* aient été traduits par Jankélévitch marque bien en quel sens son message était reçu. Reprenant sans cesse la séparation entre ce qui est à Dieu et ce qui est à César, il montre que l'État, comme l'économie et comme les Églises historiques, n'ont de valeur que relative alors qu'ils s'absolutisent. Ce que ce livre atteste, c'est la manière dont Berdiaeff, à bien des égards déjà si loin de nous, est pourtant l'un des nôtres, et entre Occident et Orient, « le seul penseur qui permette aujourd'hui aux Russes de se réconcilier avec leur passé, sans égarement de la mémoire et sans un total reniement ».

Olivier Abel

EN ÉCHO

Dans son numéro d'avril 1995, *la Revue nouvelle*, publiée à Bruxelles, souligne le lien irréductible entre le droit d'asile et les droits de l'homme. Croisant les interrogations du dossier d'*Esprit* de février 1995, cet ensemble a le mérite de montrer que le respect des droits de l'homme passe nécessairement par celui des réfugiés, ce qui ne paraît pas toujours évident dans l'Europe de Schengen. Dans le même numéro, deux textes retiennent l'attention : l'un porte sur les rapports de la Grèce et de la Macédoine, et l'autre sur le partage du travail. Ce dernier thème n'est pas sans lien avec les perspectives de l'économie sociale à laquelle *Économie et Humanisme* consacre son dernier numéro.

Alors que l'axe franco-allemand était l'un des débats sous-jacents de la campagne présidentielle, on se reportera avec intérêt au texte de Timothy Garton Ash publié dans *Documents. Revue des questions allemandes* (1/1995 ; voir également sa contribution dans le dernier numéro d'*Esprit*) sur les choix de l'Allemagne, un texte repris de la revue américaine *Foreign Affairs*. Dans le même numéro de la revue animée par Joseph Rovan, on lira l'ensemble consacré au « mal de vivre » dans l'ex-RDA. Pour ceux qui ont constaté que la politique internationale a été le parent pauvre de la campagne présidentielle, l'article de Michel Tatu qui propose des jalons pour une politique étrangère (*in Politique internationale*) représente une contribution susceptible de lever un certain nombre de frustrations.

Signalons également le très riche sommaire du troisième numéro de *La pensée politique* (Hautes Études/Gallimard/Le Seuil), la revue dirigée par Marcel Gauchet, Pierre Manent et Pierre Rosanvallon. Deux dossiers retiennent particulièrement l'attention : le premier a pour thème la question récurrente de la nation (voir entre autres les articles d'Alain Dieckhoff, « La nation en Israël : entre démocratie et ethnicité », Jean-Alphonse Bernard, « L'Inde est-elle une nation ? » et Pascal Perrineau, « L'image de la nation chez les électeurs du Front national »). Le second dossier se compose d'une série de répliques à un article de Vincent Descombes publié dans la précédente livraison de la revue. A la question : « Existe-t-il une philosophie du jugement politique, conçue comme rationalité propre à l'ordre politique ? », répondent Thomas Pavel, Alain Boyer, Monique Canto-Sperber, C. Castoriadis, Ph. Raynaud, J.-M. Ferry, J.-P. Dupuy et quelques autres... De son côté *le Débat* (n° 84, mars-avril 1995) propose également un dossier sur la nation (voir les articles de Jean-Yves Guiomar sur l'Allemagne et la France, et de Catherine Coquery-Vidrovitch sur la nation en Afrique noire), ainsi qu'un ensemble sur le système politique américain – un bon complément politique à ce numéro d'*Esprit* consacré au spectre du multiculturalisme américain – à l'heure de la victoire des républicains.

Soulignant la vitalité de la réflexion politique, les éditions Picard publient le premier numéro de la *Revue française d'histoire des idées politiques*. On y trouvera une réflexion critique de Francesco Germinario concernant la méthode historiographique de Zeev Sternhell et sa compréhension du fascisme et de l'idéologie fasciste. Apparemment plus historique, le dossier consacré à la polémique entre Boutmy et Jellinek sur les droits de l'homme (et qui a le mérite de republier les textes de l'un et de l'autre) n'est pas sans faire écho à des interrogations contemporaines.

« Où sont passés les travailleurs immigrés ? » : telle est l'interrogation qui relie les articles du dossier rassemblé par la livraison de mai de *Hommes et migrations*. Prenant acte des restructurations industrielles et de la progressive réduction du nombre des OS, ce dossier informe et interroge sur le statut des étrangers ou de leurs enfants face au travail : ils sont davantage que les Français en proie au chômage et surtout en butte aux discriminations à l'embauche, légalement ou illégalement. Quant aux fameux clandestins, qui seraient dit-on la source de nombreux maux, la revue rappelle qu'ils sont d'abord victimes d'une extrême précarité, que, pour une part, la précarisation juridique des étrangers « fabrique » des clandestins, et qu'enfin de nombreuses filières économiques entretiennent ce travail clandestin. Un dossier qui vient à point.

L'Algérie est à nouveau au cœur de deux revues : le n° 36-37 des *Cahiers de l'Orient* (1ᵉʳ trimestre 1995), intitulé « Algérie : la descente aux enfers », et le n° 10 des *Cahiers Intersignes* (printemps 1995), « Penser l'Algérie ». Plus directement politique, l'ensemble des *Cahiers de l'Orient* s'ouvre par le texte de l'accord de Rome, qui est commenté dans plusieurs des articles. Les analyses sont consacrées au mouvement islamiste, à la presse, à l'armée, ainsi qu'aux relations France-Algérie et États-Unis-Algérie. On y trouve également une fort utile chronique du conflit pour l'année 1994. Enfin, plusieurs ouvertures dessinent un avenir possible pour l'Algérie, en analysant l'économie, les évolutions de la paysannerie. Dans un fort intéressant entretien avec Mohammed Arkoun on peut lire cette mise au point : « En saine théologie musulmane, le pouvoir politique n'a aucun pouvoir d'interférence dans le débat entre les *ulémas*. Les deux sphères sont totalement séparées. Mais l'instance de l'autorité a été étatisée dès l'avènement des Omecyades à Damas et instrumentalisée pour légitimer un pouvoir qui n'avait pas d'autre moyen de légitimation. Depuis, tous les pouvoirs ont étatisé la religion, c'est-à-dire opéré un coup de force sur l'instance de l'autorité. Qu'on cesse donc de dire que l'islam confond politique et religion. Qu'on dise plutôt que tous les pouvoirs politiques ont étatisé l'instance de l'autorité ».

On retrouve Mohammed Arkoun ainsi que Leila Sebbar au sommaire d'*Intersignes*, dont l'orientation est davantage culturelle et anthropologique. Un ensemble très abondant de contributions, qui cherchent à sonder l'identité algérienne, à traquer l'origine de la violence, à rendre hommages aux combats des femmes (qu'elles luttent contre la discrimination électorale prévue par le Code de la famille ou qu'elles témoignent contre les ravages d'une guerre fratricide), à interroger la référence à l'islam, à rappeler les déchirements franco-algériens. Des entretiens (avec, entre autres, Habib Tengour et Bruno Etienne), des études (G. Grandguillaume, Nouredine Saadi, Fatiha Talahite, Zakya Daoud, Fethi Benslama) mais aussi des médiations plus « littéraires » (Alice Cherki, Nabile Farès, Jean Pelegri, Abdelkader Djemaï), qui se ferment sur un beau poème de Mohammed Dib, *l'Enfant-jazz, la guerre* : « [...] L'enfant y allait. / Il tendait la main. / Une balle y tomba. / Il leva la tête. / Il ouvrit la bouche. / Des balles y tombèrent. / Il les avala. / Resta bouche ouverte. / La guerre passa. / [...] »

Sous le titre « Rendez-vous 1995 : mémoire et promesse », nos amis québécois de *Possibles* (hiver/printemps 1995) consacrent un copieux dossier à la question québécoise aujourd'hui, à partir du paradoxe d'un parti indépendantiste majoritaire dans la province, et investi du rôle de la principale force d'opposition à Ottawa, au moment où la revendication indépendantiste (souveraineté) semble, elle, être minoritaire. Non sans lien avec la question du multiculturalisme abordée dans ce numéro d'*Esprit*, sont passés en revue à la fois les limites du modèle de l'État-nation, mais aussi ses avantages, la question de l'existence québécoise comme minorité dans un ensemble multinational, mais aussi le rapport du Québec à ses propres minorités (immigrés ou autochtones). Au-delà des plaidoyers en faveur de la souveraineté québécoise, qui peuvent se revendiquer de la thématique arendtienne du « paria conscient » (Stéphane Kelly), des interrogations sur l'identité nationale au Québec, ce numéro pointe enfin vers des difficultés transversales à l'affirmation politique de l'autonomie : celles issues de l'individualisme démocratique, qui ronge autant la société québécoise que les autres sociétés développées (Serge Cantin), ou celles qui proviennent de la crise sociale qui n'épargne pas non plus le Québec (Gabriel Gagnon).

Les *Cahiers de la sécurité intérieure* proposent, sous le titre « Médias et violence » (n° 20, 2ᵉ trimestre 1995), un ensemble de textes qui affrontent la question des effets de la violence à la télévision. Loin des apologies béates de l'innocuité ou de la catharsis, mais en se gardant de tout catastrophisme, ce dossier a l'avantage de dresser un premier bilan de l'influence des médias en matière de violence.

Dans *Raison présente*, n° 113, 1ᵉʳ trimestre 1995, un ensemble d'articles sur la croyance, avec des études de Jean-Michel Besnier sur Tocqueville, d'Alain Pierrot sur Rorty, et un entretien avec Pascal Engel sur la philosophie de l'esprit.

AVIS

Esprit – Rétrospectivement, la revue aura anticipé des débats qui ont scandé la campagne présidentielle. A commencer par la critique de cette démocratie d'opinion longtemps portée au pinacle et ridiculisée le soir du premier tour. Nous reviendrons bien entendu à intervalles réguliers sur les questions relatives au monde de la communication (un dossier sur l'information télévisuelle préparé par Daniel Bougnoux) ; mais nous voudrions également proposer à nos lecteurs un ensemble sur les métamorphoses de l'esprit public. Nous ne lâcherons pas pour autant les interrogations économiques relatives à l'évolution de l'emploi, et aux perspectives d'intégration par le travail (dès notre numéro d'août-septembre le lecteur pourra lire un dossier comportant des articles de Bernard Perret, Jean-Paul Maréchal, Daniel Cohen...). Suivra un ensemble sur la prison (articles d'Antoine Garapon, Denis Salas, Monique Seyler, etc.). Dans la prochaine livraison de la revue, le lecteur trouvera un dossier sur le paysage, un entretien avec Cornel West, un reportage à Cuba, des articles sur la mafia, la stratégie de Benetton, etc.

Séminaire ihej-enm-esprit – 12 juin, séance de synthèse : « La démocratie à l'épreuve des médias », Claude Lefort. A 17 h 30, 3ter quai aux fleurs, 75004 Paris (Anne Avy, 40 51 02 51).

Conférences de la ville (Esprit-Div) – 7 juin : « Loisir et culture de masse », Joël Roman. – 21 juin : « La ville comme synthèse culturelle », Jérôme Charyn. A 19 h, la Villette, bd Jean-Jaurès, 75019 Paris (Ghislaine Garin, 45 07 83 63).

Hugues Bazin
La culture hip-hop

Desclée de Brouwer

Hugues Bazin
304 p. - 160 F

Observatoire permanent
de la Coopération française
Rapport 1995

Desclée de Brouwer

Joseph Yacoub
Les minorités
Quelle protection ?
Préface de Jean-François Six

Desclée de Brouwer

Observatoire
Permanent de la
Coopération Française
192 p. - 120 F

Joseph Yacoub
400 p. - 185 F

Desclée de Brouwer

Quatre revues

Commentaire, Esprit,
Études, les Temps modernes

organisent

un concours d'essais politiques

Pour l'année 1995
la question mise à concours est :

L'avenir de la démagogie

A cette question proposée pour le premier concours
des essais politiques, vous voudrez bien envoyer
vos réponses (100 000 signes, 50 pages)
avant le 15 septembre 1995
à l'adresse suivante :

Concours des essais politiques
Éric Zanetto, coordinateur
Centre international de synthèse
12, rue Colbert, 75002 Paris

Le jury de sélection, composé de Jean-Claude CASANOVA
(Commentaire), Pierre HASSNER, Olivier MONGIN *(Esprit),*
Jean-Yves CALVEZ, Henri MADELIN *(Études),* Joseph
MAÏLA *(Esprit* et *Études),* Danièle SALLENAVE *(les Temps*
modernes), ainsi que d'autres personnalités, se réunira pour
délibérer et couronner les meilleures contributions en
décembre 1995.

ISSN 0048-6493

La Quinzaine littéraire

670. *DU 16 au 31 MAI 1995/PRIX : 25 F (F.S. : 8,00 - CDN : 7,25)*

Directeur de la publication : Maurice Nadeau

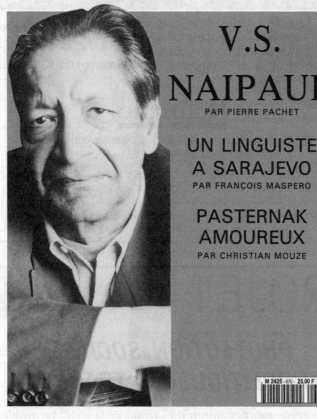

V.S. NAIPAUL
PAR PIERRE PACHET

UN LINGUISTE A SARAJEVO
PAR FRANÇOIS MASPERO

PASTERNAK AMOUREUX
PAR CHRISTIAN MOUZE

M 2425 - 670 - 25,00 F

EDITIONS ODILE JACOB

STÉPHANE PIERRÉ-CAPS

LA MULTINATION

L'AVENIR DES MINORITÉS
EN EUROPE CENTRALE ET ORIENTALE

**EDITIONS
ODILE JACOB**

ENVOI D'UN CATALOGUE SUR SIMPLE DEMANDE
15 RUE SOUFFLOT 75005 PARIS

Le directeur-gérant : Olivier Mongin
Aide à la diffusion : Novalliance-Communication
Fabrication : TRANSFAIRE SA, F-04250 Turriers, 92 55 18 14
Impression et façonnage : imprimerie Louis-Jean, Gap

Publié avec le concours du Centre national du livre
Dépôt légal 401 – mai 1995
Commission paritaire 58339